Bestandsaufnahme
Deutschunterricht

Bestandsaufnahme Deutschunterricht

Ein Fach in der Krise

Herausgegeben von Heinz Ide

Beiträge von

Martin Berg
Gertrud Bienko
Claus Büchner
Nanne Büning
Wendula Dahle
Erika Dingeldey
Hans Joachim Grünwaldt
Rolf Gutte
Dietrich Harth
Helmut Hartwig
Helmut Hoffacker
Heinz Ide
Bodo Lecke
Klaus Roehler
Rudolf Wenzel

J. B. Metzlersche Verlagsbuchhandlung

ISBN 3 476 30002 1

© J. B. Metzlersche Verlagsbuchhandlung und
Carl Ernst Poeschel Verlag GmbH in Stuttgart 1970
2. unveränderte Auflage 1971: 5.–8. Tausend
Satz (Monophoto Times-Antiqua), Offsetdruck und buchbinderische
Verarbeitung Deutsche Verlags-Anstalt GmbH, Stuttgart.
Printed in Germany.

Inhaltsverzeichnis

alt.

Vorwort

Tragen wir Eulen nach Athen, wenn wir einen ganzen Band mit Kritik am Deutschunterricht füllen? Ist nicht die Krise des Faches Deutsch ganz unbestritten? Trat der Deutschunterricht nicht unleugbar in eine Phase intensiver Wandlung ein? Warum also Bestandsaufnahme preisgegebener Positionen, wo es, bitte sehr, auf konstruktive Aufbauarbeit, auf positive, praktizierbare Vorschläge ankommt?

Erstens fragt so am liebsten derjenige, der Kritik an sich selbst und als Selbstkritik scheut, zweitens wer auf Kritik nicht mit Nachdenken reagiert, sondern mit der Forderung nach einem Rezept antwortet, nach dem es besser zu machen sei. Man bekam seither die Interpretationen in Sammelbänden und Fachzeitschriften, man wird die Anweisungen über die unterrichtliche Behandlung neuer Gegenstände und der alten unter neuen Gesichtspunkten auch künftig erhalten. Aber da liegt der berühmte Hase bereits im Pfeffer: Die Reform des Deutschunterrichts droht sich zu erschöpfen in bloßer Erweiterung der Stoffgebiete, in effektiveren Unterrichtsformen und durch Lernforschung verbesserter Planung des Unterrichts, im gewissermaßen Technischen also.

Auch die technokratische Reform ist progressiv, auch sie spricht von gesellschaftlicher Relevanz und von Demokratisierung. Aber die Inhalte, die Inhalte! Welche Meinungen bergen hier die Worte? Progression kann fortschreitende Verfestigung bestehender Verhältnisse meinen, gesellschaftliche Veränderung auf veränderte Mittel abzielen, um bedrohte Herrschaftssysteme zu stützen, formale Demokratisierung kann Verschleierungsfunktionen erfüllen.

Die technokratische Reform des Deutschunterrichts erfordert die Einsicht, daß die bisherigen Mittel verbraucht sind und die alten Praktiken nicht mehr taugen, um unveränderte Zwecke zu verfolgen. Die demokratische Reform hingegen setzt die radikale Kritik der Inhalte voraus, damit ein demokratisches Bewußtsein einer demokratisch werdenden Gesellschaft die demokratische Schule schaffen kann.

Uns wäre es schon recht, wenn unsere Analysen tatsächlich Eulen nach Athen trügen. Aber wir kritisieren ja gar nicht eine überwundene Vergangenheit, sondern die Alltagswirklichkeit des Deutschunterrichts, über den wir Lehrer,

Eltern, Schüler aufklären wollen. Noch sind ja auch die technokratischen Reformer, die nur vermehrte Effizienz im Auge haben, in der Minderzahl. Aber die Schriftenreihe «Der Deutschunterricht» ist in ihren beiden letzten Jahrgängen bemüht, ihnen die Masse der Deutschlehrer unter Einsparung jeglicher Selbstkritik zuzuführen, indem die Hebel einfach umgelegt werden auf neue Stoffe und Techniken. Der Lotse ging nicht von Bord, «der Kurs bleibt der alte. Volldampf voraus!»

Unsere Bestandsaufnahme geht das Fach Deutsch von vielen Seiten aus an, aber natürlich blieben Lücken. Eine der bedauerlichsten ist dadurch gerissen, daß eine Analyse der Schriftenreihe «Der Deutschunterricht» fehlt. Insbesondere verdienten die Jahrgänge 1969 und 1970 eine Untersuchung, denn die in ihnen zutage tretende Selbstinterpretation, dergleichen Forderungen habe man schon seit Jahren . . ., die Leser des «Deutschunterricht» wüßten ja, daß . . ., man selbst habe die Entwicklung zur Wandlung mitbestimmt, verhindert mit ihrem ungebrochen guten Gewissen jede kritische Überwindung der Vergangenheit und blockiert sie bei der Deutschlehrerschaft.

Der auf den folgenden Seiten am häufigsten genannte Name ist der von Robert Ulshöfer. Das liegt im Wesen der Sache. Es ist keine geringe persönliche Leistung eines Mannes, in so ausgesprochener Weise, wie ihm es gelang, den Deutschunterricht an den Gymnasien durch zwei Jahrzehnte hindurch bestimmt zu haben. Verschließt er sich aber der Kritik, nimmt er nichts zurück, sondern kaschiert nur (in den Überarbeitungen seiner Methodik), beharrt er darauf (in seinem «Deutschunterricht»), im alten Geist neue Kurse bestimmen zu wollen, dann muß er bei der kritischen Bestandsaufnahme des von ihm Inaugurierten um der Sache willen seine Federn lassen.

Den Namen einzelner Autoren ist hinzugefügt: «Bremer Kollektiv». Das Bremer Kollektiv ist eine Arbeitsgruppe von rund einem Dutzend Bremer Deutschlehrern, die der Aktionsgruppe Demokratischer Lehrer angehören. Sie wollen vornehmlich publizistisch und durch Mitarbeit an Lehrmitteln an den Veränderungen des Deutschunterrichts mitwirken. Sie verstehen ihre fachliche Tätigkeit als Arbeit auf einem Sektor des gesamtgesellschaftlichen Wandlungsprozesses. Die Vorhaben werden gemeinsam geplant und diskutiert, doch sind die einzelnen Arbeitsergebnisse durchaus eigene Leistung und werden voll persönlich verantwortet.

Bremen, Juli 1970   Heinz Ide

Heinz Ide
Die Schullektüre und die Herrschenden

Im 19. Kapitel seiner «Reise von München nach Genua» plaudert Heine über Melodien des italienischen Singspiels, die die Leute auf der Straße trällern. Um die italienische Musik zu lieben, müsse man das italienische Volk vor Augen haben, fährt er im Unterhaltungston fort und unterbreitet sodann die folgende überraschende Interpretation: «Dem armen geknechteten Italien ist ja das Sprechen verboten, und es darf nur durch Musik die Gefühle seines Herzens kundgeben. All sein Groll gegen fremde Herrschaft, seine Begeisterung für die Freiheit, sein Wahnsinn über das Gefühl der Ohnmacht, seine Wehmut bei der Erinnerung an vergangene Herrlichkeit, dabei sein leises Hoffen, sein Lauschen, sein Lechzen nach Hilfe, all dies verkappt sich in jene Melodien.» Dies, so zieht Heine die Summe, sei «der esoterische Sinn der Opera Buffa», die der exoterischen Schildwache, die daneben postiert sei, nur als närrisches Zeug erscheine. Hätte nun der Reiseschriftsteller seines Publikums ganz sicher sein können, so hätte er hier abbrechen dürfen, gewiß, seine Leser verständen, daß er, von Italien erzählend, nach Deutschland ziele, daß sie begriffen, was dort die Musik, könne hier die Literatur sein, wenn nur das Publikum wacher sei und besser hören könne als die Schildwachen der Macht. Wie jedoch die Dinge liegen, zieht er selbst die Parallele aus, indem er nicht die Herrschenden bewitzelt, sondern die Burschen und Turner, und dennoch die etablierte Macht als den Gegner verstehen läßt. Zugleich warnt er in jenem Zweifrontenkrieg, den auch Börne führte, dem nämlich gegen die Restauration auf der einen, gegen Deutschtümelei auf der anderen Seite, vor der spezifisch deutschen Sackgasse zur Freiheit: Die italienischen Demagogen seien eben pfiffiger als die Deutschen, «die, ähnliches beabsichtend, sich als schwarze Narren mit schwarzen Narrenkappen vermummt hatten, aber so auffallend trübselig aussahen und bei ihren gründlichen Narrensprüngen, die sie Turnen nannten, sich so gefährlich anstellten und so ernsthafte Gesichter schnitten, daß die Regierungen endlich aufmerksam wurden und sie einstecken mußten.»

Man gestatte das Spiel mit der Vorstellung, die Gymnasiallehrer des Vormärz hätten mit der gebotenen Vor- und Umsicht ihre Schüler auf solche Lektüre verwiesen und hätten sie sie lesen gelehrt. Dann hätte politische Rationalität

Schule machen können statt des Teutonismus von Arndt, von Jahn und vom Mythus der «Wacht am Rhein». Und Friedrich Wilhelm IV. hätte nach dem «tollen Jahr», als welches die 48er Revolution im nachherein so aufschlußreich angesprochen wurde, mit besserem Recht, als er es tat, seine preußischen Schulmeister als Sündenböcke abkanzeln können: «All das Elend, das im verflossenen Jahre über Preußen hereingebrochen, ist Ihre, einzig Ihre Schuld, die Schuld der Afterbildung der irreligiösen Massenweisheit, die Sie als echte Weisheit verbreiten, mit der Sie den Glauben und die Treue in dem Gemüt meiner Untertanen ausgerottet und deren Herzen von mir abgewendet haben.»

Wir sollten nicht zu sicher sein, so dächten nur absolutistische Fürsten. Auf der Suche nach den eigentlich Schuldigen an den bremischen Schülerunruhen im Januar 1967 verfiel ein prominenter Bundestagsabgeordneter – und teilte dies über einen Leserbrief der Öffentlichkeit mit – auf «eine Gruppe von Lehrkräften, die aus ihrer anarchistisch-nihilistischen Einstellung gar keinen Hehl machen und die ihre Hauptaufgabe darin sehen, alles in Zweifel zu ziehen, was an Pflichten, Bindungen und demokratischen Spielregeln besteht, ohne die eine freiheitliche Gesellschaftsordnung nicht existieren kann». Der Unterschied zur allerhöchsten Philippika des Preußenkönigs ist doch nur der Person nach beträchtlich, nicht aber hinsichtlich der Denkweise. Die Frage wird auf der Tagungsordnung bleiben, solange es Herrschende geben wird. Herrschende nennen wir Klassen oder Gruppen, die die politische Macht im Sinne ihrer eigenen wirtschaftlichen Interessen handhaben.

Allerdings, das Problem der politischen Macht, welche die Schule zur Ordnung ruft, ist komplizierter geworden. Die Majestät sprach klar im Namen der eigenen Herrschaft. Aber kann man das MdB einen Herrschenden nennen? Wessen Sprachrohr ist er? Er sagt, er errege sich namens der «freiheitlichen Gesellschaftsordnung». Das suggeriert die Vorstellung, es gebe keine Herrschenden mehr und keine Beherrschten. Aber handhabt der Abgeordnete «unsere freiheitliche Gesellschaftsordnung» nicht als die westdeutsche Tabuformel, der entsprechend die DDR das Weihrauchfaß «unser Arbeiter- und Bauernstaat» schwingt, um die tatsächlichen Herrschaftsverhältnisse zu vernebeln? Daß Herrschaft ausgeübt wird, will man diesseits wie jenseits der Grenze zwischen den deutschen Staaten nicht wahrhaben; aber hier hält man es für die DDR als klar erwiesen und dort mit nicht schlechteren Argumenten für die BRD.

Wie soll der Literaturunterricht, der es mit der freiheitlichen Gesellschaftsordnung ernst nimmt, d. h. sie als Auftrag versteht, nicht als zu tabuierendes Ordnungssystem politisch-ökonomischer Herrschaftsverhältnisse, wie soll er dieser Verpflichtung auf eine freie Gesellschaft entsprechen? Kann er es mit jener Haltung, die er sich selbst als loyal empfiehlt, die früher Majestäten u. a. m. als loyal befahlen und heute Abgeordnete u. a. m. befehlen möchten? Es gibt da Bedenklichkeiten: Jene Himmelstoß-Pendants, die Kantoreks, deren Literaturunterricht die Kriegsfreiwilligen mit dem mißverstandenen «Faust» und «Zarathustra» im Tornister präpariert hatten, dienten gewiß loyal, subjektiv dem Kaiser und dem Reich, objektiv der Industrie. Aber wem, würden wir heute wünschen, hätte ihre Loyalität statt dessen gelten sollen?! Sprechen wir gar nicht erst vom Dritten Reich, aber bedenken wir dies: Wir haben mittlerweile Abstand genug vom Kalten Krieg der fünfziger Jahre, um uns eingestehen zu können, auch damals waren ausreichend Kantoreks auf Kathedern tätig; wir sind diesen Jahren andererseits noch nahe genug, um einzusehen, die Kantorek-Loyalität bleibt eine latente Gefahr auch in der demokratischen Schule und für den demokratischen Staat, denn sie ist jedem Staat bequem, also unwillkürlich förderungswürdig. Auch der «freiheitlichen Gesellschaftsordnung» gelten nur kritische Geister als suspekt, die Kantoreks nie; Kantorek gilt heute so fraglos als Demokrat wie damals als Patriot.

Damit soll eine Problematik nur angerissen sein, die zu lösen uns als Aufgabe gestellt bleibt. Immerhin kann man es jetzt für denkbar halten, daß eine größere Zahl von Lehrern sie anpackt, nachdem die tiefe Krise der Hochschulgermanistik auf den Deutschunterricht übergriff und nicht nur die Sünden einer mittlerweile fernen und sehr fernen, sondern auch die verhängnisvollen Versäumnisse der jüngsten Vergangenheit in den Blick kamen. Erst seit er durch die Studenten- und Schülerrevolten aufgeschreckt wurde, beginnt der Literaturunterricht zu begreifen, daß er kein unpolitischer Unterricht ist. Um seine gegenwärtige Krise zu verstehen, müssen wir auf die Vergangenheit der letzten zweieinhalb Jahrzehnte zurückblicken.

1945 regenerierte sich das Deutschland der westlichen Besatzungszonen nicht in einer revolutionären Umgestaltung der gesellschaftlichen Verhältnisse, sondern es ging politisch und geistig auf die Weimarer Republik zurück. Auf ihren Hochschulen war die ältere Lehrergeneration im traditionell nationalistischen Geist der deutschen Philologie gebildet worden, die Jüngeren in eben diesem, jetzt faschistisch eingefärbten Geist auf den Schulbänken herangewachsen. Unter diesen Deutschlehrern mußten Demokraten die Ausnahmen sein. Der Rückschritt zur Weimarer Republik bedeutete für den Literaturunterricht, daß er sich dem bürgerlichen Bildungsbegriff und seinem Wertekanon verschrieb. Nur die faschistische Übermalung wurde abgekratzt, und man glaubte sich heimgekehrt zu den humanistischen Vätern und den Regionen ewig gültiger humaner Gedanklichkeit.

Die Republik von Weimar selbst hatte mit der Vergangenheit des Reichs nicht gebrochen, sie hatte vielmehr, rührend reinen Herzens (so scheint es, solange man die kapitalistischen Interessen nicht wahrnimmt), diese Vergangenheit, von Schlacken gesäubert, im demokratischen Geist erneuert, ihrem im Obrigkeitsstaat des Kaiserreichs verfehlten Ziel entgegenführen wollen. Das kommt sehr deutlich in den «Richtlinien für die höheren Schulen Preußens» zum Ausdruck. Sie setzten dem Deutschunterricht ein inhaltliches Ziel der Gesinnungsbildung. Da hieß es: «Im deutschen Unterricht sollen die Schüler lernen, deutsch zu reden und zu schreiben, deutsch zu fühlen, zu denken und zu wollen.» Die Kinder sollen zu jenen Bildungsgütern geführt werden, die «aus den Kräften des lebendigen Volkstums entspringen», die Ehrfurcht vor Werk und Schöpfertum und die persönliche Auseinandersetzung mit dem Werk sollen zusammenwirken, damit «die Erkenntnis des Inhalts zum Erlebnis des Gehalts, die Freude am Schönen zur Erfassung der Form, die Begeisterung für den Helden zu tapferem Lebenswillen, die natürliche Begeisterung für den Genius zu freier Verehrung, das deutsche Fühlen zu deutschem Bewußtsein sich erheben» kann.

Das war in der Tradition von Arndts «Geist der Zeit» und Jahns «Deutsches Volkstum», statt in der von Börnes «Pariser Briefe» und Heines «Reisebilder» gedacht. Erschreckend, aber dann doch nur wieder sehr aufschlußreich für diese Wende, die keine war, ist der unreflektierte Gebrauch von Begriffen, die schon nach 1815 keinen anderen als einen nebelhaften Inhalt hatten, wie «deutsch denken und wollen», wie «deutsches Fühlen» und «deutsches Bewußtsein». Daß auf solcherart gesellschaftliche Zielsetzung der «Deutschkunde», wie es schon in den zwanziger Jahren hieß, nach dem zweiten Weltkrieg nicht zurückgegriffen werden konnte, verstand sich ohne Frage. Aber warum verstand es sich ebenfalls ohne Frage, daß man nur etwas unterließ, nicht aber eine neue Konzeption der gesellschaftlichen Bezogenheit des Lektüreunterrichts entwickelte – oder sollte man sagen: nicht entwickeln konnte? Wessen Interessen entsprach es, daß auch auf diesem Sektor alles beim alten blieb?

Hans Mayer hat anläßlich von Überlegungen zur Problematik des Theaters überzeugend ausgeführt, daß über alle Veränderungen der Oberfläche hinweg die Einheit von Besitz und Bildung von dem Kaiserreich über den Staat von Weimar und über das Dritte Reich zur Bundesrepublik ungebrochen erhalten blieb. Mit anderen Worten: In Deutschland fand keine Revolution statt, es ereigneten sich lediglich Transformationen der bürgerlich-kapitalistischen Gesellschaft in jeweils angepaßte Zustände. Wo sollten sich da für den Literaturunterricht gesellschaftskritische Perspektiven ergeben?

Als einen zweiten Grund für die Blindheit der Literaturbehandlung ihrer gesellschaftlichen Bezogenheit gegenüber muß man die radikale Ideologiefeindschaft nicht nur der deutschen Intelligenz nach dem zweiten Weltkrieg nennen. Das war vor allem der Rückschlag auf die außerordentliche Affinität der europäischen und auch der amerikanischen Intelligenz zum «russischen Experiment» in den zwanziger Jahren und das Resultat ihrer enttäuschten Abwendung von diesem «Gott, der keiner war» in den dreißiger Jahren.

Für Westdeutschland kamen andere spezifische Gründe hinzu: Die Generation, die in braunen und feldgrauen Uniformen marschiert war, «bis alles in Scherben (fiel)», wandte sich sehr weitgehend von Geschichte und Politik ab und setzte alle Kräfte auf den Wiederaufbau der materiellen Existenz. Nach Krieg und Zusammenbruch wurde das deutsche Wirtschaftswunder ihr zweites Generationserlebnis. Es lehrte sie, daß der Rückzug aus den öffentlichen

Angelegenheiten, dafür der «totale Einsatz» im Wirtschaftsprozeß Existenz und Sicherheit im Wohlstand garantierten. Für die Entwicklung unseres demokratischen Bewußtseins hatte das katastrophale Folgen, denn es förderte die Entwicklung zur Formaldemokratie ohne ausreichende lebendige Grundlage in breiter politischer Initiative in der Bevölkerung; als demokratisch galt und gilt, was in den institutionell dafür vorgesehenen Kanälen zirkuliert, als Demokrat gilt, wer daran nichts auszusetzen findet.

Der hier wurzelnde «totale Ideologieverdacht» proklamierte ausdrücklich das Ende aller Ideologie. Daß auch dies zur Ideologie werden könnte, die bestimmten Herrschaftsinteressen dient, dämmerte im letztvergangenen Jahrzehnt. Für den Deutschunterricht folgerte aus dem «totalen Ideologieverdacht» der Rückzug auf sprachliche Schulung und isolierte Dichtungsinterpretation. Das soll nicht sagen, der Literaturunterricht der vergangenen zwanzig Jahre habe «das sprachliche Kunstwerk» und «das Wagnis der Sprache» analysiert, also «Literatur als Kunst» behandelt. Formalistisch war der Literaturunterricht nur in dem relativ bescheidenen Umfang, in dem mit den Jahren die neueren Tendenzen der Hochschulgermanistik sich Eingang in die Schule schaffen konnten. Gemeinhin blieb er – im Einklang mit einer gesamtgesellschaftlichen Tendenz der Suche nach geistigem Halt in Kirche und Tradition – im Regelfall in reaktionärer Weise inhaltsbezogen. Im Schulalltag wurde viel wirklichkeitsfremde Innerlichkeit daraus, Ausbau der deutschen Hinterwelt. Beiden, dem Modernismus wie der reaktionären Innerlichkeit, konnte die gesellschaftliche Relevanz der Literatur und ihrer schulischen Behandlung nicht in den Blick kommen. Und weil sie gar nicht zur Debatte stand, blieb natürlich auch die politische Wirkung einer solchen pronociert apolitischen Literaturbetrachtung unreflektiert. Etwas nicht bedenken heißt aber nicht, es aus der Welt schaffen, und wer nicht eingreift, dient gerade dadurch wirksam der Macht, die er nicht zur Kenntnis nimmt, denn er bringt sie anderen nicht zur Kenntnis. Für den Rückzug der Germanistik in Schule und Hochschule aus dem gesellschaftlichen Prozeß erteilte ihr rüde zwar, aber treffend und folgerichtig der Slogan ihrer Studenten die Quittung: «Schlagt die Germanistik tot, macht die blaue Blume rot!»

Sogar die Lesebuchkritik ist noch ein gutes Beispiel für das Versagen des politischen Denkens. Insgesamt, von Einzelfällen wie den Beiträgen in Heft 45 von «alternative» abgesehen, kam diese Kritik über Robert Minder, der 1953 den Anstoß gab, nicht hinaus. Minder hatte von Agrarliteratur im durchorganisierten Industriestaat gesprochen und sich mokiert, die Lesebuchverfasser hätten in ihrem «Stilleben von Riesenausmaß» einen «Morgenthau-Plan der Literatur» produziert. Schon die auf der Hand liegende Folgerung zog die Lesebuchkritik nicht, daß die Schule der Bundesrepublik also gut zwei Jahrzehnte hindurch ihre Schuljugend mit Blut-und-Boden-Literatur indoktrinierte, fast doppelt so lange, als das Dritte Reich dazu die Gelegenheit hatte.

Höchst aufschlußreich ist H. Helmers Vorwort zu der von ihm herausgegebenen Sammlung dieser Kritik «Die Diskussion um das deutsche Lesebuch». Bei Helmers fehlt der soziologische Gesichtspunkt völlig, der über die Bestandsaufnahme der Lektionen, die versäumt wurden, hinausginge und kritisch fragte, warum sie versäumt wurden und was dieses Versäumnis anrichtete. Mittlerweile muß man fragen, was das Ausbleiben dieser kritischen Frage bei den Lesebuchkritikern seinerseits verschuldete, und man muß die Antwort aus den Lesebüchern herauslesen, die aufgrund dieser Kritik neu erarbeitet wurden.

Helmers sieht richtig, daß nach 1945 in den Lesebüchern nur die direkt faschistischen Inhalte eliminiert wurden, dagegen «im ganzen die literarische Tradition der bürgerlichen Dichtung bewahrt» wurde. Als Grund dafür gilt ihm aber nicht die Konstanz der gesellschaftlichen Strukturen, sondern: «Infolge jahrzehntelanger Ideologisierung waren die Deutschen in den ersten Jahren nach Kriegsende geistig noch nicht imstande, den Bildungsrückstand zu erkennen und zu beheben.» Sehen wir von der dubiosen Verwendung des Ideologiebegriffs ab, die ihn einschränkt auf ein staatlich verordnetes Weltbild und sich der eigenen Ideologie nicht bewußt wird, das Problem wird verharmlost zu einem solchen des intellektuellen Nachholbedarfs. Wir hätten, so geht diese Meinung, in einem außerhalb unserer Grenzen ungebrochen fortgeschrittenen geistigen Prozeß 1933 den Anschluß verloren und so schnell nicht wieder herstellen können. Damit ist die gesellschaftliche Relevanz des konstatierten Tatbestandes von Grund her ausgeklammert.

Bei aller Vielfalt der Stellungnahmen, resümiert Helmers, seien sich alle Sprecher in einem doch einig gewesen: «Die in den kritisierten Lesebüchern dargestellte Weltsicht entspricht nicht der politischen, sozialen und kulturellen Realität.» Das setzt voraus, daß zuvor diese Weltsicht noch entsprochen hätte. Wann? War das Dritte Reich ein Agrarstaat? War die Weimarer Republik etwa nicht eines der höchstindustrialisierten Länder der Welt? Die Diskrepanz zwischen der Lesebuchweltsicht und der politischen, sozialen und kulturellen Realität gilt auch für die vorangegangenen Jahrzehnte. Man muß die Gegenfrage stellen: In welchem Sinne entsprach die über das Lesebuch indoktrinierte Weltsicht der politischen und ökonomischen Realität jener Jahrzehnte sogar vorzüglich? Es steht zu vermuten, für das Dritte Reich wäre Helmers bereit zuzugeben, daß das durch diese Weltsicht vermittelte Bewußtsein für die Nazis außerordentlich gut verwertbar war. Muß das wissenschaftliche Gewissen dann aber nicht auch die Frage zulassen, in welcher, allerdings differenzierteren Weise das auch für die Republik zutraf? Und darf man dann haltmachen vor der Frage, welcher Zusammenhang bestehen könnte zwischen der politischen und wirtschaftlichen Restauration in der Bundesrepublik und der geistigen Welt dieser Lesebücher?

Wer solche Fragen nicht kennt, konnte aus der Lesebuchmisere allerdings keinen anderen Ausweg sehen als den einer entschiedenen Modernisierung der Texte. Helmers wie auch die neuen Lesebuchautoren sind jedoch zu fragen, ob sie ernsthaft glaubten, die «Schüler auf allen Bildungsstufen mit den literarischen Strukturen vertraut zu machen», hieße, ihnen den richtigen Zugang zur «politischen, sozialen und kulturellen Realität» vermitteln. Helmers glaubt wirklich: «Moderne Dichtung läßt keinen Bereich der Realität, etwa die Technik, aus. Damit verschwindet die unheilvolle Diskrepanz zwischen Bildung und Sein.» Was Helmers theoretisch fundiert und das «literaturpädagogische Lesewerk» praktiziert, ist nichts anderes als die Auswechslung von verschlissenen Mitteln zur Verschleierung und von ausgedienten Werkzeugen zur Bildung von falschem Bewußtsein durch subtilere. Sollten jene Kräfte sich durchsetzen, die mit der Schulreform und dem Aufbau von Gesamtschulen nichts anderes im Sinne haben als Leistungssteigerung, fachliche Effizienz und reibungslosere Funktionalität, kurz, die technokratische Reform, so hätte diese Schule der Zukunft für die Arbeit mit dem Lesebuch hier ihre Theorie und ihr Arbeitsbuch. Wo «die unheilvolle Diskrepanz zwischen Bildung und Sein» so spurlos verschwand und dem Bewußtsein seine Übereinstimmung mit der «politischen, sozialen und kulturellen Realität» so schön vermittelt wurde, fehlt die Basis, von der aus, um auf Friedrich Wilhelm IV. und auf die Ängste unseres Bundestagsabgeordneten zurückzukommen, der Glaube und die Treue im Gemüt der Untertanen durch «irreligiöse Massenweisheit» untergraben werden könnte.

Wir hatten uns auf die Konstanz «des Vereinigten Königreichs von Besitz und Bildung» über alle Veränderungen auf der politischen Oberfläche hinweg bezogen. Inzwischen verschoben sich gewisse Akzente, nicht nur hinsichtlich des bürgerlichen Besitzes, der damals so selbstverständlich war, daß es als unfein galt, davon zu sprechen; die Bildung wurde auf dem Wege über ihren Besitzcharakter im Zuge der Veränderungen der ökonomischen Basis vollends zur Ware. Heute interessiert sie die Schüler zunehmend bewußter lediglich als solche. Gerade die intelligentesten unter ihnen sprechen das aus bis zur klaren Absage an Bildung als einem an und für sich wertvollen Gut. Die Meister Antons unter ihren Lehrern verstehen dann die Welt nicht mehr. Wie vieles, mit dem sie handelten, indem sie es behandelten, verstanden die Lehrer einen historischen Begriff als überzeitlichen Wert, den sie nicht einmal dann in Frage stellten, wenn sie es scheinbar taten und tun, z. B. in Aufsätzen. Erwartet wird dann, daß der Schüler darlegt, rein rational-intellektuelle Schulung mache noch keinen Gebildeten, es gebe auch die Herzensbildung des gütig-weisen Menschen und die in einem treu bestandenen Leben erworbene Bildung des Menschlichen, und im höchsten Sinne gebildet sei der, auf den alle Formen von Bildung zuträfen. Das ist eines der Scheinprobleme, mit denen die Schule ihre Schüler von den wirklichen Problemstellungen ablenkt; solch Thema mag sich kritisch geben, in Wahrheit ist es rein affirmativ und dient der Festigung des Bildungsdenkens.

Die Domäne des Bildungsdenkens ist der Literaturunterricht, und der verdankt die herausragende Rolle, die er bis heute spielt, der Wichtigkeit des Bildungsgedankens für die bürgerliche Besitzwelt. Die Formel von «Besitz und Bildung», nicht von Hans Mayer erfunden, sondern seit langem einen Tatbestand genau bezeichnend, sagt: Bildung ist auf den Besitz und der Besitz ist auf die Bildung angewiesen. Daraus folgert, daß im eigenen Interesse die Bildung dem Besitz dient und daß der Besitz den ideologischen Dienst der Bildung braucht. Dieser Dienst besteht darin, daß die durch den Bildungsprozeß vermittelten Werte die theoretische (quasitheologische) Rechtfertigung des Besitzes erstellen. Für den heutigen Deutschunterricht leistet das in der erhellendsten Weise die Methodik von Robert Ulshöfer. Solange die Besitzenden die Herrschenden, folglich auch ihre Gedanken die herrschenden Gedanken sind, hat vornehmlich der Literaturunterricht die Aufgabe, diese Gedanken zu reproduzieren. Die deutsche Philologie hat in diesem Dienst mehr als nur die eine «Lessinglegende» (Franz Mehring) geschaffen.

Welche Werke der Literaturunterricht heute bespricht, ist zwar sehr weitgehend dem Unterrichtenden freigestellt, es braucht aber kein Wort darüber verloren zu werden, daß sich ein gewisser Kanon von Werken oder doch von Autoren des 18. und 19. Jahrhunderts von selbst versteht. Er bleibt der Kern, um den sich unter Umständen sehr viel moderne und zeitgenössische Literatur legen mag, aber allein schon durch seine Rolle in der Mittelstufe, durch seine scheinbare Leichtverständlichkeit bildet er das fundierende Literaturverständnis, und die schulische Behandlung, die er erfährt, wirkt weiter in die Bemühungen um das Verständnis der Moderne. So wird der Schüler von heute über die Literatur grundlegend mit bürgerlichem Denken vertraut gemacht, und selbst wenn er später dagegen opponiert, so ist ihm doch viel mehr, als ihm bewußt wird, «in Fleisch und Blut übergegangen».

Wie stark die vom Bürgertum selektierte und zur deutschen Nationalliteratur schlechthin stilisierte Literatur die Vorstellungswelt prägte und prägt, tritt überdeutlich hervor in den Verständnisschwierigkeiten des Publikums, aber auch der Deutschlehrerschaft, jedenfalls der älteren Jahrgänge, der Moderne gegenüber, die seit dem Jahrhundertbeginn das Schwinden und den Zersetzungsprozeß der bürgerlichen Wertewelt offenbar machte. Es zeigt sich z. B. in der Brecht-Rezeption der Schule, die von z. T. grotesken Mißverständnissen durchsetzt ist und einer eigenen Studie mehr als wert wäre. In diesem Zusammenhang ist es interessant, wie die Büchner-Interpretation ihrem Dichter die revolutionären Flügel beschneidet; für sie blieb das von Lukács zitierte Wort A. Zweigs ungeschrieben, man habe bei Büchner zu bedenken, daß er «die ungeheure Notwendigkeit und Lobenswürdigkeit der Revolution als solcher (voraussetze), wie er sie im Gefühl hat». Die integrierende Kraft dieses Literaturbegriffs und der von der bürgerlichen Literatur vermittelten Weltvorstellung wird in allererster Linie durch den Literaturunterricht erhalten.

Mittlerweile sagt man nichts Neues mehr, wenn man darauf aufmerksam macht, daß das Bürgertum ganze Bereiche deutscher Literatur für das Bildungs-bewußtsein eliminierte, beginnend mit dem sozialkritischen Schaffen des Sturm und Drang, über den deutschen Jakobinismus, das Junge Deutschland bis zum Vormärz. Börne kommt noch heute in der Schule so gut wie nicht vor, und Heine ist immer noch eine Verlegenheit, Tucholsky wirkt schon wieder skandalös, gewisse Lieder von Erich Kästner gleichfalls, und von Carl von Ossietzki kennt man nur noch den Namen und das berühmte KZ-Foto, im übrigen würde man ihm heute wie damals den Landesverratsprozeß anhängen. Das alles hat mit gesellschaftlichen Zuständen und Herrschaftsverhältnissen sowie mit der Bedeu-tung des literarischen Unterrichts für die Herrschenden viel zu tun.

Selbstredend soll das nicht heißen, daß die Gegenstände des literarischen Unterrichts radikal ausgewechselt werden sollen. Aber sie sollen nicht unkritisch wie bisher, sondern kritisch behandelt werden. Über den Begriff des Kritischen bestehen Unklarheiten; jeder Lehrer nimmt für sich in Anspruch, er erziehe zu «selbständigem, kritischem Denken». Eine unkritische Literaturbetrachtung nimmt ihren Gegenstand an und für sich und vermittelt ihn weiter, ohne die historische Differenz zu bedenken und vor allem, ohne die gesellschaftliche Funktion zu berücksichtigen, die dem unkritisch transferierten unter den veränderten gesellschaftlichen Bedingungen zukommen wird. Ein unkritischer Unterricht tradiert vermeintliche Ewigkeitswerte des Allgemeinmenschlichen, ein kritischer läßt verstehen, welche eminente Bedeutung es im Klassenkampf des Bürgertums gegen den Feudalismus hatte, daß das Bürgertum seine geistige Wertewelt als die humane schlechthin durchsetzen konnte. Eine kritische Behandlung des Bildungsbegriffs zeigt, daß mit ihm das Bürgertum seinen elitären Anspruch gegen den des Adelsprädikats setzte und im letzten Drittel des 19. Jahrhunderts «unter dem Banner des Vereinigten Königreichs von Besitz und Bildung» seine Herrschaft gegen den Anspruch des Proletariats verteidigte, daß er heute auch dafür nicht mehr benötigt wird und nur noch zur Reproduk-tion von falschem Bewußtsein brauchbar ist, womit der Prozeß seines Defizient-werdens skizziert und die Frage als Aufgabe gestellt ist, was an seine Stelle zu treten habe.

Ein kritischer Literaturunterricht geht davon aus, daß ein literarisches Werk nicht an und für sich ist, sondern in bestimmter Zeit zu bestimmten Zeitgenossen spricht und bestimmte gesellschaftliche Zustände und Kämpfe widerspiegelt, daß es, in andere Verhältnisse transponiert, notwendig immer anders verstanden wird, vor allem aber ganz veränderte Funktionen erfüllen kann, gegebenenfalls solche, die seinen ursprünglichen Intentionen direkt zuwiderlaufen. Kritischer Literaturunterricht wird sich für Wirkungsgeschichte interessieren, er wird sich so hervorragende wissenschaftliche Arbeiten wie Hans Schwertes «Faust und das Faustische» zunutze machen müssen. Er wird die Defizienz der bürgerlichen Werte z. B. daran sichtbar machen, daß er zeigt, wie die Goebbels-Propaganda unter Benutzung dieser Wertvorstellungen den politischen Gegner zum Untermenschen erklärte und «Bild» grundsätzlich das gleiche mit gleicherweise wertbezogenem Vokabular mit den rebellierenden Studenten machte, und er wird fragen, warum wohl beide damit die Zustimmung der Bevölkerungsmehrheit fanden.

Ein kritischer Deutschunterricht muß die zentrale Bedeutung, die ihm in der bürgerlichen Gesellschaft als «Gesinnungsfach» zukam, aufgeben. Er muß sich seines ideologischen Charakters entkleiden, d. h. sich nicht länger zum Vehikel von Wertevermittlung mißbrauchen lassen. Der Deutschunterricht muß begreifen, daß er sowohl zur blinden Anpassung erziehen kann wie auch zur kritisch-demokratischen Haltung. Das erstere tut ein Literaturunterricht, der darauf abzielt, daß das in einem Werk Gestaltete ohne weiteres vom Schüler als «geistiger Besitz» angenommen und übernommen wird. Die kritische Behandlung bezieht das Werk auf die Zeit seiner Entstehung, auf seine Bedeutung im gesellschaftlichen Kontext, steckt die weitere Entwicklung der im jeweiligen Werk gestalteten Problematik ab und wirft die Frage nach dem gegenwärtigen Stand der Diskussion darüber auf. Ein solcher Literaturunterricht soll nicht mehr integrieren, sondern emanzipatorische Funktion haben, er soll nicht der inneren Bereicherung der Individualität dienen, sondern den Lernenden zu rationaler Einsicht in den gesellschaftlichen Werdegang führen, damit er als Erkennender und Denkender fähig wird, kritisch die eigene Gegenwart zu messen und die in ihr angelegten Möglichkeiten der Zukunft zu begreifen, an der er mitwirken soll.

Die Schullektüre und die Herrschenden – es ist die Frage nach der Funktion der schulischen Lektüre in der Gesellschaft und für sie. Gefordert wird die Entscheidung für oder gegen eine kritische Schule, für oder gegen Aufklärung und emanzipatorischen Unterricht, für oder gegen eingreifendes Denken.

Helmut Hoffacker / Bodo Lecke
Beliebte Opfer oder Klassiker in der Schule
– Aus Handbüchern für den Deutschunterricht –

Es gibt ja doch in der ganzen Welt nichts, was so durch und durch und ganz und gar,
so ausschließlich und unzerstörbar deutsch wäre wie die deutsche Dichtung . . .
‹Der deutsche Mensch› steckt voller Gegensätze und Widersprüche, er ist Realist
und Idealist, Rechner und Phantast zugleich, er liebt die Heiterkeit wie den Ernst,
die Nüchternheit wie den Rausch, die Kleinheit wie die Größe, das Flachland wie die
Berge, er hat viel vom Philister . . .[1]

1. Positionen

Im Jahre 1905, 100 Jahre nach Schillers Tod, schrieb Hermann Hesse eine
Postkarte an Felix Salten: «Hier mein bescheidener Ratschlag zum Schillerfest:
Schiller sollte aus dem Lehrplan der Gymnasien gestrichen und womöglich auch
noch den Schülern verboten werden. Dann wäre er bald wieder unerhört populär
und wirksam. Uns allen ist er von den Schullehrern verleidet worden, und wir
mußten ihn uns später – oft schon zu spät – mühsam wiedererobern.»[2] Für Ernst
Bloch «gibt es kaum einen Dichter, der so leicht abzustempeln war. Keiner vor
allem konnte so billig und phrasenhaft entspannt werden, scheinbar wie
geschaffen für tönende Anlässe, allein schon im Haus- und Schulgebrauch. ‹Es
brauset und zischt›, doch für Musterknaben, und: ‹Ein frommer Knecht war
Fridolin.› Unzählige Schulaufsätze haben sich an Schiller versündigt, er war ihr
beliebtestes Opfer. ‹Inwiefern hat sich der Satz Schillers: ‹Denn wer den Besten
seiner Zeit genug getan, der hat gelebt für alle Zeiten› an ihm selbst bewährt?› –
dergleichen war Tusch oder machte ihn. Mittlerweile hatten sich auch unzählige
Festreden mit sogenannten Sentenzen aus dem großen Werk versehen. Gar das
Hoftheater des 19. Jahrhunderts wäre ohne die Schillerepigonen kaum zu dem
geworden, was es so wildenbruchig war. Und nicht zu leugnen ist das allein
Wichtige: Schule und Festrede, dann das ehemalige Hoftheater, alle diese haben
das Schillersche, das ihnen diente, nicht nur erfunden, sondern zum Teil auch
ausgeplaudert.»[3]

Wir können nur einige Schlaglichter werfen auf die Geschichte der mehr oder
weniger honorigen Methoden, die Schiller, wohl mehr noch als Goethe, zum
«beliebtesten Opfer» auf dem Altar des Vaterlandes machten.

Der Literaturunterricht schwankt im letzten Drittel des 18. Jahrhunderts und der ersten Hälfte des 19. zwischen zwei extrem entgegengesetzten Positionen, die man als «Sachlichkeit» und «inneres Erleben» grob etikettieren könnte. Die gegenläufigen Entwicklungsrichtungen, die sich aus solchen Positionen ergaben, kann man bis heute durch die Wirkungs- und Rezeptionsgeschichte der Klassik verfolgen, wenn sie auch in späteren Jahrzehnten immer mehr von sozialen und politischen Sonderinteressen, von einer handgreiflichen Ideologisierung der Schule und besonders des Deutschunterrichts überdeckt wurden. Das deutsche Lesebuch in seinen Anfängen, der späteren Aufklärung – man denke nur an Campe, Sulzer oder Eschenburg – setzte sich für «Sachlichkeit» im doppelten Sinne ein: 1. in ihrer für den modernen Betrachter erstaunlichen Fixiertheit auf Sachtext und Theorie, auf Inhalte der Realfächer, wobei die nachbarocke Konzeption der Realienbücher bis weit ins 19. Jahrhundert hinein nachwirkte, 2. im Sinne einer seit den Anfängen der mittelalterlichen Rhetorik fast ununterbrochen tradierten logisch-formalen Sprachanalyse, der Einübung von Lesetechnik und Elementargrammatik, einer engen Verbindung von Lektüre und Spracherziehung, wie sie in den Lesebüchern Diesterwegs und Vetters Anfang des 19. Jahrhunderts ihren Höhepunkt erreichen.

Auch Herbart folgte den Pädagogen der Aufklärung, aber «es wurde verhängnisvoll für die Würdigung des ästhetischen Wertes der Dichtung, daß Herbart es für einen pädagogischen und psychologischen Fehler hielt, Gefühle unmittelbar ansprechen und erzeugen zu wollen. . . . Ihm kam es allein auf die Herausarbeitung des Gedanklichen an. . . . Wo heute besonders beim Gedicht unter Berufung auf dessen Kunstcharakter jedes Fragen nach gedanklichen Gehalten mit einer Heftigkeit abgelehnt wird, als handele es sich dabei um eine Todsünde wider die Kunst, da ist ganz deutlich noch immer jener Anti-Herbart-Affekt wirksam, wie er sich durch Kunsterziehungsbewegung und Erlebnispädagogik herausgebildet hat».[4]

Die Redner des zweiten Kunsterziehungstages in Weimar (1903), vor allem Stephan Waetzold, Otto Ernst und Heinrich Hart, predigten die «Erziehung der Jugend zum ästhetischen Genuß»[5] als überwiegend passives Nacherleben im Sinne einer archaisch-sensualistischen Gefühligkeit: «Mit peinlichster Sorgfalt werden wir darüber wachen müssen, daß das Kunstwerk durch die Sinne seinen Einzug halte ins Gefühl; denn alle Kunst muß zuerst durch die Sinne und muß von dort unmittelbar ins Gefühl dringen.»[6] Ernst Linde, der den Begriff der «kindertümlichen» Erziehung prägte, hat denn auch das folgenreiche Kapitel bürgerlicher deutscher Geistesgeschichte nach der «Überwindung der Aufklärung» mit dem Begriff der «Innerlichkeit» in Verbindung gebracht: «Dichtung ist das vollendete Leben in seiner Innerlichkeit.»[7] Sein wilhelminischer Mitstreiter S. Rüttgers, gestützt auf die enge Verbindung zwischen Kunsterziehungs- und Volksbildungsbewegung in den Publikationsserien des Ferdinand Avenarius, sah die Beziehung zwischen Volks- und Kindertümlichkeit mit

seinem nationalen Auge so an wie das beliebte «Hamburger Lesebuch» (1905):
als «Kanon der Dichtung für das deutsche Volkskind, das Auslesebuch
deutscher Dichtung zur Einführung in die seelische Volksgemeinschaft.»[8] Solche
Ansätze münden seit den Anfängen der Weimarer Republik nachweisbar in den
sogenannten «deutschkundlichen Unterricht». Diese Tendenz wurde gefördert
durch die direkte Wirkung der Germanistikprofessoren Friedrich Gundolf und
Ernst Bertram sowie durch einen, freilich oft mißinterpretierten, Erlebnisbegriff
in den Schriften Wilhelm Diltheys und seiner philosophischen wie psychologischen Epigonen.

Die Deutschkundler, deren durch und durch «patriotischer Gesichtspunkt»[9]
etwa in O. von Greyerz' programmatischem Buchtitel «Der Deutschunterricht
als Weg zur nationalen Erziehung» zum Ausdruck kommt, «sehen in der
Weckung und Stärkung des vaterländischen Denkens und Empfindens die
allerwichtigste Aufgabe des Deutschunterrichts. . . . das deutsche Volk ist nun
einmal so geartet, daß es einer besonderen vaterländischen Erziehung dringend
bedarf, . . .»[10] Auch im Deutschunterricht war die NS-Ideologie lange vor der
eigentlichen NS-Politik zum perfekten kanonischen System geworden: «Daß
man im deutschen Unterricht Heinrich Heine keinen breiteren Raum widmen
wird, versteht sich von selbst. Heine ist es trotz seiner tiefen Vertrautheit mit der
deutschen Sprache nicht gelungen, ganz zum Deutschen zu werden. . . . Wenn sie
(die Juden) nicht durch Blutmischung wirklich ‹assimiliert›, eingedeutscht sind,
so behalten sie fast immer etwas Fremdartiges, Internationales oder gar
Deutschfeindliches. Zum mindesten fehlt ihnen meist die rechte Herzenswärme
gegenüber dem Deutschtum, und sie können daher nicht als die rechten Vertreter
und Lehrer des Deutschtums angesehen werden.»[11]

Gegenüber diesen Tendenzen, die nicht nur bei den erklärt nationalistischen,
sondern auch bei vielen anderen, durchaus progressiv sich einschätzenden
Pädagogen seit der Jahrhundertwende ein immer wachsendes Ansehen gewan-
nen, hatte es die Pädagogik Kerschensteiners und Gaudigs schwer. An die Stelle
des «Erlebens», des «Gefühls», der «Innerlichkeit», des «Genießens» setzte die
Arbeitsschule eine rationalere, nüchternere Einschätzung des Deutschunterrichts. Das wurde von der anderen Seite bald mit Argwohn betrachtet: «Die
Zweifel nähren sich vor allem an der Tatsache, daß in der Arbeitsschule jeder
Arbeitsvorgang unter denkende Betrachtung gestellt werden muß und vielleicht
das Gefühl sich dadurch nicht frei und ungestört genug entfalten kann. Dem
steht jedoch das Positive gegenüber, daß der Umgang mit dem Gedicht in der
Arbeitsschule keiner falschen Gefühligkeit verfallen kann, daß die Gedicht-
behandlung nicht in die Gefahr des Lyrisierens gerät und wieder mehr Sachlichkeit, auch wohltuende Nüchternheit . . . einzieht.»[12]

Freilich hat es nicht nur eine verschärfte Frontstellung, sondern auch das
Bemühen um eine Synthese zwischen Kunsterziehung, Erlebnispädagogik und
Arbeitsschule gegeben. Elschenbroich nennt als Beispiel Otto Karstädts um-

fangreiches Handbuch «Dem Dichter nach» (1913–1933). Wenn jedoch «das innere Schauen, das Einfühlen, das bildhafte und tätige Mitleben der Stimmungen» als Lernziel formuliert und zugleich das Postulat aufgestellt wird, «wirklicher literarischer Arbeitsunterricht sei Deutschkunde»[13], kann man deutlich sehen, wohin der erlebnispädagogische und ideologische Weg führte. Denn von dieser Seite wurden der Kanon literarischer Unterrichtsstoffe und – als seine beliebtesten Opfer – besonders die deutschen «Klassiker» geprägt. Wir stimmen der Schlußfolgerung, d. h. aber nicht der Perspektive und Beurteilungsweise A. Beiss' angesichts der hier kurz skizzierten historischen Situation zu: Hier «wurde nicht nur oft ein falscher Bildungsdünkel gezüchtet, sondern auch die nach 1933 allein geforderte weltanschaulich-politische Interpretation weitgehend vorbereitet. Eine zwangsweise Verengung des wachsenden Weltbildes des Schülers ergab sich oft auch durch das Verfahren, daß ‹klassisch› nicht ein ‹Sachbegriff› blieb, sondern zum ‹Oberwert gestempelt› oder gar zum ‹Alleinwert verabsolutiert› wurde.»[14]

2. Was heißt klassisch?

«Klassisch ist das Gesunde, romantisch das Kranke»[15], hätte Goethe wohl nicht gesagt, hätte er vorausahnen können, daß der deutschkundige Havenstein etwa 100 Jahre später «die klassischen, d. h. die Männerideale und -maßstäbe»[16] martialisch proklamieren würde. Abweichend von dieser ebenso willkürlichen wie bedenklichen «Definition» wird kurz zuvor «das Klassische und sein Ebenmaß»[17] im Sinne eines normativen Wertbegriffs für «ausgewogen», «mustergültig», «vorbildlich» erklärt. Darin zeigt sich tatsächlich eine Konstante des Begriffs: Sie liegt schon der hauptsächlich aus Oesers und Winckelmanns Kunsttheorien bekannten Konzeption von der «edlen Einfalt, stillen Größe» zugrunde, die zugleich auf das Antikisierende des Begriffs verweist. Auf die Frage, die T. S. Eliot im Jahre 1945 stellte: «What is a classic?», können wir nüchtern mit Gero von Wilpert antworten: «Heute ist der Begriff besonders durch die billigen Klassiker-Ausgaben fast aller druckfreien Dichter sehr ungenau geworden.»[18] Die Unverbindlichkeit dieses «Klassischen» zeigt sich leider besonders, wenn die Didaktiker des Deutschunterrichts es «kindgemäß» zurechtbiegen: «Ganz zu Recht hat Otto Willmann betont, daß eine Jugendlektüre von bleibendem Wert *klassisch* sein müsse ‹in dem Sinne, daß jedes Alter in ihr einen Besitz hat und der Zögling stets zu ihr zurückzukehren Antrieb fühlt›.»[19]

Havenstein weist auf den französischen Sprachgebrauch, besonders auf die Wichtigkeit des Unterschiedes zwischen «Klassik» und «Klassizismus» nur oberflächlich hin. Ihm geht es nicht um die Problematik der Epochenbezeichnung (die zugleich die Rezeption und Renaissance einer zurückliegenden «klassischen» Zeit, nämlich der Antike, einbeziehen müßte), sondern um die Verwischung historischer und terminologischer Grenzen: dabei muß – bezeichnenderweise! – das «Klassische» an Eigenwert verlieren, um dem «Romanti-schen» integriert werden zu können. Das paßt gut zur Verschwommenheit der nationalen Klassiker-Ideologie: «Die Franzosen rechnen ... Goethe und Schiller gar nicht zu den klassischen, sondern zu den romantischen Dichtern, und an der französischen Klassik gemessen, sind sie ja auch ohne Zweifel sehr unklassisch. Das gilt selbst von Goethes ‹Iphigenie›. Unter dem wundervoll glatten Faltenwurf einer höchst gewählten Sprache schlägt das Herz dieser Dichtung sehr deutsch, sehr zweifelnd und unruhig, sehr sehnsüchtig und leidenschaftlich.»[20]

Wir können uns hier nicht auf eine eingehende Begriffserklärung einlassen, sondern verweisen nur auf die halbwegs verbindlichen Datierungsversuche für die «Weimarer Klassik» etwa im Sinne von Frenzel: 1786–1832 oder Wilpert: 1786–1805, beschränken uns hauptsächlich auf Goethe und Schiller und schlie-ßen uns Frenzels vorsichtiger Bestandsaufnahme an: «Gegenüber dem allmäh-lich verwässerten Begriff ist klassisch nur der aus Kunst und Weltanschauung erwachsene Stil der Dichtkunst jener Jahrzehnte, die den Gipfel der seit der Renaissance wirkenden antikisierenden Kunstauffassung bedeutet.»[21] Diese Definition läßt sich stützen durch Schiller, der anläßlich seines «Frideriziade»-Plans in einer dichten, für die Geschichte des Begriffs aufschlußreichen Formu-lierung das Normativ-Mustergültige der Gattung mit dem Historisch-Zeit-gebundenen des Gegenstandes im Prinzip der «Classicität» verknüpfte.[22]

Goethe hatte wohl recht, wenn er das Attribut «klassisch» für problematisch hielt: «Wir sind überzeugt, daß kein deutscher Autor sich selbst für klassisch hält, ... Wer mit den Worten, deren er sich im Sprechen oder Schreiben bedient, bestimmte Begriffe zu verbinden für eine unerläßliche Pflicht hält, wird die Ausdrücke: *klassischer* Autor, *klassisches* Werk höchst selten gebrauchen.»[23] Weniger als absolute Wertnorm im Sinne des lateinischen «classicus» (nach Gellius) wollten die beiden «großen deutschen Klassiker» den Begriff verstanden wissen, denn als Epochenbegriff, als historisches, durchaus zeitgebundenes ästhetisches Programm, das sich selbst als «modern» verstand oder sich von anderen zeitgenössischen Tendenzen abhob:

«Der Begriff von klassischer und romantischer Poesie, der jetzt über die ganze Welt geht und so viel Streit und Spaltungen verursacht», sagt Goethe, «ist ursprünglich von mir und Schiller ausgegangen. Ich hatte in der Poesie die Maxime des objektiven Verfahrens und wollte nur dieses gelten lassen. Schiller aber, der ganz subjektiv wirkte, hielt seine Art für die rechte, ... Er bewies mir, daß ich selber, wider Willen, romantisch sei und meine Iphigenie, durch das Vorwalten der Empfindung, keineswegs so klassisch und im antiken Sinne sei, als man vielleicht glauben möchte. Die Schlegel ergriffen die Idee und trieben sie weiter, so daß sie sich denn jetzt über die ganze Welt ausgedehnt hat und nun jedermann von Klassizismus und Romantizismus redet, woran vor fünfzig Jahren niemand dachte.»[24]

3. Anti-Aufklärung

So bewußt unklar, wie der Begriff «klassisch» gebraucht und dabei gern einem Vulgär-Romantischen, vage Emotionalen und realitäts- und zeitfernen Pseudo-Idealismus zugesellt wird, zeigt sich andererseits das pedantische, ängstliche oder erbitterte Bemühen, ihn von den schädlichen und «zersetzenden» Einflüssen der Aufklärung rein zu halten. Herder, Goethe, Schiller und sogar Lessing werden durchweg als «Überwinder der Aufklärung» apostrophiert: «Herder trug in sich ein Weltbild, das dem damals gültigen der Aufklärung und Verstandeskultur widersprach, vor dem auch die kritischen Bemühungen eines Lessing nicht bestehen konnten. In immer neuen Gesprächen wurde in Goethe die gesamte Überlieferung ... eines biederen, begriffs- und tugendstolzen Rationalismus abgebaut.»[25] Dagegen sollen Christentum und Humanismus um jeden Preis gegen die seit der Renaissance vordringenden paganen Tendenzen des Klassizismus, die sich in der Biographie Goethes, Schillers oder Lessings mit aller Deutlichkeit wiederfinden, gerettet werden. Über Aufklärung und Gottlosigkeit wettert Rieder: «die gottlose Welt der Aufklärung»; «das grenzenlose Maß des Abfalls von Gott (in Schillers ‹Räubern›) ist diesem Moralisten aus innerster Leidenschaft, diesem wahrhaft christlichen Empörer unerträglich»; «Aufklärungsgeist der Selbstsucht»; «sein Stück meinte nicht eine Revolution staatlicher und gesellschaftlicher Verhältnisse, ... Es geht um die Durchsetzung der christlichen Moral, wobei Schiller das Feudalsystem als gegeben hinnimmt»; Schillers Jugenddramen schildern «eine feudale, vom Gift der Aufklärung angekränkelte, moralisch vermorschte Welt»![26]

Für die heutigen Literarhistoriker erschöpft der Begriff «Aufklärung» sich nicht in oft kritisierten kleineren Geistern von Baumgarten bis Nicolai. Man hat vielmehr auf seine übergeordnete Bedeutung für die Literatur des gesamten 18. Jahrhunderts hingewiesen und damit zugleich auf die Problematik einer für die Chronologie zu schematischen Abgrenzung einzelner «Schulen» wie z. B. Sturm und Drang, Frühromantik etc. Aber selbst die weniger bedeutenden Verfechter einer Aufklärung im engeren Sinne verdienen doch, vor der Geschichte der Literaturwissenschaft und des Deutschunterrichts in Schutz genommen zu werden gegen irrationalistische Tendenzen aller Art. Man denke nur an die Anfänge des philanthropinen Lese-, Kinder- und Jugendbuchs: die «Wochenschrift zum Besten der Erziehung und der Jugend», Adelungs «Leipziger Wochenblatt für Kinder», Weißes «Kinderfreund», Crusius' «Unterhaltungen für Kinder und Kinderfreunde», Sulzers «Vorübungen zur Erweckung der Aufmerksamkeit und des Nachdenkens», Rochows und Eschenburgs Lesebücher, Herders und Liebeskinds «Palmblätter» oder Campes «Robinson der Jüngere» und «Kleine Kinderbibliothek»! Das Zeitalter der Aufklärung war eines der Literatur und der Pädagogik.

Wenn Schiller bei der brieflichen Beurteilung seiner «Räuber» mehrfach den Begriff «aufgeklärt-modern» verwendet, so wird deutlich, daß die Klassiker sich stets ausdrücklich zur Aufklärung bekannten. Es ist eine Erbsünde der Literaturgeschichtsschreibung des 19. und 20. Jahrhunderts, fast ausschließlich gestützt auf die Angriffe Lessings gegen Gottsched und der «Xenien» gegen Nicolai, fehlkonstruierte dialektische Schemata wie Aufklärung contra Klassik oder Aufklärung contra «richtige Empfindung» in die Welt zu setzen, die bei dem Dialektiker Schiller selbst und in dessen historischer Umgebung nicht zu finden sind: «Nicht genug also, daß alle Aufklärung des Verstandes nur insoferne Achtung verdient, als sie auf den Charakter zurückfließt; sie geht auch gewissermaßen von dem Charakter aus, weil der Weg zu dem Kopf durch das Herz muß geöffnet werden. Ausbildung des Empfindungsvermögens ist also das dringendere Bedürfnis der Zeit, nicht bloß weil sie ein Mittel wird, die verbesserte Einsicht für das Leben wirksam zu machen, sondern selbst darum, weil sie zur Verbesserung der Einsicht erweckt.»[27] Auch ohne die seit 1794 immer greifbareren Einflüsse Kants wußte Schiller die Grundlagen zu schätzen, die von der Aufklärung für den Fortschritt seines Werkes gelegt wurden: «Das Zeitalter ist aufgeklärt, das heißt, die Kenntnisse sind gefunden und öffentlich preisgegeben, welche hinreichen würden, wenigstens unsere praktischen Grundsätze zu berichtigen; der Geist der freien Untersuchung hat die Wahnbegriffe zerstreut, welche lange Zeit den Zugang zu der Wahrheit verwehrten und den Grund unterwühlt, auf welchem Fanatismus und Betrug ihren Thron erbauten.»[28]

Hans Mayer nennt die eben zitierten «Briefe über die ästhetische Erziehung» «das entscheidende theoretische Dokument der Weimarer Klassik. Ein Dokument der Aufklärung und der Verarbeitung geschichtlicher Erfahrungen in einem. . . . Schiller will . . . eine Analyse (bieten), welche zeigen möchte, daß der Vollzug der Aufklärung auch ohne Revolution möglich sei . . . Nach wie vor gab es die Aufklärung: sie war jetzt nicht mehr gegenrevolutionär, auch nicht mehr unrevolutionär, sondern ließ sich am ehesten als eine nachrevolutionäre Doktrin verstehen, die menschliche Würde und menschliches Spiel, Gesellschaftskritik und Streben nach neuer Harmonie im Lichte der ihr gegebenen geschichtlichen Erfahrung miteinander zu vereinen suchte.»[29]

4. Interpretations- und Lehrmethoden

«Wer also Goethes ‹Iphigenie› so liebt und sich durch sie so erhöht fühlt, daß er von ihr ‹mit Zungen zu reden› und mit seiner eigenen Begeisterung die Schüler anzustecken vermag»[30], der ist in den 20er Jahren des 20. Jahrhunderts ein rechter germanistischer Jünger Gundolfs und Bertrams, ist in der Tiefe seines deutschen Gemütes der ideale Vermittler zwischen «Sprachgut» und «jugendlicher Seele». 40 Jahre später, um ja nicht den Verdacht aufkommen zu lassen, man könne aus der Kenntnis des historischen Hintergrundes, aus der um Systematik bemühten ästhetischen Terminologie Schillers und seiner Zeit zu einer rationalen Analyse des dramatischen Aufbaus bei der Behandlung des «Wallenstein» kommen, den sein Autor in mehr als zehnjähriger Arbeit als

ästhetischer Theoretiker und Historiker konzipierte, verwahrt sich W. Haußmann gewissenhaft «gegen eine vorschnelle Deutung aus Briefstellen Schillers,
aus seinen philosophischen Schriften ... vielmehr gilt es, möglichst nah am
Werk zu bleiben und es immer wieder zu umkreisen»[31]. Mit diesem Bild eines
wahrhaft schwindelerregenden Kreisens um den heißen Brei ist das Verfahren
solcher «Interpretationen» trefflich umschrieben: Sie sind methodenfeindlich bis
zum Äußersten.

Wenn man nun methodisches Interpretieren mit einigem Recht nicht der
Didaktik des Deutschunterrichts, sondern zuerst der germanistischen Wissenschaft zuschreiben könnte, wird man doch immer wieder entsetzt sein, wie die
Beiträger zu Reclams «Lehrpraktischen Analysen», Bräutigams «Deutscher
Ballade», Schöninghs «Didaktisch-methodischen Analysen», Schulkommentaren oder Lehrerbeiheften mit ihrer Aufgabe fertig werden, «Handreichungen»,
«didaktisch-methodische Analysen», «unterrichtspraktische Beispiele» für die
Arbeit an einem literarischen Gegenstand bereitzustellen. Anstatt dem überlasteten Lehrer klare, einer kritischen Auswahl leicht zugängliche Hinweise für
Gliederung, Anordnung, Illustration und Demonstration seines Stoffes zu geben
(wie es Frank Schnass wenigstens in Ansätzen versucht, wenn auch auf
ungezügelt pluralistische Art und in bedenklicher ideologischer Verengung),
ergeht man sich meist in willkürlichen, exzessiven, oft unsinnigen Paraphrasen
oder bevorzugt die assoziative, primitiv-alogische und undisziplinierte Reihung
von Einfällen und plattitudenhaften Lebenserfahrungen wie z. B. U. Wasmer in
seiner «Bürgschaft»-Interpretation: «Schon im Rhythmus das Spiel der Quelle
(die geschwätzigen, erzählenden Wasser Mörikes), dazu die Ausmalung durch
die Wortwahl. Es ist, als beuge Schiller sich selber über einen heimatlichen Quell
seiner Kindheit. ... wie das tanzt, hüpft und gluckert! Es ist wie eine kleine
Fontäne, die auf und ab spielt, sich widerspiegelnd in der graziösen Musik der
Hebungen und Senkungen.»[32] Derselbe Wasmer zitiert aus Herbert Cysarz'
braunem Schillerbuch begeistert: «Ein sittlicher Hürden- und Marathonlauf um
die Freundestreue und das Leben des Freundes rast, kämpft sich und erhebt sich
in eine Apotheose des Menschentums.»[33] Der geneigte Leser wird erraten, daß es
sich bei diesem wahrhaft olympischen Gegenstand noch immer um Schillers
«Bürgschaft» handelt. Unbeeindruckt von der Wagner-Figur im «Faust» stellt
K. Bräutigam in seiner abschließenden «Würdigung» des «Totentanzes» den
Dichter als überdimensionalen Spießer dar: «Goethe konzipierte in jenen Jahren
‹die Welt als ein Ganzes wirkender Gesetze› (Gundolf). Diese tiefe Einsicht des
reifen Goethe, die, gepaart mit einem schlackenreinen Humor, in die Form
vollendeter Verse gegossen ist, macht unser Gedicht zu einem köstlichen
Kleinod.»[34] Hätte Bräutigam doch lieber den Weg der Interpretation so gewissenhaft und behutsam betreten, wie Goethe selbst es forderte: «Es gibt eine
zarte Empirie, die sich mit dem Gegenstand innigst identisch macht und dadurch
zur eigentlichen Theorie wird. Diese Steigerung des geistigen Vermögens aber

gehört einer hochgebildeten Zeit an.»[35] Pech für Interpreten, die ihr nicht angehören, die jene in den «Maximen und Reflexionen» formulierten berühmten Definitionen zur Unterscheidung von Symbol und Allegorie[36] übergehen und die selbst nichts zum Erwerb jener Sprachkompetenz tun, die sie doch Lehrern und Schülern vermitteln sollten und von der Goethe schlicht sagte: «Wir haben das unabweichliche, täglich zu erneuernde, grundernstliche Bestreben, das Wort mit dem Empfundenen, Geschauten, Gedachten, Erfahrenen, Imaginierten, Vernünftigen möglichst unmittelbar zusammentreffend zu erfassen.»[37] Die mißhandelten Klassiker hätten zu dem pseudo-methodischen Verfahren der sich selbst so nennenden Didaktiker und Methodiker des Deutschunterrichts, in Wahrheit verhinderte Germanisten im 2. oder 3. Aufguß, vermutlich dies gesagt: «Sie peitschen den Quark, ob nicht etwa Crême daraus werden wolle.»[38]

Für die moderne Sprachpädagogik ist dabei besonders «festzustellen, daß den sprachlichen Erklärungen großes Unbehagen begegnet. Sofern sie nicht durch subjektiven Ästhetizismus überspielt und einfach für unnötig gehalten werden, verfällt mindestens eine ‹irritierende grammatische Terminologie› der Kritik, wobei die Kenntnis der sprachtheoretischen Begriffe noch einen Glücksfall darstellt.»[39] Die wissenschaftsgeschichtlichen Voraussetzungen gerade dieses Dilemmas liegen zum Teil in einer Entwicklung begründet, die – vorbereitet durch Schüler Husserls wie Ingarden, die frühen Formalisten, Strukturalisten und deren Nachfolger – in der Nachkriegszeit lange im Zeichen der formalästhetischen Interpretationsmethode stand:

«Erschien es eine Zeitlang so, als ob die Methode der werkimmanenten Interpretation gerade der Schule die Konzentration auf das ‹Wesentliche›, das sprachliche Kunstwerk eingebracht hätte, so verdanken wir heute ihrer Vorherrschaft auch eine Generation, die stark ahistorisch eingestellt ist. Hinzu kommt, daß die Germanistik den Deutschlehrer sprachwissenschaftlich für seinen Beruf kaum vorbereitete, so daß sich paradoxerweise eine Methode, die den sprachlichen Aspekt der Interpretation betonte, mit dem Unvermögen verband, diesen Ansatz systematisch zu bearbeiten. Der Schwerpunkt des Interpretierens lag denn auch nicht auf rationalen Analysen unter eindeutigen formalen oder thematischen Gesichtspunkten, sondern auf dem Bemühen, ein Kunsterlebnis zu vermitteln, von dem angenommen wurde, daß in ihm ein Werkganzes mit allen seinen Qualitäten unmittelbar zur Wirkung komme.»[40]

5. Lob des Irrationalismus

Auf ähnliche Art versucht Herbert Thiele der «Iphigenie» sich zu nahen: «Man wird sich vom Analysieren, besonders einem zu starken, gleichsam ‹verkleinernden› fernhalten und zu einer ‹Synthese›, zu einer Art ‹Gesamtschau› streben. . . . In der Sprache Guardinis und Bollnows sollen die Schüler, soweit als möglich, zu einer ‹Begegnung›, die das ‹Erlebnis› ja wesentlich übersteigt, geführt werden – zur Anschauung, zur Erkenntnis und zu persönlichem, folgenreichem Ergriffenwerden.»[41] Die bis weit in die 60er Jahre fortwirkenden Sprachgepflogenheiten der Existenzphilosophie im sekundären Aufguß Bollnows und Guardinis, die schon zu Anfang der 50er Jahre ihren Höhepunkt erreichen, lassen den historischen Rückschluß auf die begriffsferne, gleichsam «wortlose» Erlebnispädagogik zu Beginn des Jahrhunderts zu: Havenstein beruft sich bezeichnenderweise auf die irrationale und voluntaristische Richtung einer Psychologie, die enge Beziehungen zur Vorgeschichte des Nationalsozialismus hat; sein Gewährsmann Müller-Freienfels schrieb um 1920 neben seinen Werken «Irrationalismus» und «Grundzüge einer Lebenspsychologie» die noch einschlägigere «Psychologie des deutschen Menschen». Die Auffassung von einer ebenso absoluten wie vordergründigen Irrationalität des dichterischen Genius, schon im 19. Jahrhundert vielfach kultiviert, kam, fast unbeeindruckt von der in der Germanistik doch recht gewichtigen Gegenbewegung des Positivismus, zu neuen Ehren: «Der echte Schriftsteller . . . schreibt nicht, wenn seine Seele ihn nicht schreiben heißt, er kann ohne dieses innere Geheiß nicht schreiben; er kann es nicht, . . . weil sein Innerstes, sein Genius es ihm verbietet. Sein Genius aber verbietet ihm das Schreiben ohne Herzensdrang.»[42]

Dem entsprechen eine tranceähnliche «Haltung» und ein quasi-mystischer «Auftrag» des Interpreten: «Wen Schillers Wallenstein kaltgelassen hat, der kann darüber vielleicht Worte machen, aber nicht reden oder schreiben. Wer über Wallenstein wirklich redet, der stellt, in der Tiefe betrachtet, die Gefühle dar, die die Dichtung in ihm erregt hat.»[43] Dagegen hatte es bis heute wenig Folgen, wenn schon in den 30er Jahren und früher die marxistische Literaturästhetik den Zusammenhang zwischen Irrationalität und Faschismus in der Klassiker-Rezeption erkannte, scharf kritisierte oder in stilanalytischen Essays die schneidende Antithetik und «Logizität in einem erneuerten Schillerstil»[44] hervorhob. 1955 heißt es bei Schnass noch oder wieder: «Goethe ist kein aktiver Willensdichter, der die Poesie zu kommandieren vermag; er ist passiver Stimmungsdichter, der geduldig warten muß, bis es in ihm dichtet. . . . Daher verlangt jedes Sprachkunstwerk einfühlendes Verstehen, innenschauende Wesensdeutung. Ohne intuitive Wesensschau hilft verstandesmäßiges Zergliedern nicht. Eine Analyse . . . bleibt Splitterkram, wenn sie nicht jeden Teil und Zug organisch im Ganzen sieht.»[45] Goethe selbst hätte sich, nicht erst in seiner späteren Zeit, dagegen verwahrt: «Denn jeder (Künstler), der diesen Namen verdient, ist zu unserer Zeit genötigt, sich aus Arbeit und eigenem Nachdenken, wo nicht eine Theorie, doch einen gewissen Inbegriff theoretischer Hausmittel zu bilden, bei deren Gebrauch er sich in mancherlei Fällen ganz leidlich befindet . . .»[46]

Der Irrationalismus der Klassikinterpretation hat neben dem schlechthin «Gefühligen», jeder methodischen Analyse sich heimtückisch Entziehenden, noch eine besonders typische Spielart des Chthonischen, «Naturmagischen» und Mythischen hervorgebracht, die in manchen Unterrichtsstunden über Balladen oder naturbeschreibende Lyrik und Prosa dämonisch und zählebig weiterspukt, so noch bei Ulshöfer: «Nicht genug, Kinder das Gedicht (Goethe: Das Beet) in seiner Abfolge von jambischem und daktylischem Versmaß sprechen zu lehren; es lebt aus einer mythischen Schau, die erfaßt sein will.»[47] Naturmagie, mythische Figurationen, mystisches Erleben und Schauer als archaisch-barbarischer Selbstzweck wären Kitsch und Kolportage, die zwar Goethe und vielleicht mehr noch Schiller aus psychologisch-poetischem Interesse so benutzt haben wie andere aus Mythologie und Literarhistorie tradierten Motive und Kunstmittel, aber eben doch in einer ganz bewußt reflektierten und zeitgemäßen wirkungsästhetischen Absicht. Die bis auf die heutige Didaktik fortwirkenden ideologiegeschichtlichen Stufen werden greifbar, wenn Heiske sich auf den stark zur NS-Ideologie tendierenden Germanisten Hermann Pongs[48] beruft oder Gundolf zitiert: «Auf die Bedeutung dieser Leistung (in Goethes «Der Fischer»: das Unbewußte sprachlich zu erfassen) in einem ‹schon völlig vergesellschafteten Zeitalter› weist ganz besonders Gundolf hin, wenn er demgegenüber Goethe als ‹Urdichter› hinstellt, der auch die Ballade als die ‹Bildwerdung der außermenschlichen Schauer wieder gefüllt› hat.»[49] Bei Beinlich zeigen sich solche ideologischen Voraussetzungen entweder erschreckend deutlich in seinen Beispielen, Wertungen und didaktischen Zielen, oder sie sind, mit Adorno zu sprechen, «in die Sprache gerutscht», d. h. in Vokabeln wie «Artung», «wertvolle Art», «Heldisches» etc.:

«Eingebettet ist das dramatisch Geschehnishafte in eine Grund-Gestimmtheit, in ein durchwaltendes Atmosphärisches. Auf diesem tragenden Grund von lyrischer Artung wird das Schicksalhafte alles Menschseins gestalthaft sichtbar. Es entspringt dem Numinosen, dem Göttlichen . . . Die Ballade als Art bleibt wertvoll . . ., der es vornehmlich um die Darstellung menschlichen Schicksals im Umkreis irrationaler Unter- und Hintergründe geht, andererseits die Heldenballade, in der die . . . heldische Bewährung des Menschen das Hauptthema ist.»[50]

6. Ideal und Verklärung

Das wohl wichtigste Problem der Klassiker-Rezeption im heutigen Deutschunterricht kann hier nur als Frage angerissen werden: Wie verhält sich der in Philosophie und Ästhetik programmatisch definierte «Idealismus» zur gesellschaftlich-historischen Realität des späteren 18. Jahrhunderts? Welche Folgerungen ergeben sich für die modernen Gesellschaftstheorien? Mögliche Antworten hat etwa Herbert Marcuses bekannte Schiller-Deutung im Rahmen seiner Thesen über «affirmative Kultur» vorweggenommen. Die Theoretiker des Deutschunterrichts packten das Problem schlichter an, naiver, einprägsamer und gefährlicher. In den 20er Jahren waren die «deutschen Idealisten» Goethe und Schiller einfache und große Vorbilder, wenn auch nicht mit ihren eigenen Idealismus-Thesen, so doch aus der großen bürgerlichen Mottenkiste des 19. Jahrhunderts: «Sie sind weniger zerspalten und angekränkelt, sie haben noch echte Ideale (d. h. Leitsterne, die Fixsterne sind, nicht Planeten oder gar Kometen) und darum Glauben, während Ibsen und Gerhart Hauptmann im Grunde glaubenslos sind. Goethe und Schiller sind gerade das, was der Mensch unserer Zeit am nötigsten braucht, was ihn stählen und stärken und von seinem zersetzten und zersetzenden Wesen wenigstens auf Tage oder Stunden erlösen kann.»[51]

Immer wieder zeigt sich eine bewußte, von der historischen und sozialen Realität ablenkende Verklärung und Verallgemeinerung: «Alles Dichten ist ja mehr oder weniger ein Idealisieren, d. h. ein Vergeistigen, Verschönern und Veredeln der Wirklichkeit.»[52] Für den Didaktiker der 20er Jahre sind «Goethes ‹Egmont›, Schillers ‹Wallenstein› . . . emporgehoben in jene überzeitliche Sphäre, die der Wirklichkeit und ihrem Wandel entrückt ist.»[53] Noch in den 60er Jahren ging es Schmähling darum, «den Symbolgehalt der Dichtung herauszuarbeiten, damit das Allgemein-Menschliche, auch für uns noch Gültige sichtbar wird.»[54] Ist das «im Sinne Schillers, der alles andere beiseite schiebt, um vom Jenseits her die Maßstäbe seines Handelns zu gewinnen»?[55] In dieses pseudotheologische Jenseits, in dem der historische Schiller zweifellos nicht unterzubringen ist, mußte notwendig die Verallgemeinerung und Verklärung von Klassik und deutschem Idealismus führen. Havenstein, dem sich «die Zella dieses herrlichen dorischen und doch so deutschen Tempels (= Iphigenie!) erst mit 30 Jahren erschloß»[56] und für den trotz Schiller das wallensteinische Theater in seinem «Glanz» und seiner «Weihe . . . nicht eine ‹moralische Anstalt›, aber ein Tempel ist»[57], beschreibt die via dolorosa vom Idealismus zur Ersatzreligion so:

«Die Dichtung (führt uns) in eine ganze Welt ‹gesteigerter Gestalten› . . . Dies tut vor allem die Dichtung unserer ‹Klassiker› . . . Der Idealismus (ist imstande), einen Ersatz zu bieten für die ihre Macht über die Jugend immer mehr verlierende überlieferte Religion. Es steckt eine Religion . . . in den Dichtungen unserer beiden großen Dichter.»[58]

K. Bräutigam folgt noch in unseren Tagen unbeirrt diesen Spuren: «Zum Schlusse sollte der Schüler das Geschehen der Ballade im Vortrag nachvollziehen und dabei die einzelnen Gestalten als Ganzes erleben in ihrer schicksalhaften Verflochtenheit. Dabei führt der Weg nach Ulshöfers Worten ‹vom Schönen zum Wahren, Guten und Heiligen›.»[59] Auch die weihevolle Dichterfeier wurde noch allen Ernstes vertreten:

«. . . wenn der Eindruck gesteigert wird durch rahmende Musik, wie es in würdigen Feierstunden zu Goethes 200jährigem (1949), vielleicht auch zu Mörikes 150jährigem Geburtstag (8. 9. 1954) und zu Schillers 150. Todestag in allen deutschen Schulen geschehen ist. – Warum sollte nicht auch einmal einer Schulandacht statt eines Bibelworts ein Dichter- oder Denkerspruch zugrunde gelegt werden? Vorm Totensonntag z. B. Epigramme von Schiller, oder von Goethe die berühmte Stelle aus Hermann und Dorothea . . .»[60]

Gerade in diesem letzten Punkt können wir Herrn Schnass beruhigen: Die klerikalfaschistische Tradition, zu der er sich mehr oder weniger offen bekennt, hat auch dergleichen häufiger hervorgebracht, z. B. könnte man auf einen im Jahre 1905 erschienen Band «Schillerpredigten» verweisen. Wolfgang Kayser hat recht: «Was in den heutigen Schulen getrieben wird, ist reine Denkmalspsychologie. Es gelingt der Schule nicht mehr, den Schülern das Leben, das in den Kunstwerken der Klassik pulst, nahezubringen. . . . So können die jungen Menschen auch kein inneres Verhältnis zu den Werken der Klassiker gewinnen, und die Ehrfurcht, mit der sie diesen gegenübertreten, . . . ist die eingehämmerte Bewunderung, mit der man einem Denkmal gegenübertritt, das nach allgemeinem Urteil wunderschön ist, aber tot bleibt.»[61]

Historisch gesehen, war die «Iphigenie» weder die bürgerliche Humanitätsreligion noch das «schöne Umsonst» (Nietzsche), als die sie wirkungsgeschichtlich erscheint. Vielmehr «sollte in mühevoller Distanz zum täglichen Leben ein imaginäres Kunstgebilde entstehen. Damit aber wird in unserer Zeit unausweichlich die Frage provoziert, welchen Sinn solche Kunst für den Menschen habe. Das Problem abzulehnen hieße sich der Chance berauben, bei seiner Diskussion die Kunstauffassung der deutschen Klassik zu demonstrieren, die im Bereich des Schönen das Refugium des Idealen erblickte. Schillers Gedanken von der ästhetischen Erziehung des Menschen lassen sich an dieser Stelle verwerten.»[62] Von hier aus aber könnte man, auf der Grundlage historischer und kunsttheoretischer Einsicht, die moderne Auffassung vertreten, «daß eine ideale antike Welt vom Menschen verwirkt wurde, . . . aber in der Kunst aufgehoben ist, die mit ihrer Idealität erzieherischen Anspruch, die Forderung zur Wirklichkeitsveränderung erhebt. Damit ist die Funktion der Utopie bezeichnet, ehe sie noch dem Namen nach eingeführt wurde.»[63]

7. Ästhetik contra Gesellschaft

«Weil die sozialkritische Tendenz, durchs italienische Kostüm kaum verhüllt, gegenstandslos geworden ist, wird Lessings Drama (Emilia Galotti) heute nicht mehr als mutige politische Mannestat empfunden wie ehedem. Um so reiner ist unsere ästhetische Freude an dem Werk als solchem. Weil der Protest gegen himmelschreiende gesellschaftliche Zustände uns nicht mehr entflammt, freuen wir uns um so unbefangener über diese erste deutsche Tragödie comme il faut.»[64]

«Zudem legt der Untertitel ‹bürgerliches Trauerspiel› . . . den Gedanken nahe, daß es sich um eine Tragödie der Standesunterschiede handelt . . . Das Wort ‹bürgerlich› scheint die sozialpolitische Komponente ausdrücklich zu bestätigen, indem sie den Bürger zum Opfer und Leidtragenden macht. Es soll auf die Fehlinterpretationen, die für Schillers Drama (Kabale und Liebe) aus solchen Ansätzen einseitige und oft radikale Schlußfolgerungen ziehen, hier nicht eingegangen werden. Sofern es sich um Darstellungen aus unserer Zeit handelt, basieren sie in der Regel auf politischen Überzeugungen, die das Jugendwerk als Vorzeichen sozialistischer Gesinnung sehen.»[65]

Die Herabminderung des Gesellschaftlichen in der Literaturgeschichte hat bis in unsere Tage ihre Analogie in einer unangemessenen Verklärung des Ästhetischen gefunden. Daß Kunstwerke aber, wie alle Produkte des Überbaus auch, ihre Wurzel in der gesellschaftlichen Basis haben, ist eine Einsicht, die, obwohl prinzipiell seit dem 19. Jahrhundert auf der Tagesordnung, nur schwer Eingang in die Schulgermanistik findet. Wenn dort seit jüngstem erfreulichere Tendenzen zu vermerken sind, dann nur, weil jene Studentenrebellion, deren Folgenlosigkeit oft beklagt wird, zwar nicht an der Basis, wohl aber im Überbau Veränderungen bewirkt hat.

Die beiden Zitate belegen den schizophrenen Zustand einer Trennung von Kunst und Gesellschaft. Da weder in der «Emilia» noch in «Kabale und Liebe» die Antithetik von bürgerlichem Emanzipationsbedürfnis und absoluter Fürstengewalt auch vom übelwollenden Interpreten unterschlagen werden kann, bringt er eilfertig den mißliebigen Antagonismus in die synthetische Harmonie des Kunstwerks «comme il faut» ein. Die gesellschaftlichen Widersprüche werden nicht als solche erkannt und in ihrem Weiterwirken verfolgt; ihre konkret inhaltliche Ausprägung im 18. Jahrhundert, die in der Tat heute «gegenstandslos geworden ist», genügt offenbar, den «Protest gegen himmelschreiende Zustände» als erledigt zu betrachten.

Wohl mit vollem Recht ist bemerkt worden, daß die literar*historische* Anlage des Deutschunterrichts dazu beigetragen hat, die Jugend vom konkreten gesellschaftlichen Engagement fernzuhalten und sie dahin zu bringen, gesellschaftliche Widersprüche nur historisch zu begreifen. Viele Didaktiker des Deutschen haben ungern Konzessionen an die Moderne gemacht, und wenn, dann nur, um, auf der Welle spontanen Interesses der Jugend reitend, sie im Netz ästhetischer Kategorien zu fangen. Brecht als «Klassiker der Moderne», der in erster Linie gutes Theater macht, ist eines dieser Mißverständnisse; das Überwiegen der losgelösten, gesellschaftsfernen, personalisierenden, werkimmanenten Interpretation sein methodisches Pendant.

Die Aufgabe des Deutschunterrichts heute wäre, ausdrücklich auf die sogenannten Fehlinterpretationen hinzuweisen, die «radikale Schlußfolgerungen ziehen», nicht um den Werken der Klassiker Gewalt anzutun, die ihnen wohl weniger schadete als gesellschaftlichen Minoritäten, sondern um sie endgültig aus der Mottenkiste zu befreien, in die sie die Schulgermanistik schloß; das tragische Scheitern in Dramen des 18. Jahrhunderts nicht als Anlaß nehmen, das «Wesen des Tragischen» zu bereden; sondern zu fragen, wie es heute verhindert werden kann. Schillers Jugendwerk als «Vorzeichen sozialistischer Gesinnung» zu betrachten, wäre der schlechteste Ansatz nicht.

8. Von deutscher Art und Kunst

«Aber innerhalb des geistigen Deutschland ist wieder das Allerwesenhafteste und darum Unzerstörbarste, das Deutscheste des Deutschen, die deutsche

Dichtung. Die Musik, die Malerei, die Baukunst sind ihrem innersten Gehalte nach gewiß auch durchaus völkisch geartet.»[66]

«Der deutsche Unterricht . . . soll auch, mehr als jeder andere Unterricht, das deutsche Denken und Fühlen, die deutsche Gesinnung pflegen und die Liebe zum Deutschtum wecken und stärken. Nichts aber vermag einem späten Geschlecht . . . dem eigenen Volkstum gegenüber das Herz mehr zu erwärmen als die eigene Vergangenheit, sofern sie eine Sprache spricht, die nicht gänzlich veraltet ist, so daß wir sie noch verstehen.»[67]

Auf die nationalistische Tradition von Germanistik und Deutschunterricht ist oft hingewiesen worden, weniger allerdings auf ihre Ursachen und historischen Bedingungen, kaum auf ihre Kontinuität. Die faschistische Literaturinterpretation hat zwar die abschreckendsten und widerwärtigsten Beispiele geliefert; daß sie nur Höhepunkt einer Entwicklung ist, deren Nachwirkungen bis heute zu registrieren sind und deren Beginn an der Wende vom 18. zum 19. Jahrhundert liegt, ist unseres Wissens noch nicht ausführlich und systematisch beschrieben worden.

Nur sehr grob sei die Entwicklungslinie hier skizziert: Das 18. Jahrhundert war nicht nationalistisch oder «deutsch» in dem Sinne, wie die nachfolgenden Generationen von Germanisten es zu unterschieben beliebten. Die simple Tatsache, daß in der Literatur jener Zeit «deutsche Stoffe» eine untergeordnete Rolle spielten und am Hofe Friedrichs des Großen, der im jungen Goethe die «fritzische Gesinnung» erregen konnte, französisch gesprochen wurde, belegen die oft getroffenen Feststellungen, daß auch in der deutschen Literatur die mittelalterliche Tradition des Europäischen erst zu Beginn des 19. Jahrhunderts ihr Ende fand. Die Entwicklung einer rein deutschen, nationalen Philologie in romantischer Zeit hat ihre Ursache wohl darin, daß die deutsche Nationalstaatlichkeit vor Bismarck bloß Wunsch und Vorstellung war – die Hinwendung zum «deutschen Mittelalter», zu «deutscher Art und Kunst», ob durch gotische Dome, deutsches Volkslied, Dichtung oder Musik repräsentiert, ist gleichsam ein kompensatorischer Akt, der die fehlende historisch-gesellschaftliche Realität ersetzte.

Je mehr das Bürgertum, das trotz ökonomischer Erfolge im 19. Jahrhundert die politische Emanzipation nicht erreichte, die Sache der historisch-philologischen Wissenschaften und der nationalen Literatur zu ihrer eigenen machte, desto deutlicher sank die Dichtung der Zeit von ihrem europäischen Rang, den sie in klassisch-romantischer Zeit erreicht hatte, herab. Wären die realistische und die naturalistische Dichtung in Deutschland nicht den europäischen Anregungen gefolgt, hätte sie auf das gehört, was der nationalen Philologie und dem Bildungsbürgertum vorschwebte, kein Mensch spräche heute noch vom frühen Hauptmann oder Fontane. Der Prozeß einer fortschreitenden Trennung zwischen wilhelminisch-reichsdeutscher Germanistik und der zeitgenössischen Literatur des Symbolismus und Expressionismus trat vor dem 1. Weltkrieg deutlich zutage. Daß die Didaktiken dieser Zeit konsequent mit Klassik und Romantik enden und allenfalls ihren Epigonen die Ehre «unterrichtlicher Behandlung» zuteil werden lassen, ist nur verständlich.

Die mißlungene Revolution von 1918 hat der «deutschen Gesinnung» leider keinen Schaden zufügen können; ein unverschämt nationalistischer Ton herrscht weiter in den Didaktiken vor; die Klassik muß immer noch dazu herhalten, «die Liebe zum Deutschtum (zu) wecken und (zu) stärken». Der exklusive Ästhetizismus des George-Kreises und die von ihm inspirierte Germanistik distanzieren sich zwar von vordergründiger Deutschtümelei; ihr Kult um die Person des Dichters, dem Geniekult des Sturm und Drang verwandt, stellt aber nur scheinbar die Alternative dar: Blind gegenüber den gesellschaftlichen Implikationen sind sie ebenso wie die vor dem 2. Weltkrieg entwickelte «Kunst der Interpretation», die ihren Höhepunkt in den 50er und 60er Jahren hatte. Trotz dieser ästhetischen Abkehr blieb der chauvinistische Bodensatz eines Frank Schnass:

«Über Körner und Arndt, Rückert und Schenkendorf hatte man den Dichter völlig vergessen, der als erster die Lust fürs Vaterland zu streiten gesungen und wie mit ehernen Fanfaren zum heiligen Volkskriege gerufen hatte. Als nun unter dem Kanonendonner des Krieges 1870/71 das Deutsche Reich erstanden war, da entdeckten einige Bühnen Kleists Hermannsschlacht, die Bismarcks Wesen und Werk vorahnend schauen ließ, als eine Neuheit. . . . Erst als sich während des 1. Weltkrieges der vielgeschmähte deutsche Geist auf sein Eigenstes, Tüchtigstes besann, da fand deutsches Denken in Kant, dem Ostpreußen, deutsches Dichten in Kleist, dem Märker, den Pflichtidealismus am männlichsten verkörpert. So oft und so liebevoll wie nie zuvor bemühten sich seitdem große und kleine Theater um würdige Aufführungen von Kleists patriotischen Dramen, . . . Mit wahrhaft shakespearischer Bildnerkraft läßt Kleists Wirklichkeitskunst einen Kreis markiger Männer, . . . vor uns erstehen. Trägt jeder seinen scharf geschnittenen Charakterkopf, so atmen doch alle die gleiche Heimatluft. Als Menschen wohl voneinander geschieden, werden diese prächtigen Offiziere als Märker wiederum zur Gruppe vereinheitlicht. Zum erstenmal erscheinen hier im deutschen Drama wirkliche Männer von echtem Schrot und Korn, die Schwert und Wort gleich gut zu führen wissen. . . . so gibt es in unserer vaterländischen Dramatik keine wuchtigere Verkörperung preußischer Staatsenergie als Kleists gewaltiger Kurfürst. Er ist der fleischgewordene Genius der Pflicht.»[68]

Wenn heute eine marxistisch orientierte Literatursoziologie die Germanistik und den Deutschunterricht zu bestimmen beginnt, dann scheint damit das Ende des bürgerlich-nationalen Deutschunterrichts gekommen zu sein, das nach 150 Jahren «deutschen Unterrichts» endlich den Beginn des goethischen literarischen Internationalismus bedeuten kann. Das prominente Interpretenopfer hat dazu schon 1827 den Weg gewiesen:

«Nationalliteratur will jetzt nicht viel besagen; die Epoche der Weltliteratur ist an der Zeit, und jeder muß jetzt dazu wirken, diese Epoche zu beschleunigen.»[69]

9. Religiöse Restauration

«Etwas von jener Weihe, die für den gläubigen Protestanten über der Bibel liegt, liegt für den Empfänglichen auch über dem ‹Faust›, dem ‹Hamlet›, dem ‹Wallenstein›. Wer eine echte Dichtung mit Ergriffenheit liest, vor dem versinkt die gewöhnliche Wirklichkeit, und er fühlt sich emporgehoben in eine höhere, bedeutsamere Welt.»[70]

«Das Gefüge des Werkes (Kabale und Liebe) zeigt abermals den großen und allgemeinen Zug, mit dem er das Metaphysische und Religiöse einschloß.»[71]

«Unabdingbare Voraussetzung für ein Fruchtbarwerden von Dichtung als Dichtung ist also, daß der Umgang mit Dichtung in der Schule von innen her gesund ist. Er muß dem Wesen von Dichtung und dem Heranwachsenden gemäß sein, d. h. er muß . . . aus der Haltung der Ehrfurcht erwachsen.»[72]

Das Ende des nationalsozialistischen Deutschlands brachte für den Deutschunterricht in mehrfacher Hinsicht eine Wende. Da im Zeitalter von alliierter re-education und einer oktroyierten Revolution von außen weder nationalistische Deutschtümelei noch primitiv-völkische Bardenpropaganda opportun waren, sahen sich Germanistik und Deutschunterricht gezwungen, nach neuen ideologischen Futterkrippen Ausschau zu halten – die simple Gleichung von Nation und Kultur, Volk und Dichtung war nicht aufgegangen. Während im östlichen Teil Deutschlands Literatur und Unterricht an die vulgärmarxistische Kandare genommen wurden, war die Entwicklung im restaurativen Westdeutschland zwar weniger einheitlich, aber dennoch im ganzen gesellschaftsfern: gekennzeichnet einmal durch den ästhetischen Formalismus auf dem Fundament der Existentialontologie, zum anderen durch Hinwendung zum Christlich-Religiösen. Was im Deutschunterricht der Ära Adenauer sich abspielte, ließe sich auf zwei Momente reduzieren: Da wurde das «sprachliche Kunstwerk» nach allen Regeln der Wissenschaft analysiert und «Faust», «Der Prinz von Homburg» und Joseph K. als sartresche Helden gefeiert, oder man sah das klassisch-romantische Erbe in Carossa, Wiechert, Bergengruen, Schaper und Langgässer bewahrt.

Die religiöse Restauration im Deutschunterricht, nicht minder fatal als die gesellschaftliche, ist nur von Kurzsichtigen als Neubeginn nach der faschistischen «Katastrophe» gesehen worden. Sie trug das Stigma des Scheiterns von Anbeginn auf der Stirn, weil das Jahr 1945 nicht als notwendige Folge bestimmbarer historisch-gesellschaftlicher Ursachen begriffen wurde, sondern gleichsam als göttliche Strafaktion für das Abweichen von der klassisch-humanistischen oder christlichen Tradition. Die zunehmende Zahl der Aufführungen beispielsweise des «Nathan», der «Iphigenie» und Beethovens 9. Sinfonie nach dem Kriege mag Indiz sein für das Bedürfnis, eine Bußfertigkeit im

Kulturellen an den Tag zu legen – und das bei gleichzeitiger Apathie im Politisch-Gesellschaftlichen. Die Rückwendung zur literarisch-christlichen Tradition hat aber auf die Dauer kaum pädagogische Erfolge gezeitet, obwohl politische Parallelen durch Europabewegung und Gründung christlicher Parteien vorlagen. Das Dilemma einer christlich-religiösen Literaturbetrachtung, deren Opfer auch die Klassik wurde, besteht darin, daß christliche Kategorien nur mit Mühe auf die Dichtung des 18. Jahrhunderts, sofern sie denn eine von Rang ist, gepreßt werden können: der Ausweg ins «Allgemein-Religiöse» oder – ebenso unverbindlich – ins «Metaphysische» bot sich von selbst an.

10. Aspekte der Didaktik

«Er (der Schüler) ist nicht zur Kenntnisnahme – er ist zur Arbeit aufgefordert. Dabei ist die Haltung des Lehrers entscheidend, aus der für den Schüler ohne Reflexion und ohne Zweifel ersichtlich sein muß, daß diese Arbeit lohnenswert zu werden verspricht, lohnenswert nicht allein von der Arbeit, sondern von den Werten her gesehen.»[73]

«. . . der junge Mensch (sucht) erst nach einem Halt. Er findet ihn nicht im untergeistigen Schrifttum. Er findet ihn aber auch nicht im geistigen Schrifttum der Wertzersetzung. Die im 20. Jahrhundert stark hervortretende Literatur der kritischen Analyse, der skeptischen Auflösung von Bindungen und Werten, der Satire und Parodie zieht dem jungen Menschen, der in den Entwicklungsjahren nach Ordnung verlangt, den Boden unter den Füßen weg. . . . Eine Auswahl, die die Dichtung für die Jugend bindenden Werten zuordnet, ist für die pädagogische Durchdringung des Gegenstandes wichtig. Sie geht von der Frage aus, ob sich Bindungen, Werte und Glaubensgehalte ausmachen lassen, die für Menschen unseres Kulturkreises gültig sein können, und untersucht, ob diese Wertbestände in den Haltungen der Kunstwerke bejaht oder verneint werden.»[74]

Die Krise des Deutschunterrichts ist die seiner didaktischen Zielsetzung. Während bis in die Mitte des 20. Jahrhunderts der Umgang mit Literatur für den gebildeten Mittelstand eine unbefragte Selbstverständlichkeit war und der Deutschunterricht seine führende Stellung im Fächerkanon unangefochten behauptete, ist er heute mehr als andere Fächer kritischen Attacken ausgesetzt, die seine Existenzberechtigung generell in Frage stellen, sofern er mehr will, als die Fähigkeiten des Lesens und Schreibens einzuüben. In der Tat ist eine rein pragmatische Legitimation, die der naturwissenschaftliche und der fremdsprachliche Unterricht für sich in Anspruch nehmen können, für den Literaturunterricht schwer zu erbringen. Den didaktischen Bewußtseinsstand, wie er bis vor kurzem die Praxis des Unterrichts beherrschte, spiegeln die ausgewählten Zitate wider. Wir vergleichen sie abschließend mit den «Pädagogischen Aufgaben» des «Bildungsplans für das Fach Deutsch an den Gymnasien des Landes Hessen» vom Jahre 1969, um die didaktische Situation zu verdeutlichen.

Wie kein anderer war der Deutschunterricht geeignet, via Literatur die bürgerlichen Werte zu vermitteln. Das bedeutete, daß streng zwischen «wertvoller bzw. hoher» und «niederer bzw. Unterhaltungsliteratur» geschieden wurde. Die Klassik galt als Norm, an der anderes gemessen wurde. Dabei sollten die bürgerlichen Wertvorstellungen, die als «allgemeingültig» galten, nicht rational vermittelt, sondern im Kunstwerk zum «Erlebnis» werden, wohl deshalb, weil sie kritischer Überprüfung angesichts eklatanter Differenzen zur Realität nicht standhielten. Notwendigerweise galt der Kampf einer Literatur «der kritischen Analyse, der skeptischen Auflösung von Bindungen und Werten, der Satire und Parodie» und dem «untergeistigen Schrifttum», so daß in der verbreitetsten Methodik des Deutschunterrichts[75] die Parole zur «Bekämpfung der comics» ausgegeben wurde – ein Akt didaktischer Selbstverteidigung: Was wäre geeigneter, die Scheinheiligkeit bürgerlicher «Bindungen, Werte und Glaubensgehalte» zu entlarven, als eben comics?

Bürgerliche Werte der «Arbeit»: «Fleiß, Haltung, Ordnung und Leistung» behaupten, zu metaphysischen Prinzipien hochstilisiert, noch heute als formale Anforderungen ihren Platz in Lehrplänen, Methodiken und manchem pädagogischen Vademecum, obwohl die einst mit ihnen verbundenen Inhalte ihren Abschied nehmen. Die gegenwärtigen didaktischen Zielsetzungen werden im neuesten für den Deutschunterricht gültigen Lehrplan, bei eindeutiger Abwendung vom Vokabular der bürgerlichen Reformpädagogik, reformistisch formuliert: Die Aufteilung in Sprach- und Literaturunterricht entspricht allerdings noch dem traditionellen Schema. «Bildung und Förderung der Sprachfähigkeit der Schüler» und «Bildung von Sprachbewußtsein» sind als Aufgaben in eindeutig kompensatorischer Absicht aufgenommen worden; insofern mit ihnen ein gesellschaftspolitisches Ziel angesprochen wird, sind sie legitim. Für den literarischen Bereich ist «Aufgabe der literarischen Bildung . . ., Voraussetzungen für die kritische Teilnahme am literarischen Leben der Gegenwart zu schaffen», weil «die Beschäftigung mit Literatur emanzipatorische Möglichkeiten» enthalte. Einschränkend wird dann hinzugefügt: «Ob die emanzipatorischen Möglichkeiten der Beschäftigung mit Literatur tatsächlich verwirklicht werden, hängt von den konkreten gesellschaftlichen und individuellen Lagen ab.»[76]

Wir stellen uns die Frage, ob denn überhaupt, auch wenn das literarhistorische Prinzip preisgegeben wird und von «Wertvermittlung» nicht mehr die Rede ist, ein Deutschunterricht emanzipieren kann, der für Literatur «motivieren», ein «Literaturverständnis bilden» und im literarischen Leben «orientieren» will. Im besten Falle kommt da nach dem Abitur ein liberal-bürgerlicher Literaturkonsument heraus, der sich wöchentlich am «Zeit»-Feuilleton «orientiert». Eine Emanzipation kann sich nur sozial-ökonomisch vollziehen. Die Ablösung der formalästhetischen Analyse von Literatur durch die linguistisch-formalistische der Sprache wird unter diesem Aspekt zum letzten Gefecht des bürgerlichen

Deutschunterrichts: Noch einmal die Form zum Fetisch gemacht, damit über Inhalte geschwiegen werden kann.

1 Martin Havenstein: Die Dichtung in der Schule (Handbuch der Deutschkunde. Führer zu deutscher Jugenderziehung. Hg. W. Schellberg/J. G. Sprengel, Bd. 6), Frankfurt (Diesterweg) 1925, S. 32 ff.

2 Reclam Lesestoffe. Lehrpraktische Analysen. Folge 10, S. 35.

3 Ernst Bloch: Die Kunst, Schiller zu sprechen und andere literarische Aufsätze, Frankfurt (Suhrkamp) 1969, S. 102.

4 Alexander Beinlich (Hg.): Handbuch des Deutschunterrichts im 1. bis 10. Schuljahr. 2. Bd. F. Das Lesen und die literarische Erziehung, Emsdetten (Lechte) 1966, S. 1112 (Elschenbroich).

5 zit. Beinlich S. 114.

6 Deutsche Sprache und Dichtung. Leipzig 1904, S. 7.

7 zit. Beinlich S. 1123.

8 zit. Beinlich S. 1118.

9 Havenstein S. 6.

10 Havenstein S. 32.

11 Havenstein S. 34.

12 A. Elschenbroich in: Beinlich S. 1126.

13 Beinlich S. 1129.

14 Beinlich S. 1065.

15 Goethes Werke. Hamburger Ausgabe Bd. 12, S. 487.

16 Havenstein S. 27.

17 Havenstein S. 25.

18 Gero von Wilpert: Sachwörterbuch der Literatur, Stuttgart (Kröner) 1964, S. 335.

19 Beinlich S. 754.

20 Havenstein S. 26.

21 Herbert A. und Elisabeth Frenzel: Daten deutscher Dichtung, Köln (Kiepenheuer u. Witsch) 1959[2], S. 154.

22 Dichter über ihre Dichtungen: Friedrich Schiller Bd. I. Hg. B. Lecke, München (Heimeran) 1969, S. 698.

23 Goethes Werke S. 240.

24 Dichter über ihre Dichtungen S. 622 f.

25 Rudolf Ibel: Der junge Goethe. Leben und Dichtung 1765–1775, Bremen (Storm) 1948, S. 42.

26 Reclam Lesestoffe F. 15, S. 9–12.

27 Schillers Werke Bd. 4. Frankfurt (Insel) 1966, S. 214 (Über die ästhet. Erziehung).

28 ib. S. 213.

29 ib. S. 822, 825.

30 Havenstein S. 28.

31 Reclam Lesestoffe F. 10, S. 4.

32 U. Wasmer in: K. Bräutigam (Hg.): Die deutsche Ballade. Wege zu ihrer Deutung auf der Mittelstufe. Frankfurt (Diesterweg) o. J.[3], S. 54.

33 Wasmer S. 51.

34 Bräutigam S. 43.

35 Goethes Werke S. 435.

36 ib. S. 470 f.

37 ib. S. 417.
38 ib. S. 547.
39 Reclam Lesestoffe F. 30, S. 10.
40 ib. S. 5.
41 Herbert Thiele: Goethes Iphigenie auf Tauris, Paderborn (Schöningh) 1966, S. 7f.
42 Havenstein S. 15.
43 ib. S. 17.
44 Bloch S. 57.
45 Frank Schnass: Die Einzelschrift im Deutschunterricht. Bd. II. Klassische und moderne Dichtung, Bad Heilbrunn/Obb. (Klinkhardt) 1955, S. 27.
46 Goethes Werke S. 53.
47 Robert Ulshöfer: Methodik des Deutschunterrichts. Bd. I. Unterstufe, Stuttgart (Klett) 1967, S. 285.
48 Bräutigam S. 35.
49 ib. S. 31.
50 Beinlich S. 1154.
51 Havenstein S. 31.
52 Havenstein S. 90.
53 ib. S. 95.
54 Reclam Lesestoffe F. 23, S. 15.
55 Wilhelm Grenzmann: Der junge Goethe. Interpretationen, Paderborn (Schöningh) 1964, S. 49.
56 Havenstein S. 28.
57 ib. S. 55.
58 ib. S. 105.
59 Bräutigam S. 16.
60 Schnass S. 9.
61 zit. Beinlich S. 1056.
62 Reclam Lesestoffe F. 30, S. 15.
63 ib. S. 16.
64 Schnass S. 354.
65 Grenzmann: Schiller S. 45f.
66 Havenstein S. 33.
67 ib. S. 5.
68 Schnass S. 261.
69 Goethes Werke S. 365.
70 Havenstein S. 23.
71 Grenzmann: Schiller S. 45.
72 Beinlich S. 1078.
73 Walter Schäfer: Schüler begegnen Tasso. In: Wirk. Wort, Sammelbd. IV, Düsseldorf (Schwann) 1962, S. 340.
74 Helmich in: Beinlich S. 953.
75 Ulshöfer S. 307.
76 Bildungsplan für das Fach Deutsch an den Gymnasien des Landes Hessen. Juni 1969, S. 4 ff.

Heinz Ide

Zur theoretischen Grundlegung dreier Lesewerke: Lesebuchkritik I für die Realschule

Über ein Jahrzehnt kreißte der Berg, dann begann er die Maus zu gebären, und heute haben wir aus allen Verlagen in allen Schularten – das literaturpädagogische Lesebuch. Mit ihm hat – cum grano salis – literarisch die klassische Moderne, literaturwissenschaftlich die fünfziger Jahre ihren offiziellsten Einzug in die Schule gehalten. Mit ihm haben wir das Lesebuch, das wir vor zwanzig Jahren gebraucht hätten, das sich vor zwanzig Jahren aber nur diejenigen vorzustellen wagten, die damals als Nihilisten verschrien wurden. Hoffen wir, daß wir nicht erst in zwanzig Jahren das Lesebuch bekommen, das wir heute brauchten und das sich heute nur vorzustellen wagt, wer heute verketzert wird – nicht mehr als Nihilist, die Terminologie geht mit der Zeit.

1968 faßte Hermann Helmers die abgeschlossene Diskussion um das Lesebuch für die Forschung zusammen.[1] Als ihr praktisches Ergebnis folgerte er: «Die Lesebuchdiskussion hat bewirkt, daß das Gesinnungslesebuch allmählich durch das literaturkundliche Arbeitsbuch ersetzt wird.»[2] Dergleichen zu sein, beanspruchten im Grunde schon die verhältnismäßig frühzeitig (1964 und 1965) auf dem Plan erschienenen Lesebücher des Schöningh Verlags, «Wort und Sinn» für die Gymnasien, «Kompaß» mitsamt seinen voluminösen «Handreichungen», den «Didaktisch-Methodischen Analysen» für die Realschulen. Vom «Kompaß» und den «Didaktisch-Methodischen Analysen» soll nicht weiter gesprochen werden, nicht etwa, weil ihre Verbreitung und ihr Einfluß unterschätzt werden, sondern weil das Werk so massiv der ideologischen Indoktrination dient, daß es nicht als repräsentativ diskutiert werden kann.

Für die Entwicklung der Dinge ist es interessant zu beobachten, wie «Wort und Sinn» seinerzeit noch versuchte, einen beunruhigenden Trend zu bremsen. Das Vorwort zum Lehrerheft des ersten Bandes gibt offenherzige Auskunft: Ein neues Lesebuch herauszugeben, sei «heute eine Notwendigkeit», erklärt gleich der erste Satz. Warum es notwendig sei, liest man im zweiten: «weil die Kritik am Lesebuch ... nicht theoretisch, sondern nur durch die Neukonzeption eines deutschen Unterrichtswerks beantwortet werden kann.» Das ist hübsch ambivalent; weitere Gründe, etwa solche von der Sache her, tauchen nicht auf, es bleibt bei der einzigen Notwendigkeit, auf die Kritik zu antworten, man kann sich also unschwer vorstellen, wie die Auguren einander dabei verständig zublinzelten. Natürlich, heißt es weiter, könne «die Antwort auf die Kritik ... nicht in einer unkritischen Erfüllung aller Forderungen» bestehen, «ein wirres Konglomerat ... würde sich ergeben, ein Werk ohne Linie und Gesicht.» Und was heiße schon «moderne Welt»! Ihre Widerspiegelung im Lesebuch wird eine «oberflächliche Forderung jener Kritiker» geheißen: «Wir meinen, unsere Welt umfasse weit mehr als die allen sichtbare Modernität unserer äußeren Lebensformen.» Das ist der Anker konfessioneller und überkonfessioneller Innerlichkeit, an dem nun so viele Kähne vertäut werden, wie er nur halten mag: «Denn es kommt nicht darauf an, ... den Schülern ein Panorama der Lebensfülle unserer Zeit zu vermitteln, in der es möglichst technisch herzugehen hätte; vielmehr muß sich in den Stücken der Horizont menschlicher Begegnungs- und Erlebnismöglichkeiten nach Breite und Tiefe so entfalten, daß an ihnen das bloße Widerfahren der Wirklichkeit ... in einer tieferen Weise verstanden werden kann.»[3] Da haben wir denn im schönsten «Einklang von Gehalt und Gestalt» jenen Jargon, der das «Gesinnungslesebuch» so unlesbar machte.

An zwei wichtigen Gesichtspunkten von H. Helmers läßt sich die Problematik des literaturpädagogischen Lesebuchs gut anreißen. Helmers schreibt: «Obwohl unabhängig voneinander ausgefochten erzielten die didaktischen Diskussionen in der BRD und in der DDR für die Gestaltung der neuen Lesebücher gleiche Ergebnisse.»[4] Die modernen Lesebücher in der BRD und in der DDR sind nicht mehr nach Gesinnungskreisen, sondern nach Literaturgattungen und Literaturarten geordnet. Indem bei der Auswahl der einzelnen literarischen Werke insbesondere auch die moderne Dichtung als wichtige literarische Aussage unserer Zeit herangezogen wird, löst sich indirekt das in der öffentlichen Lesebuchdiskussion so stark beachtete Problem der inhaltlichen Beziehung zwischen Realität und Lesebuchwelt. Moderne Dichtung spiegelt die in der Diskussion geforderte gesellschaftliche Realität wider; moderne Dichtung läßt keinen Bereich der Realität, etwa die Technik, aus. Damit verschwindet «die unheilvolle Diskrepanz zwischen Bildung und Sein»[5].

Der letzte Satz hat es in sich. Wann, sagt Helmers, schließe sich, soweit der Deutschunterricht in Frage steht, «die unheilvolle Diskrepanz zwischen Bildung und Sein»?: Wenn der Unterricht literarische Stoffe behandele, die alle Bereiche des gesellschaftlichen Lebens widerspiegeln! Wir wollen nicht sagen, das heiße nichts anderes, als daß der Bildungsauftrag erfüllt sei, wenn der Schüler mit der gegebenen gesellschaftlichen Realität vertraut gemacht sei. Vor allem muß man erfahren, wie die Arbeit mit diesen Stoffen gedacht ist, und daraufhin wären Theorie und Praxis der dem Lehrer erteilten Hinweise und Ratschläge zu prüfen. Denn natürlich kann auch mit den gegenwartsnahesten Texten ein bloß affirmatives Bewußtsein geschaffen und Angepaßtsein zum tatsächlich erreichten Bildungsziel werden. Schule darf aber nicht nur zu dem erziehen, was ist, sie muß gleichfalls erziehen zur Bereitschaft für das, was werden sollte.

Die Akzente werden zu verschiedenen Zeiten unterschiedlich gesetzt werden; daß wir heute in rapide sich verändernder Welt in bislang noch nie erforderlichem Maße auf eine Zukunft hin erziehen müssen, die sehr anders sein kann, als unsere Gegenwart ist, das ist mittlerweile (in der Theorie!) bereits ein Gemeinplatz. Wie auch immer man die Frage nach einer Erziehung zu dem, was werden sollte, beanworten will, in jedem Fall stellt sich die Frage nach den Inhalten der literaturpädagogischen Erziehung. Glaubt sie, als literarische Erziehung in sich selbst schon ihren Bildungsauftrag zu erfüllen, oder versteht sie sich als Arbeit auf ein gesellschaftliches Ziel hin, und wie definiert sie dieses Ziel?

Was man bei Helmers darüber liest, stimmt trübe: Es genüge nicht, gegenwartsferne durch gegenwartsnahe Texte auszutauschen, lesen wir und schöpfen Hoffnung; wichtiger sei die Forderung, «den Schüler auf allen Bildungsstufen mit den literarischen Strukturen vertraut zu machen und ihm dadurch den Zugang zur Literatur ... zu ermöglichen.»[6] Im gleichen Sinne heißt es auf der gleichen Seite: «Das Lesebuch muß ... in einem konsequenten Lehrplan den Schüler zu den wesentlichen Werken und Strukturen hinführen.» Helmers spricht sogar von einer «wichtigen gesellschaftlichen Funktion der Literatur», aber worin sie bestehe und wie der Unterricht dem Rechnung zu tragen habe, darüber erfahren wir nichts als: «diese kann aber nur wirksam werden, wenn der Literaturunterricht seine Ziele und Aufgaben nach den Sachgesetzen seines Gegenstandsbereichs ordnet.»[7]

Eine analoge Entwicklung wie in der BRD, betont Helmers, habe sich in der DDR vollzogen. Daß das in gewisser Weise stimmt, davon überzeugt der Beitrag von Horst Strietzel.[8] Helmers scheint aber zu übersehen, daß es für Strietzel gewisse Selbstverständlichkeiten gibt, die zu erwähnen sich für ihn erübrigt. Auch eine rein literarästhetische Erziehung – setzen wir einmal den Fall, an dergleichen wäre in der DDR zu denken – könnte auf gar nichts anderes angelegt sein als auf den Nachweis der ästhetischen Überlegenheit des Sozialistischen Realismus; der aber ist als ästhetisches Problem ein gesellschaftliches. Darüber hinaus ist es für jeden Deutschlehrer der DDR eine glatte Selbstverständlichkeit, daß es vom Gesellschaftlichen isolierte oder auch nur isoliert zu analysierende ästhetische Probleme nicht gibt.

Was Helmers befürchten läßt, daß nämlich die literaturpädagogische Konzeption des Lesebuchs im Grunde nicht über die Literatur hinausblicken mag, bestätigt die lange Einführung, die Johann Bauer seinem «Handbuch zu Schwarz auf Weiß» voranstellt. Hier wird Literaturpädagogik als Aufgabe der Lesebucharbeit in Anspruch genommen und theoretisch ausgearbeitet als «neues Gegenstandsbewußtsein» und als «neues Aufgabenbewußtsein»[9], als «neue Auffassung von den Bildungsgegenständen des Leseunterrichts und ... neue Vorstellung von seinen didaktischen Aufgaben und Zielen»[10].

Grundlegend für sein Literaturverständnis und für alle didaktischen Folgerungen ist die subjektiv idealistische Auffassung, daß «der Mensch in Sprache und Dichtung Welt gestaltet und Wirklichkeit hervorbringt»[11]. Das würden die großen Vertreter der Moderne von Rilke bis Benn unterschrieben haben, aber weder Grass noch Johnson, noch Walser, noch Böll, noch die Gegenwartsdramatiker, die wir in der Schule behandeln, vom späteren Peter Weiss schon ganz zu schweigen, und (Brecht) wäre vermutlich für ein Wort gegen eine so wirklichkeitsfremde Wirklichkeitsauffassung die Zeit zu schade gewesen. Der Literaturwissenschaftler muß sich mit ihr allerdings auseinandersetzen, schon weil die Auffassung der marxistischen Literaturwissenschaft ihn herausfordern sollte, die darin eine Folge der entfremdeten Welt erblickt. Wo landet man, wenn man sich die hier von Bauer vorgetragene Auffassung heute noch zu eigen macht? Welche objektiven Wirkungen wird eine von solchen Prämissen ausgehende Literaturpädagogik zeitigen? Der an die eben zitierte Stelle anschließende Satz belehrt uns: «Für das literaturpädagogische Lesebuch ist *daher* die Literatur nicht primär Mittel zum Zweck der Erziehung, sondern *sie selbst ist Zweck*.»[12] (Kursive Schrift von mir. H. I.) Der Sinn, der solche Erziehung, deren Zweck die Literatur ist, rechtfertigt, ist für Bauer dadurch gegeben, daß Literatur ein «wesentliches Element menschlicher Kultur» ist und die Schüler zu ihrem «mündigen Gebrauch» angeleitet werden sollen.[13]

Bauer spricht nicht nur von der Erziehung zur Mündigkeit, er spricht auch von Erziehung zur Kritik, er spricht sogar davon, daß der Mensch nicht Objekt, sondern Subjekt sein solle, aber er meint nie den mündigen Menschen, den kritisches Denken befähigt, Subjekt statt Objekt seiner Geschicke und Geschichte zu werden, er meint den mündigen Kulturverbraucher, den kritischen Literaturkonsumenten, der «sich in der Welt des Schrifttums zurechtfindet und als kritischer, urteilsfähiger Leser (bzw. Hörer) *nicht mehr Objekt des Schrifttums*, sondern handelndes, wertendes, auswählendes *Subjekt* ist.»[14] (Kursiv im Text) Denn darum gehe es «im eigentlichen Sinne: um das Erleben und Erfahren der Welt im Medium der Literatur.»[15] Man darf doch fragen: Was ist ein «eigentlicher Sinn»? Und worum geht es in diesem «Jargon der Eigentlichkeit»: «darum»? Die Antwort dreht uns im Kreis der Prämissen: «Dichtung bringt Welt eigentlich erst hervor. Sie schafft, produziert, erzeugt Wirklichkeit.»[16] Als «moderner» Zeuge für diesen Rang der Dichtung der Sachprosa gegenüber zitiert Bauer Holthusen, vor allem aber beruft er sich, geht es doch um eine überzeitliche Wahrheit, auf Goethe und Schiller: Dichtung sei «wahrer als alle Realität und realer als alle Erfahrung.»[17]

Hier greifen wir des Pudels Kern, nämlich die unkritische, d. h. den jeweiligen gesellschaftlichen Kontext nicht reflektierende Übernahme klassischen Denkens und seiner Resultate als buchstäblich zeitlos gültig. Dabei wird übersehen, daß Schillers Begriff von «Realität» und «Erfahrung» sein ganz spezifisches, seiner Zeit entsprechendes und ihr zugeordnetes idealistisches Denken voraussetzt, für das «real» im Sinne von «wahr» nur sein kann, was dem von Stoff freien Reich des Idealen zugehört. Schillers strenger Idealismus ist aber, was notwendig wäre, um ihn so, wie hier geschehen, zitieren zu dürfen, weder dem Adressaten, an den Bauer sich richtet, selbstverständliches geistiges Fundament, noch, so darf man hoffen, ihm selbst, der mit dem Zitat hantiert. Schillers Wort kann also, dermaßen unvermittelt in eine geistig anders strukturierte Welt verpflanzt, nur schief verstanden werden und bestenfalls gar nichts ausrichten. Zum zweiten vergißt solche Berufung auf den Klassiker, daß Schillers pointiert formulierte Realitätsauffassung, weil den besonderen Verhältnissen seiner Zeit entwachsen, als das objektiv fortschrittlichste Denken dieser Zeit außerordentlichen Wirklichkeitsbezug hatte und zu ganz konkreten Wirkungen fähig war, mit all dem aber dem endenden 18. und beginnenden 19. Jahrhundert verhaftet ist. Unter den total veränderten geschichtlichen Voraussetzungen wäre es heute rein ideologisch, d. h. falsches Bewußtsein, wollte man es unvermittelt transferieren. Aber mit der Tradierung von falschem Bewußtsein ist die Schule, es sei geklagt, schon fast traditionell so intensiv befaßt, daß, um an ihre Selbstbefreiung aus dieser Verstrickung zu glauben, nahezu übermenschliche Kraft zur Hoffnung nötig ist.

Was es bedeutet, wenn eine literaturwissenschaftliche Lehre (und selbstredend auch ihre Didaktik) unter unseren gesellschaftlichen Gegebenheiten an ihren alten Inhalten und den ihnen angemessenen Praktiken festhält, formulierten die Berliner Germanistikstudenten schlagend 1968, und man kann es der literaturpädagogischen Theorie nur warnend in Erinnerung rufen:

«Die Germanistik ist eine Wissenschaft, die in die Notstandsgesellschaft paßt. Sie lehrt das Interesse an der Literatur als Desinteresse an der Gesellschaft. Sie unterwirft uns der sinnlosen Prozedur, die Interpretation von Literatur und das Herstellen von Literatur über Literatur als unendliche Aufgabe zu betreiben. Die Germanistik erwartet von uns, eine längst abgedankte bürgerliche Kultur fortgesetzt in der Innerlichkeit unserer Individualität zu reproduzieren . . . Der gegenwärtige Zustand der Germanistik nimmt die Rolle der Wissenschaft im Notstandsstaat vorweg: nicht nur Verzicht zu leisten auf die Frage nach dem gesellschaftlichen Sinn und der Wirksamkeit wissenschaftlicher Praxis, sondern die Praxis so einzurichten, daß diese Frage gar nicht erst aufkommt.»[18]

Das Dilemma der literaturpädagogischen Theorie ist nicht zuletzt dies: Sie holt eine Germanistik in die Schule, die, von ihr selbst unbestritten, seit der Mitte der sechziger Jahre in der gefährlichsten Krise steckt. Als Literaturwissenschaft wird sie kaum anders aus dieser Krise herauskommen denn als kritische, d. h. ihre eigene gesellschaftliche Funktion und die geschichtliche ihrer Gegenstände bedenkende Wissenschaft. Die Entwicklung dahin ist unübersehbar. Und die auf diese Wissenschaft bezogene Didaktik sollte davon keine Kenntnis nehmen? Das heißt praktisch, man holt sich die Krise in ihren handfestesten Erscheinungsformen zwangsläufig ins Schulhaus, nämlich die Rebellion politisch denkender Schüler gegen einen Deutschunterricht, der «nicht nur Verzicht (leistet) auf die Frage nach dem gesellschaftlichen Sinn und

46   Heinz Ide

der Wirksamkeit (seiner) Praxis, sondern die Praxis so (einrichtet), daß die Frage gar nicht erst aufkommt.»

Wo kommt in den Lesebüchern außer den Oberstufenbänden für Gymnasien Literatursoziologie vor? Wo geben die Lehrerhefte, die sich in vielen Fällen zu Büchern auswuchsen, Hinweise und Hilfen für eine soziologische Betrachtung? Ausnahmen machen die «Interpretationshilfen» zu dem wirklich progressiven Arbeitsbuch «Modelle». In welcher Welt leben eigentlich Lehrer wie Schüler, und in welche Welt wachsen die Kinder hinein? Desungeachtet will auch das literaturpädagogische Lesebuch um Himmels willen nicht «nur zum Spiegel der modernen Arbeitswelt und der sozialen und geistigen Probleme der industriellen Massengesellschaft»[19] werden. Lieber hält es die Augen fest geschlossen vor der Tatsache, daß unsere Schüler nirgends anders leben als in dieser modernen Arbeitswelt, daß sie als Erwachsene gerade die «sozialen und geistigen Probleme der industriellen Massengesellschaft» werden bewältigen müssen. Statt dessen läßt man unter dem Etikett «neues Aufgabenbewußtsein» wieder «Welt im Wort erscheinen»[20], sucht man immer noch das Echte und Wahre, «zeitlose dichterische Sinnbilder»[21], hält auch ferner das Erleben für «die entscheidende Grundlage»[22] und «Freude an der Dichtung (für) das Ziel solcher Arbeit.»[23] Und natürlich, man pflegt die Tradition, denn «ein Lesebuch, das ausschließlich auf die Gegenwart oder gar nur auf die moderne technische Arbeitswelt ausgerichtet ist, unterschlägt wesentliche Dimensionen des Menschlichen.»[24]

Solche Deutschdidaktik mit dem Horror vor der Massengesellschaft, mit dem falschen Zungenschlag beim Ansprechen der «modernen technischen Arbeitswelt» und der Vorliebe für die «menschlichen Dimensionen» der Innerlichkeit liegt einem Lesewerk («Lesebuch 65») zugrunde, das sich ausdrücklich als literaturpädagogisch versteht.

Kommt bei Klaus Gehrt so etwas wie Gesellschaftliches zur Sprache, so nimmt es flugs solche Form an: «Die Literatur hilft, den gemeinsamen Sinnhorizont zu schaffen, vor dem wir alle leben.»[25] Was nennt sich da «Sinnhorizont»? Wer sind «wir alle»? Wieso ist solch «Sinnhorizont» uns gemeinsam? Wem hilft die Literatur und wie hilft sie, diesen «Sinnhorizont» zu schaffen? Wollte Klaus Gehrt mit diesem Satz etwa wirklich modern, gar noch ironisch sein und feststellen, die Literatur (aber welche?) helfe Wirtschaft und Politik, den ihnen genehmen «Sinnhorizont» zu schaffen, vor dem wir alle leben?

In welchem Ausmaß auch in den literaturpädagogischen didaktischen Überlegungen der Geist des für überwunden gehaltenen «Gesinnungslesebuchs» fröhliche Urständ feiern kann, dafür sei noch einmal Gehrt zitiert: «Es ist eine Zeit, in der die Konzeption einer sogenannten ‹volkstümlichen Bildung› *nicht mehr ausreicht* (kursive Schrift von mir. H. I.), eine Zeit, in der ‹geistige und moralische Kräfte zu entwickeln sind, damit personale, menschliche Freiheit möglich ist in aller Vermassung und Nivellierung und gegenüber allen Werbe- und Propagandasuggestionen der Massenmedien›. (Aus einem Gutachten der

Westdeutschen Rektorenkonferenz zur Lehrerbildung.) Sie ist nur dem Menschen möglich, der Echtheit, Wahrheit, Ehrlichkeit, Angemessenheit und Stimmigkeit in der Sprache erfahren hat und dessen Ohr für Unechtheit, Verführung und Phrase geschärft worden ist. . . . Wem sich der Zugang zur Dichtung geöffnet hat, der findet in ihr eine Kraftquelle, die sein Leben bereichern kann.»[26]

Mit all diesem ist im Grunde die dringende Frage nach dem Geist, in dem literaturpädagogische Theoretiker wie Bauer und Gehrt den Gehalt der Dichtung besprochen wissen wollen, bereits beantwortet. Ein Blick in ihre Literaturhinweise im Text und im Anhang überzeugt auch davon, daß sich nicht viel geändert haben kann; Nentwig, Thiemermann, Zimmermann, Helmich werden ohne kritische Abstriche angeführt. Die Bemühungen, vom alten Gehalt-Gestalt-Schematismus wegzukommen und Strukturen zu erhellen, sind unbestreitbar verdienstvoll und dürften beileibe nicht aufgegeben werden, aber die inhaltliche Besprechung zehrt nach wie vor von den alten Vorstellungen vom Schönen, Guten und Wahren, vom allgemein Menschlichen und allen tradierten Wertvorstellungen. Wie ist das zu erklären?

Zwei, nur bedingt voneinander zu trennende Gründe wären zu nennen. Erstens wurde die klassische Moderne mit ihrem grundlegenden und umfassenden Problem des Nihilismus nicht wirklich rezipiert. Damit soll selbstredend nicht bestritten sein, daß eine sehr gründliche Kenntnis dieser Autoren vorhanden sein mag. Aber es ist, etwas intellektuell zur Kenntnis genommen, ein anderes, es als Erfahrung verarbeitet zu haben. Ob dem Verfasser einer Interpretation einer Hemingway-Kurzgeschichte der Begriff «lost generation» ein bloßes Wort ist oder mehr, merkt man sofort, und leider ist das erstere für Interpretationen, die der Schule dienen sollen, die fast durchgängige Regel. Daß die Interpretationen der Texte dann nicht stimmen können, sondern bestenfalls schief werden, ist jedoch noch gar nicht das Ausschlaggebende; entscheidend ist, daß ein Bewußtsein, das die Moderne nicht in sich aufnahm und integrierte, hinter der Zeit, d. h. hinter dem zwanzigsten Jahrhundert zurückblieb. Wo aber ist dann ein geistiger Fixpunkt zu finden? Es versteht sich von selbst, daß es das aus der Klassik tradierte Weltverständnis sein muß, und damit sind wir bei dem zweiten der Gründe, nach denen gefragt war.

Bei diesem Weltverständnis, das sich auf die Klassik beruft, handelt es sich aber nicht um das, was man meint, was es sei, nämlich nicht um das Original, sondern um das, was der historische Prozeß daraus gemacht hat. Daß dieses Produkt des neunzehnten Jahrhunderts dem geistigen Vorgang des Zerfalls der Werte zum Opfer fiel, ist schließlich kein zufälliges Geschehen, das auch hätte verhindert werden können. Dieses Ereignis, dessen Dokumentation Denken und Dichtung der klassischen Moderne ist, bestimmt unwiderruflich das Bewußtsein, das zeitgenössisch heißen kann. In diesem Bewußtsein sind sowohl die Klassik wie der moderne nihilistische Prozeß im Sinne Hegels aufgehoben. Aus dem Vokabular der von uns behandelten Didaktiken sprach aber ein geistiges Bemühen, das immer noch glaubt, man könne klassisches Gedankengut ohne weiteres über eineinhalb Jahrhunderte hinweg in der Kutsche des allgemein Menschlichen transferieren. Und wenn man noch so viele Originalzitate in der Tasche hat, sowie man sie herauszieht, verwandeln sie sich in spätbürgerliche Ideologie und in Moralisiererei. Und selbst unter «Moral» verstand Schiller noch etwas anderes, als der, der das Wort heute spricht.

Eine letzte Problematik des literaturpädagogischen Lesebuchs, resp. der Theorie, die es konzipierte, ist am Beispiel der «Interpretationshilfen» zu Rolf Geißlers «literarischem Arbeitsbuch» «Modelle»[27] zu diskutieren. Hier konzipierte ein ausgesprochen modernes Bewußtsein ein neues Lesebuch, und gleich der erste Absatz der «Vorbemerkungen» bekennt sich zur «sozialen Relevanz der Lesebuchtexte». Die ausdrückliche Absicht von Geißlers Werk ist es, «ein modernes Bewußtsein zu bilden.»[28] Wie bestimmt er den Begriff inhaltlich? Es sei das ein Bewußtsein, das die Tatsache annahm, daß die Welt weitgehend undurchschaubar wurde, das infolgedessen auf die Goethesche Universalität verzichtet und mit Teilbereichen rechnet. Für kreative Potenzen stellt sich das Problem der angemessenen Gestaltung einer als Ganzes nicht mehr faßbaren Welt, für den literarischen Unterricht das Problem der Schulung zum Verständnis der neuen Formenwelt. Diese Schulung versteht Geißler als wesentlichstes Mittel zur Ausbildung eines zeitgenössischen Bewußtseins beim Lernenden, und solch Bewußtsein wiederum als Voraussetzung, um die Welt verstehen zu können. In dieser Konzeption sind also gesellschaftliches Bewußtsein und literaturpädagogische Didaktik ineinander verzahnt, und man wird denn auch terminologisch keine Anklänge an Gehrt und Bauer finden. Die weiteren Folgerungen, die Geißler für den Aufbau des Lesebuchs und für eine systematisch geplante Arbeit zieht, mögen in unserem Zusammenhang außer Betracht bleiben.

Doch ein sehr ernsthaftes Problem scheint hier aufgeworfen, ein wirkliches Problem, also ein solches, für das man keinen Lösungsvorschlag aus der Tasche ziehen kann. Das moderne Bewußtsein, von dem Geißler spricht, trägt charakteristische Züge der klassischen Moderne; die Skizze der in ihrer Universalität undurchschaubar gewordenen Welt ist eine solche der entfremdeten Welt des sich selbst entfremdeten Menschen; die literarische Erziehung, die «Modelle» leisten will, gilt dem Verstehen dieser Welt und dem ihr entsprechenden Verhalten, nicht ihrer Überwindung.

Ob dieses «moderne Bewußtsein» auch das zeitgenössische ist, kann man in Zweifel ziehen, wenn man sich fragt, ob es für Kafka nicht eher zutreffe als für Günter Grass. Für Uwe Johnson ist die Suche nach der gesamtgesellschaftlichen Wahrheit zwar schwierig, aber notwendig. Walser würde bei der Undurchschaubarkeit auch nicht stehenbleiben wollen. Am nächsten stände dieser Auffassung noch Max Frisch, und er ist derjenige Romanautor, der mit seiner Problematik der klassischen Moderne noch am nächsten steht. Zwar würde kein heutiger Autor bestreiten, daß die Welt nicht mehr universal begriffen werden kann, aber im Unterschied zur klassischen Moderne gibt es zeitgenössisch repräsentativ die Suche nach dem Fixpunkt, von dem aus die Totalität der gesellschaftlichen Bezüge begreifbar und damit herrschbar wird. Wenn aber zeitgenössisches Bewußtsein Begreifbarkeit fordert, verlangt es damit, sich wieder zum Herren der bislang undurchschaubaren Welt zu machen, und dann hieße zeitgenössische Erziehung, Erziehung von Menschen, die verändern wollen. Dieser Gesichtspunkt fehlt in Geißlers Konzeption.

Übrigens machen alle drei Didaktiker ihre Rechnung ohne den Wirt, nämlich die Schüler. Kann man heute noch mit dem Schüler nur so rechnen, daß man die altersbedingten Schwierigkeiten bedenkt, die er dem Pädagogen und Methodiker bereitet? Der Schüler, den diese Theoretiker voraussetzen, ist der Schüler der fünfziger Jahre. Er griff vom entsprechenden Reifegrad an begierig zur Literatur, um in der Auseinandersetzung mit ihr seine Identität zu finden. Kann man so tun, als habe sich das nicht grundlegend gewandelt? Damals griff der Schüler zur Moderne, zu Kafka, Benn, Broch, Musil, zu den Existentialisten, zu T. S. Eliot, Faulkner und Hemingway; damals fehlten ihm zumeist die Lehrer, um ihm zu helfen. Heute sind die Lehrer nachgekommen, oder doch die Didaktik, jetzt stehen die Schüler woanders. Es entbehrt nicht der Komik. Wie, wenn man, natürlich vergröbernd und verallgemeinernd, aber doch das Typische andeutend, sagen müßte: alles, was irgend im Verdacht steht, Bildungsgut zu sein, läßt nicht zuletzt intelligente Schüler heute kalt? Die das am lautesten beklagen würden, würden am wenigsten begreifen, daß sie dafür zumindest mitverantwortlich sind mit ihren bis zur Ermüdung das Allgemein-Menschliche sprudelnden «Kraftquellen».

1 Hermann Helmers (Hrsg.): Die Diskussion um das deutsche Lesebuch. Wege der Forschung Bd. CCLI. Darmstadt 1969.
2 ebenda S. XI.
3 «Wort und Sinn». Hinweise zum ersten Band. Paderborn 1964.
4 Helmers, S. IX.
5 Helmers, S. XI.
6 Helmers, S. IX.
7 Helmers, S. X.
8 Horst Strietzel: Von der «Anthologie» zum «literaturkundlichen Arbeitsbuch» – Aspekte der Lesebuchentwicklung in der Deutschen Demokratischen Republik. In: H. Helmers (Hrsg.): Die Diskussion um das deutsche Lesebuch. Darmstadt 1969.
9 Johann Bauer (Hrsg.): Handbuch zu «Schwarz auf Weiß», 5. und 6. Schuljahr. Darmstadt-Hannover 1968, S. 5.
10 ebenda S. 6.
11 ebenda.

12 ebenda.

13 ebenda.

14 ebenda S. 7.

15 ebenda S. 8.

16 ebenda S. 9.

17 Schiller: Über den Gebrauch des Chors in der Tragödie.

18 Manifest der Ad hoc-Gruppe Notstand der Germanistik, FU Berlin. Zitiert nach: alternative, Zeitschrift für Literatur und Diskussion, Heft 61.

19 Klaus Gehrt: Die Arbeit mit dem Lesebuch im siebenten bis neunten Schuljahr. Interpretationen, didaktische Überlegungen, methodische Vorschläge zum «Lesebuch 65». Hannover 1966, S. 9.

20 ebenda.

21 ebenda S. 10.

22 ebenda S. 11.

23 ebenda S. 11.

24 ebenda.

25 Klaus Gehrt: Beiträge zum literarischen Unterricht in der Realschule 7./8. Klasse. Hannover 1969, S. 14.

26 Klaus Gehrt: Die Arbeit mit dem Lesebuch im siebenten bis neunten Schuljahr. Hannover 1966, S. 15.

27 Rolf Geißler (Hrsg.): Interpretationshilfen zu: Modelle, ein literarisches Arbeitsbuch für Schulen, 7.–10. Schuljahr, München 1968.

28 ebenda S. 8.

Rudolf Wenzel

Wie neu sind die neuen Lesebücher?
Lesebuchkritik II für das Gymnasium

I.

Die Untersuchung gilt den meinem Eindruck nach zur Zeit gängigsten Lesewerken für die Unterstufe und Mittelstufe der Gymnasien aus den Verlagen Klett, Schöningh und Schroedel[1]. Alle drei Lesewerke verstehen sich ausdrücklich als Neukonzeptionen[2] und beziehen sich in den Begleitheften direkt (Schöningh und Schroedel) oder indirekt (Klett) auf die vorliegende Literatur zur Lesebuchkritik. Wenn sie zunächst pauschal als Beispiele für das literaturpädagogische Lesebuch verstanden werden, ist dabei nicht der in den höheren Klassenstufen wachsende, wenn auch noch geringe Anteil einer Art Sachprosa berücksichtigt, auch nicht die Originalbeiträge des Klett-Lesebuches vornehmlich zur Technik der Massenmedien und ebenfalls nicht der sogenannte Arbeitsteil des Lesebuches «Begegnungen», der immerhin bei den meisten Bänden knapp fünfzig Seiten ausmacht. Dennoch erscheint die Klassifizierung gerechtfertigt, da sie der Selbstkennzeichnung in den Erläuterungen zu den Lesewerken entspricht. So heißt es im Lehrervorwort zum Klett-Lesebuch: «Die literarische Qualität ist unbedingtes Gebot» (LV KL, S. 5). Ähnlich formuliert das Lehrerheft zu Band 1 von «Wort und Sinn»: «Wir hoffen . . ., daß die Mehrzahl der Texte literarischen Ansprüchen und didaktischen Forderungen zugleich standhält» (LH WS 1, S. 4). Die Lehrerhefte zu «Begegnungen» betonen: «Die eigentlich literarischen Texte machen den Hauptbestandteil des Buches aus. An sie wurde ein strenger Maßstab gelegt» (LH BG 1, S. 4).

II.

Zur ersten Orientierung über die Art der Neukonzeptionen mag ein quantitativer Überblick über die aufgenommenen Autoren und die Anzahl der jeweils von ihnen stammenden Beiträge dienen, wobei die nach Seiten oder Zeilen zu messende Länge der Beiträge erst einmal außer acht bleibt. Diese Methode wird manchem lediglich am wertvollen «Gehalt» interessierten Deutschlehrer als Sünde wider den Geist erscheinen, sie erlaubt aber doch einige Schlußfolgerungen.

Zunächst überrascht die große Zahl der Autoren: namentlich genannt werden 535 (+/— 1% Zählfehler) bei insgesamt 1472 Beiträgen auf 17 Bände («Wort und Sinn» legt einen Doppelband für die Klassen 9 und 10 vor). Davon sind 340 nur mit einem Beitrag vertreten, die übrigen 195 mit mehreren; ein beträchtlicher Teil von ihnen aber wiederum nur zwei- oder dreimal. Den größten Anteil von Autoren mit nur einem Beitrag weist «Begegnungen» auf, mit besonders deutlichem Vorsprung gegenüber den beiden anderen Lesewerken in den Bänden für die 5. und 6. Klasse. Das kann – und die Namen bestätigen die Vermutung – als Beleg für eine ausgedehnte Suche in bisher unerschlossenen Bereichen gelten. Spitzenreiter bei den Mehrfachautoren ist weiterhin noch der Top-Star Goethe (57mal vertreten), gefolgt aber schon vom armen B. B. mit 35 Beiträgen. Auf den folgenden Plätzen finden wir Mörike (28), Johann Peter Hebel (27), Schiller (22), Wilhelm Busch (20), dessen Ausläufer bis in die Klasse 9 reichen. Das obere Mittelfeld wird angeführt von Matthias Claudius und Marie Luise Kaschnitz (je 18), dann kommen Heine (17), Britting, Eich, Fontane, Grimm und Lessing (je 16), Siegfried Lenz und Eichendorff (je 15), schließlich Thomas Mann, Schnurre und die für alle Klassenstufen zuständige Christine Busta (je 14). Den Anschluß hält noch Carossa (13), kaum noch Gaiser (9) oder Stifter (8), abgeschlagen liegen zurück Weinheber (6), Hesse (5), Bergengruen (3), Rosegger (2). Dazwischen andere. Einen Stammplatz scheinen sich bereits erobert zu haben Max Frisch (12), Peter Huchel (11), Uwe Johnson (7) und Heinrich Böll (6), der nur von Klett nicht aufgenommen wurde. Unsicher tendieren noch Anna Seghers und Peter Weiss (je 5), obwohl in allen drei Lesewerken vertreten, ferner Enzensberger, Grass (je 4) und Heissenbüttel (3, alle bei Klett). Die meisten der genannten Autoren sind in den Lesewerken recht gleichmäßig zu finden, Eich hat Vorteile bei Klett, Johnson bei Schroedel. Andere Namen werden jedoch monopolistisch verwaltet. Wer z. B. etwas von Walter Benjamin (2), Heinrich Waggerl (2) oder Georg von der Vring (3) lesen will, muß «Wort und Sinn» kaufen, Klett ist dafür bei Hans Sachs, Martin Buber, Gottfried Herder und Manfred Kyber (je 3) fündig geworden, die Ausbeutung der sozialistischen Schriftsteller findet in «Begegnungen» statt mit Scholochow (3), Aksenow, Hlasko und Makarenko (je 2).

Bei dieser Betrachtung werden die Proportionen etwas verschoben, da die meßbare Länge einzelner Beiträge nicht gewertet wird. Es kommen extreme Unterschiede vor wie etwa in Band 9 des Klett-Lesebuches, in dem ein gekürzter Einakter Lessings, «Der Schatz», von immerhin 25 Seiten einem Spruch Goethes von lediglich 6 Wörtern gegenübergestellt werden könnte: «Das kleinste Haar wirft auch einen Schatten» (KL 9, S. 113). Doch kann dieser Spruch gleich als Argument dafür verwendet werden, daß die psychologisch-pädagogische Nutzung eines Beitrags nicht nur von seiner Ausdehnung abhängt, wie auch verschiedentlich allein die Position eines Textes von den Herausgebern gezielt eingesetzt wird. So endet Band 5/6 von «Wort und Sinn» mit dem Spruch des

«Schlesischen Boten»: «Mensch, werde wesentlich» (WS 5/6, S. 260), auf den hin nach der Aussage des Lehrerheftes nicht nur das letzte Kapitel des Bandes zielt, der darüber hinaus auch ein «angemessener Ausklang der Mittelstufenbände» (LH WS 5/6, S. 92) sein soll.

Trotz des zurückgewiesenen Einwandes, eine bloß quantitative Auswertung der Lesebücher ermögliche keine repräsentativen Aussagen, muß ihm doch in der Form stattgegeben werden, daß sich ein Vergleich der aufgenommenen Titel anschließt. Denn obwohl 69 Autoren jeweils in allen drei Lesewerken vertreten sind und dabei meist, da es sich hier am ehesten um Markenartikel handelt, gleich mit mehreren Beiträgen, sind doch nur 16 Texte wirklich dreifach vorhanden. Davon lieferten drei Autoren jeweils zwei Beiträge: Goethe «Zauberlehrling» und «Erlkönig», Fontane «Herr von Ribbeck» und «John Maynard», Schiller «Bürgschaft» und «Kraniche des Ibykus». Das scheint den Schluß nahezulegen, daß die verschiedenen Herausgeber zwar von einer gewissen gemeinsamen Grundauffassung über notwendige Bildungsgüter ausgingen, sich aber bemüht haben, im einzelnen soweit wie möglich zu variieren. So sind auch die Schwankungen nach Klassenstufen bei den Texten, die in allen drei Lesewerken vorkommen, in einigen Fällen bemerkenswert. «Wort und Sinn» bietet z. B. der 6. Klasse Goethes «Erlkönig», Rilkes «Panther» und Mörikes «Septembermorgen» an, wovon die beiden letzten Gedichte bei Klett erst im 9., «Erlkönig» gar erst im 10. Schuljahr zur Verfügung stehen. Der Eindruck verstärkt sich auch bei solchen Texten, die nur in zwei Lesewerken zu finden sind, daß Klett in der Regel nachzieht, während Schroedel Schöningh noch vorauseilt. Das wurde jedoch nicht exakt ausgezählt, es gibt in allen Fällen auch Gegenbeispiele.

Wollte man die quantitative Analyse zu einem genaueren Vergleich der drei Lesewerke benutzen, müßten zusätzlich zur Anzahl der Titel mindestens die Zeilen ausgezählt werden. Am Beispiel Brechts, der in der Rangliste ja den zweiten Platz einhielt, ist das recht aufschlußreich. Nach der Anzahl der Titel müßte die Reihenfolge lauten: Klett (15), «Wort und Sinn» (13), «Begegnungen» (7). Die Zeilenzahl, aufgeteilt in Lyrik- und Prosazeilen, ergibt eine andere Abfolge: «Begegnungen» (880; 220/660), Klett (534; 207/327), «Wort und Sinn» (254; 177/77). Den Ausschlag geben dabei die aufgenommenen Erzählungen «Das Experiment» (Klett), «Der Mantel des Ketzers» und «Der verwundete Sokrates» («Begegnungen»). Abgesehen davon, daß die gründliche Interpretation schon des kleinen Gedichtes «Der Kirschdieb», das «Wort und Sinn» für die 5. Klasse bereithält, wichtige Aussagen zum Autor und seiner Methode ergeben könnte, ist sicherlich das ausführlichere Angebot in «Begegnungen» eher geeignet, Schülern das Einlesen und -denken in Brecht zu ermöglichen.

Es sei nur nebenbei bemerkt, daß allgemein in den Lesebüchern vor allem der Mittelstufe die Tendenz zu beobachten ist, in größerem Umfang längere Prosastücke aufzunehmen, vor allem Erzählungen – teilweise gekürzt – und auch

Auszüge aus Romanen. Im Lesebuch «Begegnungen» beginnt es bereits im 1. Band mit einem Abschnitt aus Kafkas Romanfragment «Amerika» unter dem Titel «Im Schlafsaal der Liftjungen», es folgen in anderen Bänden Teile aus «Tom Sawyer», «Robinson Crusoe» (Band 2), «Kleiner Mann, was nun?», «Das dritte Buch über Achim», «Mutmaßungen über Jakob» (Band 3), «Oliver Twist», «Berlin Alexanderplatz», «Der Mann ohne Eigenschaften» (Band 4) usw. Damit werden nach dem Willen der Herausgeber sicher mehrere Zielsetzungen verbunden: Aufgabe der Häppchen-Methode, Erweiterung des Textreservoirs und vor allem im Sinne eines literaturpädagogischen Lesebuches Aufnahme weiterer literarischer Formen und Sprechweisen, was im Klett-Lesebuch, das dieses Vorgehen am konsequentesten praktiziert, ja auch dazu führt, jeweils ein Beispiel für bestimmte Formen von spielbezogenen Texten (kleine Theaterstücke, Hörspiele u. ä.) unterzubringen.

Was also ergibt der quantitative Überblick? Die Streuung der Texte und ihrer Autoren hat gegen früher zugenommen, mehrere «moderne» Schriftsteller, zum Teil Zeitgenossen, sind aufgenommen worden, an die literarische Qualität wird ein «strenger Maßstab» gelegt. Trotz gewisser unterschiedlicher Akzente scheint für die untersuchten Lesewerke eine grundsätzliche Übereinstimmung vorzuliegen, nicht nur hinsichtlich der Literarisierung der Bücher, sondern auch im Blick auf die relativ große Zahl von in allen Büchern gleichermaßen auftretenden Autoren. Damit scheint die wichtigste Forderung der bisherigen Lesebuchkritik, deren eines Motiv war, «daß jeder Text literarische und sprachliche Qualität besitzen»[3] müsse, erfüllt zu sein. Ähnlich äußerten sich Roeder[4], Steinbach[5] und Helmers, der sogar Beispiele von Sachprosa nur «im Rahmen der epischen Bildung (?) auszuwählen»[6] empfiehlt.

Dem anderen Motiv der Lesebuchkritik, das den Mangel an sozialer Wirklichkeit beklagte, scheint ebenfalls Rechnung getragen zu sein, und nicht nur im «Arbeitsteil» des Lesebuches «Begegnungen». So liest sich das Autorenverzeichnis von Band 5/6 des Lesebuches «Wort und Sinn», wenn man andere Namen überspringt, wie eine Liste der «Versäumten Lektionen»: Benjamin, Bloch, Börne, Bräker, Brecht, Grass, Heine, Johnson, Marx, Seghers. Wenn es ferner feststeht, daß auch traditionellere Texte als Ausprägung einer historischen und individuellen Situation ideologiekritisch interpretiert werden können, so bleibt eigentlich nichts mehr zu wünschen übrig. Sicher könnte der eine oder andere Beitrag zugunsten eines präziseren, wichtigeren oder aktuelleren ausgetauscht werden, doch darüber läßt sich schwerlich eine einheitliche Meinung herstellen, und der Vorwurf trifft die Herausgeber nicht. Nun könnte man zwar noch einwenden, wenn schon Literatur, dann auch in all ihren Spielarten. So treten wirklich realistische Texte nur sporadisch auf (in dem eben zitierten Band etwa die von Bräker und Döblin), es fehlen andere nichtklassische Genres, so jede Art von erotischer Literatur, Burleske, Groteske, kurz: die «Ästhetik des Irregulären»[7], die sozialkritischen Schriftsteller sind mit «harmlosen» Texten vertreten. Aber selbst wenn diese Lücken noch als Zugeständnis an die bestehende Schule erklärt werden könnten, wären die vorliegenden Lesebücher doch noch zu prüfen hinsichtlich ihrer erklärten oder nicht erklärten Lenkungsabsichten. Die ersteren finden sich in den Lehrerheften, die zweiten in Auswahl und Gruppierung der Texte, der Einordnung in einen Kontext und der Akzentuierung durch besonders deutliche, meinungsbildende Beiträge. Schließlich soll auch die Frage nicht vermieden werden, ob nicht anstelle von «Literatur» etwas ganz anderes, Wichtigeres im Lesebuch stehen sollte.

III.

Die Schule, in der der Deutschunterricht eine mehr oder weniger bescheidene Rolle spielt, ist als pädagogisches Unternehmen eingebettet in ein Supersystem, die Gesellschaft, die ihre Normen und Wertvorstellungen durch den background von offizieller Kultur und Weltanschauung – auch die (scheinbar) pluralistische Weltanschauung ist eine –, durch konkrete behördliche Weisungen und die vorherrschende Erziehungsideologie der Eltern, wobei alle Bereiche voneinander abhängig sind und sich gegenseitig stützen, der Schule oktroyiert. Sie benötigt und benutzt die Handlangerdienste der Lehrer und Lernmittel, ohne daß diese damit einverstanden oder sich der Indienstnahme überhaupt bewußt zu sein brauchten. «Weder während der eigenen Gymnasialzeit noch im Rahmen des fachwissenschaftlichen Studiums haben die Oberschullehrer gelernt, ihre Arbeit und die Institution, in der sie sie verrichten, als Element eines Systems gesellschaftlicher Beziehung zu sehen.»[8] Selbst wenn den Lehrern diese Verflechtung bewußt wäre, würden sie sich kaum anders verhalten. Denn grundsätzlich gilt die Feststellung: «Werte und Vorstellungen der Eltern korrespondieren mit denen der Lehrer; beide Faktoren sind funktional im Sinne der Stabilisierung des gegebenen Systems.»[9]

Wie der Werthorizont der landesüblichen Erziehung aussieht, lehrt die tägliche Praxis in der Schule. Alle Versuche eines integrativen Unterrichts sind erst einmal in der Gefahr, durch einen Zusammenbruch der Disziplin oder der Leistungsmotivation zu scheitern, da die Schüler in der Regel an einen dominativen Unterrichts- und Erziehungsstil gewöhnt sind. Die Mittel der Durchsetzung des Erzieherwillens sind möglicherweise schichtspezifisch, um so wirksamer jedoch, je eher sie in der Lage sind, die Wertvorstellungen der Erwachsenen zu verinnerlichen.

Die 9- bis 10jährigen Kinder, die zum Gymnasium kommen, scheinen vor allem bedroht zu sein von Infantilisierung, Emotionalisierung und Moralisierung. Anders ausgedrückt: ihre Umwelt will sie kindlich halten, erwartet von ihnen Fühlen und nicht Denken, legt Wert auf moralisch akzentuierte Charaktermerkmale, die durch die korrespondierenden Begriffe von Wohlverhalten und Unterordnung umschrieben werden können. Die Prägung in dieser Richtung hat selbstverständlich in der frühen Kindheit eingesetzt (ist deshalb in der Schulzeit vielleicht gar nicht mehr korrigierbar) und dauert an, bis die Jugendlichen sich räumlich oder in einer Art innerer Emigration dem erzieherischen Einfluß entziehen. Wenn den Kindern aber noch ein gewisser Freiheitsspielraum, den sie schon gar nicht mehr zu nutzen verstehen, zugestanden wird, verstärken sich die Anpassungszwänge während und nach der Pubertät. Es geht nun um die Fixierung bestimmter sozialer Rollen (Geschlechterrolle, Konsumentenrolle, Erwachsenenrolle), die die Einfügung in eine entpolitisierte Leistungsgesellschaft bezwecken. Das Individuum wird nicht zur Kommunikation mit anderen, geschweige mit fremden Gruppen befähigt, sondern isoliert, es wird nicht zu einer rationalen Auseinandersetzung mit der Gesellschaft angeleitet, sondern zur Pflege der Innerlichkeit. Die Gründe dafür sind nicht oberflächlicher Natur.

So heißt es in anderem Zusammenhang: «Daß das Bewußtsein von Lehrern und Schülern vielfach die gleichen apolitischen Denkschemata aufweist, daß es sich von den Einstellungen der großen Mehrheit der Gesamtbevölkerung zur Politik nicht sehr unterscheidet, deutet auf Ursachen, die in der Struktur unserer Gesellschaft zu suchen sind. Die Bedingungen, unter denen heute in den hochindustriellen Gesellschaften soziale Prozesse vor sich gehen, erschweren ihre Durchschaubarkeit und fordern kein Engagement der Staatsbürger heraus.»[10] Es ist also so, daß die Gesellschaft, bzw. die Personen und Institutionen, welche an der Herrschaft partizipieren, das skizzierte Verhalten produzieren und zugleich davon profitieren. Es ist zu fragen, in welchem Umfang die untersuchten Lesebücher dazu Vorschub leisten.

Da es bei einer Durchforstung aller 17 Lesebuchbände darauf hinauslaufen würde, sehr verstreute und deshalb weniger beweiskräftige Beispieltexte zu finden, bietet sich die Methode an, die Bände für die 5. Klasse einerseits und die für die Abschlußklasse der Mittelstufe andererseits daraufhin zu prüfen, wieweit sie die oben in ihrer Tendenz beschriebene Art der Einflußnahme auf Kinder bzw. Jugendliche unterstützen. Falls sich die These daran belegen und eine nicht übersehbare Entsprechung zwischen den verschiedenen Lesewerken beweisen läßt, scheint der Schluß erlaubt, daß die ausgelassenen Unter- und Mittelstufenbände keine ins Gewicht fallende Abweichung von der Norm aufweisen würden.

Die pädagogischen Axiome, daß Kinder Phantasie hätten oder zumindest haben sollten und daß sie Interesse nur für das aufbrächten, in das sie sich hineinfühlen können, bestimmen immer noch die Lesebücher für die 5. Klassen. Dort häufen sich Märchen, Sagen, Volkserzählungen und Legenden und andererseits die Erzählungen, in denen irgendwie ein Kind vorkommt. Obwohl das Begleitheft zu «Wort und Sinn» selbst feststellt, daß «Sextaner . . . nicht mehr im ‹Märchenalter›» (LH WS 1, S. 64) seien, macht das Lesebuch keine Ausnahme. Märchen und vergleichbare Geschichten sind fast immer mit einer irrationalen «Hinterwelt» ausgestattet, kennen eine ausdrückliche Werthierarchie und verabfolgen regelmäßig eine deutliche Moral. Das ist in besonderem Maße so, wenn als Beispiel für Sagen die um Roland ausgewählt werden, der den christlichen König Karl gegen die Heiden verteidigt, die «im Hinterhalt» (WS 1, S. 199) lauern, wenn Märchen wie «Von dem Fischer und seiner Frau» erzählt werden, in dem das irdische Verlangen der Frau nach einem guten Leben gründlich durch Glücksentzug bestraft wird, wenn Legenden die wunderbare Allmacht Gottes verkünden, dessen Namen und Wirken ohnehin in etwa jedem fünften Beitrag des 1. Bandes von «Wort und Sinn» ihren Niederschlag fanden. Bei «Sankt Christophorus» und «Sankt Georg» müssen sich gar die Mächtigsten der Erde vor einem Höheren beugen, der allerdings, wenn man genau liest, seine Interessen handfest durchzusetzen pflegt. So zerrt St. Georg den Drachen in die Stadt, hält ihn am kurzen Zügel und fragt sozusagen: «Wollt ihr euch jetzt taufen lassen oder nicht?» Es folgt das Zitat aus «Wort und Sinn»: «Da fielen die Bürger in die Knie und sprachen: ‹Wir glauben an den mächtigen König, der uns erlöst hat, und wollen die Taufe empfangen›» (WS 1, S. 78 f.).

Oben und unten muß nicht immer so deutlich markiert sein, es kann auch durch den Vater (S. 29), den Großen Friedrich (S. 209), Rübezahl (S. 145 ff.), den Weihnachtsmann (S. 87), Großmutter Ama (S. 177 ff.) oder das Schicksal, «geheimnisvolle, unterseeische Kräfte» (S. 98), vertreten werden wie in der Erzählung «Die Scholle». Die handelnden Personen, insbesondere die Kinder, sehen ihre Abhängigkeit und flehen, wenn nichts mehr hilft, zu Gott (WS 1, S. 97, 70, 76, 81, 90, 133, 144). «Zehn Gebote setzt Gott ein. Gib, daß wir gehorsam sein!» (WS 1, S. 60). Denn Ungehorsam tut nicht gut, was nicht immer erst durch die Strafe erfahren werden muß, da die bereits verinnerlichte Moral von selber wirkt. Ganz gleich, ob es sich um die abgebrochenen «Nasen» des Baumkuchens handelt (S. 175 ff.), die «gestohlene» Orange (S. 177 ff.), das Naschen an dem für den Heiligen Leonhard bestimmten Lebkuchen (S. 69 ff.) oder das Vorurteil gegenüber dem andersartigen Kind (S. 18 ff.): das Gewissen schlägt.

In der zuletzt aufgegriffenen Erzählung, Schnurres «Die Falle», wird die Bekehrung allerdings unterspielt und entläßt ihre Moral eher für den Leser als für die handelnden Personen, wobei unverständlich bleibt, warum das Lehrerheft darin nur das Verhalten gegenüber einem «kränklichen, einsamen, von den Gleichaltrigen abgelehnten Jungen» (LH WS 1, S. 11) besprechen lassen will. Es handelt sich um ein jüdisches Kind, und das rassistische Vorurteil, das den Namen «Moses» prägte, ist nicht das der Kinder, sondern der Erwachsenen. Da, wo die sicherlich nicht sonderlich wichtige Erzählung interessant werden könnte, versucht das *Lehrerheft* abzulenken. Überhaupt ist die Tendenz des Lehrerheftes, obwohl es die Meinung, «daß einseitige Erziehung zu ‹Innerlichkeit› ... beabsichtigt sei» (LH WS 1, S. 20) ausdrücklich abwehrt, das eigentliche Ärgernis. Wenn es dort nicht lediglich heißt, daß das Lesestück «keiner eingehenden Besprechung bedürfen» (S. 17) werde, wird empfohlen, daß «nur sehr behutsam rationalisiert werden» (S. 12) solle. «Wieweit der Gehalt dabei gespürt (!) wird, hängt wohl von dem Erlebnisfeld des einzelnen Schülers ab»

(S. 17). Es ist immer wieder die Rede vom «Erlebnisraum der jugendlichen Seele» (S. 10), von «Verinnerlichung» (S. 11), «Besinnung des Menschen» (S. 16), «Seelenerleben» (S. 26) und schließlich von den stillen Helden, «deren Kraft verborgen ist und die zu besonderem Schicksal berufen sind» (S. 20). Die Texte besitzen eine «Sinnmitte» (S. 12), einen «Gehalt» (S. 17 u. a.), «Sinn» (S. 15), eine «Sinngebung» (S. 17) oder «symbolische Wahrheit» (S. 18). Der Irrationalismus feiert Urständ: «Man möchte sagen, nur wenn dieses Thema (Heimat) nicht ausgesprochen wird, kann es vernommen werden» (S. 10). Und wenn ein Lehrer vielleicht doch befürchtet, daß Vernunft = superbia gefördert wurde, kann er mit dem letzten Text des Bandes «die Verhältnisse wieder unaufdringlich ins Lot rücken» (S. 31). Matthias Claudius spricht zu den 10jährigen: «Der Mensch lebt und bestehet / Nur eine kleine Zeit» (WS 1, S. 213).

Textauswahl und pädagogische Zielvorstellung der Herausgeber zeigen an Band 1 von «Wort und Sinn» durch eine für einen verallgemeinernden Schluß genügend große Vielfalt von Texten das, was gesucht wurde: Emotionalisierung, Moralisierung und Infantilisierung, fast möchte man sagen, nicht nur der Kinder, sondern auch der Lehrer.

Auch das Klett-Lesebuch will «eine Erziehungsaufgabe erfüllen» (LV KL, S. 2), die allerdings begriffen wird als Anleitung zum Verständnis für «Sprache und die künstlerische Gestaltung mit den Mitteln der Sprache». Nun kann diese Forderung für die 5. Klassen als ein wenig weit gesteckt bezeichnet werden, wenn auch das Lehrerheft immer wieder formale Betrachtungen in den Vordergrund stellt. Beabsichtigt oder nicht, die Texte werden, wenn überhaupt, die Schüler nur inhaltlich spontan interessieren, was eine ideologiekritische Betrachtung auch voraussetzt. Von den bei «Wort und Sinn» inkriminierten Texten kommen bei Klett «Der Fischer und seine Frau» und Ina Seidels «Orange» vor, zahlreich ferner Legenden und Märchen.

Die moralische Aufrüstung ist aber in anderen Beiträgen ähnlich. So gibt eine moderne Version des Hans-im-Glück-Themas die Geschichte des mit einer reichen Erbschaft ausgestatteten Johannes, der aber in der Ferne bald «Verlassenheit und Leere» findet, beim Autofahren fühlt er sich «vom Erdboden gelöst» und entdeckt schließlich durch den Anblick «spielende(r) Kinder», die sich «halbnackt tummeln», die Lebensweisheit: «Gerade das, was man haben müßte, konnte man nicht mit Gold erwerben» (KL A 5, S. 30). So geht es auch dem armen König, der das Hemd eines Zufriedenen sucht und feststellen muß, daß Zufriedenheit und der Besitz eines Hemdes zusammen nicht vorkommen (KL A 5, S. 89). Selbst die Ziege, die die Freiheit aufsucht, wird zur Strafe vom Wolf gefressen (KL A 5, S. 110 ff.). Wenn man etwas haben will, sei es auch nur der rechtmäßige Finderlohn, erscheint es als Geschenk des Herrschers (KL A 5, S. 88) oder, der Reis für den hungernden Inder, als Geschenk des Monsuns (KL A 5, S. 139 ff.).

Nicht die Wirtschaftspolitik oder die an einer preistreibenden Knappheit interessierten Unternehmer treten in den Blick, sondern das Schicksal. Und wenn das Schicksal mal hilft in Gestalt eines «selbstlosen und zuverlässigen Mannes» (LH KL A 5, S. 27), sagen alle: «Danke» (KL A 5, S. 138). Gut ist, wer «die Notwendigkeit der Strafe» (KL A 5, S. 122) einsieht, schlecht ist, wer einen anderen betrügen will; dem darf es der König geben lassen, «daß er nicht einmal die Hosen zuknöpfen konnte» (KL A 5, S. 87). Oben bleibt oben, und wer sich anmaßt, die Ordnung umzukehren – «der Knecht wär' selber ein Ritter gern» (KL A 5, S. 182) –, den ereilt die Strafe «einer geheimen Macht» (LH KL A 5, S. 45): «Das Schicksal zahlt mit gleicher Münze heim» (ebda.).

Jemand könnte einwenden, die aufgezählten Beispiele reichten nicht aus, ein Lesebuch zu verurteilen, insbesondere, weil es auch Gegenbeispiele, die nicht erwähnt wurden, gebe. Darauf ist zu antworten, daß die Kritik davon ausgeht, daß es *keine* Texte mit derart repressiver Tendenz im Lesebuch der 5. Klasse, wo sie ja immer wieder vorliegende Autoritätsstrukturen verstärken, geben sollte.

Im ersten Band von «Begegnungen» werden einige Texte angeboten, die vom Standpunkt des Rezensenten nicht kritisiert werden können; etwa das, was ausgewählt wurde von Pindar, Ludwig Richter («Die Schlacht bei Dresden»), Prischwin (aus einem Lesebuch der DDR), Makarenko, Reiner Zimnick, Peter Weiss, E. T. A. Hoffmann und das eine oder andere aus dem Arbeitsteil.

Andererseits gibt es aber auch ganz massive Beispiele für die Haltung, die zum Widerspruch herausfordert. Allein die Formulierung «eine rechtschaffene und wohlverdiente Tracht Prügel» (BG 1, S. 27), von dem Abgestraften selbst so bezeichnet, ist nicht nur deshalb zu kritisieren, weil sie Unterstützung erfährt durch das Verhalten der naturnahen Eisbärenmutter, die «ein gewisses Maß von Strenge und Disziplin bei der Aufzucht ihrer Jungen walten läßt» (BG 1, S. 254). Sie bereitet nur vor, was Carossa aus seiner Kindheit erzählt, wo er – mit den Worten des Lehrerheftes –, «da ihn der Vater nicht straft, in eine Krankheit» (LH BG 1, S. 15) verfällt.

Diese neurotische Charakterzerstörung versteht das *Lehrerheft* als vorbildlich. «Durch solche Gewissens- und Entwicklungskrisen reift der Mensch» (ebda.). Eine parallele Erzählung findet sich im zweiten Band der «Begegnungen», in der ein Pfarrer seine exzessive Prügelpädagogik folgendermaßen rechtfertigt: «Ich muß euch strafen, Kinder, so leid es mir tut. Ich tue es aus Liebe» (BG 2, S. 25). Häuptling Büffelkind erzählt in Band 1 aus seinem Indianerleben, wie die Jungen nach den morgendlichen Aufmunterungsschlägen um mehr baten, ein Text, von dem das Lehrerheft wieder behauptet, daß sich daran «auf kindliche Weise das Wesen menschlicher Erziehung jeweils für die Bedürfnisse der Gesellschaft (sic!) erkennen» (LH BG 1, S. 11) lasse. Die Anpassungsstrategie des Lesebuches scheint allerdings kaum noch nötig, da der Bearbeiter des Lehrerheftes eigentlich schon alles voraussetzt, was ihm wünschenswert erscheint. Er empfiehlt, den Auszug aus Kafkas «Amerika» nur lesen zu lassen und erwartet, daß «die Kinder . . . sich empören über das Chaos im Schlafsaal und nach Ordnung rufen» (LH BG 1, S. 61). Besorgnis, daß die Schüler gelegentlich auf unpassende Gedanken kommen könnten, besteht nicht: «der erfahrene Lehrer wird das Gespräch sehr leicht auf das von ihm gewünschte Thema hinlenken können» (LH BG 1, S. 51). Diese Bemerkung fällt bezeichnenderweise im Zusammenhang mit einem bereits im Titel originellen dänischen Märchen, «Der fliegende Lars», in dem eine Bäuerin ihren geizigen Ehemann an der Nase führt, bis er stirbt, worauf sie ihren Helfer, den Knecht Niels, heiratet und obendrein noch «froh und vergnügt» (BG 1, S. 167) weiterlebt. Die «bedenkliche Moral dieses Schwanks» (LH BG 1, S. 51) muß vom Lehrer wieder zurechtgebogen werden.

So soll es auch den Bestandteilen des Lesebuches gehen, die eine Beziehung zur außerschulischen Lektüre der Schüler haben könnten. Es ist eine Geschichte aus der comic-Reihe «Fix und Foxi» aufgenommen, in der der gewiefte Lupo gegen den Willen der Autorität, die er auch noch den «wildgewordenen Oberförster» nennt, sich einen Weihnachtsbraten verschaffen will. Ob die Arbeitsanweisung, ein Vergleich mit der Münchhausengeschichte von den Wildenten, wobei die literarische Überlegenheit über die Bildgeschichte herausspringen soll, Erfolg haben wird, kann bezweifelt werden. Wahrscheinlich werden die Kinder Spaß an dem Unsinn haben, und der Lehrer hat mal wieder die Moral zu verkünden.

Ebenso ist der einer IBM-Broschüre entnommene angeblich satirische Text eher geeignet, lustig zu wirken als aufklärerisch. Eben das kann sich nämlich das Lesebuch nicht leisten. Wenn die Schüler grundsätzlich dazu angeleitet würden, die Manipulation durch ihre Umgebung zu durchschauen, würden sie die gewonnene Fähigkeit auch auf ihre Erzieher anwenden. Daß dies nicht als die Absicht des vorliegenden Lesebuches angesehen werden kann, sondern daß auch der im Vergleich unkonventionellste Band von der anfangs skizzierten Linie nicht sehr abweicht, sollte die Schlußfolgerung aus den zitierten Stellen sein. Es trifft nicht die Wirklichkeit der 10jährigen, daß sie «in einer ganz anderen, mythisch-magischen Welt leben» (LH BG 1, S. 61), sie wird ihnen nur vom Lesebuch verordnet, um den Zustand der Unmündigkeit zu verlängern.

IV.

Wenn es gelungen sein sollte, eine für den Sozialisationsprozeß des Schulkindes bedeutsame Funktionalität der Lesebücher für die Eingangsstufe des Gymnasiums nachzuweisen, dürfte damit auch schon eine Vermutung über die Ausrichtung der Mittelstufenbände gegeben sein. Obwohl es inzwischen kaum noch bezweifelt werden kann, daß Sprachvermögen, Wertorientierung, Verhaltensmuster als wichtige Aspekte der Sozialisation ihre entscheidende Prägung bereits vor Beginn der Schulpflicht erfahren, wäre der Versuch auch nur einer Modifikation von Einstellungen – und die Lesebücher behaupten alle, eine Bildungsaufgabe zu haben – nur dann sinnvoll, wenn er so früh wie möglich einsetzte. Wir müssen also annehmen, daß die aus den Lesebüchern abgeleiteten Erziehungsmaximen Grundpositionen dem Kind oder Jugendlichen gegenüber darstellen und darum in den Büchern für andere Jahrgänge die nämlichen bleiben. So braucht an die jetzt zu befragenden Bände für die letzte Klasse der Mittelstufe nur eine wichtige neue Frage gestellt zu werden, die nach der Repräsentation der Gegenwart.

In «Wort und Sinn», Band 5/6, der «zur Welterschließung wie zum Selbstverständnis des jungen Menschen beitragen» (LH WS 5/6, S. 3) möchte, wird die Vorbildlichkeit zum erstenmal Thema in dem Unternehmerbildnis aus der Feder von Theodor Heuss, «Friedrich Harkort», dessen «uneitle Hingabe an die Sorgen der Gemeinschaft» (WS 5/6, S. 23) gerühmt wird, ausführlicher in einer Reihe von Beiträgen «aus dem Bereich menschlicher Tugendbegriffe» (LH WS 5/6, S. 5). «Hingabe», «Sinnerfüllung», «das Eigentliche» (WS 5/6, S. 26), «Selbsterfüllung» und «Selbstverfehlung» (ebda, S. 27) bestimmen den Text «Der liebende Blick» von Nicolai Hartmann. Thomas von Aquin empfiehlt das «Standhalten» (WS 5/6, S. 29), Kant beschreibt die «Pflicht der Achtung für den Menschen» (WS 5/6, S. 28). Zusammen mit Schopenhauers Behauptung, daß «dem Menschen ein gewisser Respekt vor weißen Haaren angeboren» (WS 5/6, S. 33) sei, und der Lektüreempfehlung, Bollnows «Wesen und Wandel der Tugenden», ergibt sich ein Katalog menschlicher Werte, die man eher als «Vorwände, die sich der Mensch gibt, um zu gehorchen»[11], bezeichnen könnte.

Die Herkunft des deutschen Gymnasiums als Schöpfung einer bürgerlich-patriarchalischen Bildungselite trägt späte Früchte. Angelus Silesius hat wieder einmal die Aufgabe, das Kapitel abzurunden: «Wer in sich Ehre hat, der sucht sie nicht von außen» (WS 5/6, S. 33). Neben Scheffler, der, wie bereits erwähnt, auch mit seinem Spruch «Mensch, werde wesentlich» als «angemessener Ausklang der Mittelstufenbände» das Schlußwort erhält, ist es Paul Fleming, der der deutschen Innerlichkeit wohlklingendes Wort verleiht: «Wer sein selbst Meister ist und sich beherrschen kann / Dem ist die weite Welt und alles untertan» (WS 5/6, S. 134). Das Gedicht, aus dem diese Zeilen zitiert werden, ist übrigens als einziges von Fleming und gleichermaßen in allen drei Lesewerken aufgenommen worden – Kernsätze läßt man nicht gern aus.

Eine interessante Folge sind die Texte zur Situation im Dritten Reich. Die Schilderung C. J. Burckhardts von seiner Begegnung mit Ossietzky im KZ erreicht ihren makabren Höhepunkt mit dem Satz: «Ich bin der Vertreter des Internationalen Komitees vom Roten Kreuz, ich bin hier, um Ihnen, soweit uns dies möglich ist, zu helfen» (WS 5/6, S. 162). Das ganze Gespräch, an dem im Lehrerheft die «Charakterisierungskunst» (S. 60) hervorgehoben wird, ist eine tödliche Farce, die besser ersetzt werden sollte durch Teile der Selbstdarstellung des Auschwitz-Kommandanten Höss, woraus gesellschaftliche Ursachen, nicht nur persönliche Schicksale erschlossen werden könnten. «Das Verhör», Ausschnitt aus dem Roman von Anna Seghers, «Das siebte Kreuz», soll nach dem Willen des Lehrerheftes – im Sinn von Schapers «Macht der Ohnmächtigen» – als ein Sieg des todgeweihten Häftlings interpretiert werden. Der Geist triumphiert über die Macht, auch im «Schlußwort des Angeklagten» Kurt Huber, in dem ein weiteres Mal der Nationalsozialismus als ein moralisches Problem hingestellt wird. Gleich darauf erstaunt der Leser. In Brechts Nachruf auf Ossietzky, «Auf den Tod eines Kämpfers für den Frieden», ist vom Kampf, der weitergehen soll, die Rede. Doch die Erwartung, daß nunmehr politisch gedacht werden solle, ist verfrüht, es folgen «Die Füße im Feuer» mit der Schlußmahnung: «Mein ist die Rache, redet Gott» (WS 5/6, S. 169). Dem ist kaum noch etwas hinzuzufügen. Auf der einen Seite moralisierende Verinnerlichung, auf der anderen entpolitisierte Geschichte, die zudem noch die Beschäftigung mit der Gegenwart ersetzt. Zeitgenössisches liest sich allenfalls in einer satirischen Erzählung Walsers, einem Text von Hildesheimer oder einem der Dialoge von R. M. Müller. Ansonsten bleibt die Suche nach der Aktualität vergeblich.

Das gleiche gilt für das Klett-Lesebuch. Flemings Gedicht wieder, Sprüche von Hofmannsthal und Ebner-Eschenbach stimmen die Harfe der Innerlichkeit, Martin Buber fügt Parabeln über den höchsten König hinzu, von Saint-Exupéry stammt der Wunsch: «Auch wir möchten von all dem etwas begreifen» (KL A 10, S. 61). Es ist wohl auch nicht fair gegenüber den Lesern, letzte Worte von Opfern des Nationalsozialismus, Bonhoeffer und Delp, mit der Botschaft des Irrationalismus anzubieten. Die Mahnung an die «Vergänglichkeit alles Irdischen» (KL A 10, S. 114) und die Aufforderung zu einem Leben «in der Anbetung, in der Liebe, im freien Dienst» (KL A 10, S. 115) haben damals die Gewaltherrschaft eher gefördert als erschüttert und sind heute schon gar nicht Anweisungen zum politischen Verhalten. Die Lesebuchbearbeiter halten es aber ohnehin lieber mit Bollnow, der mit einer wahrhaft skurrilen Logik Autoritätsrechtfertigung betreibt: «Der Befehl wendet sich also an ein Wesen, das als gehorchendes nicht über seinen Willen frei verfügen kann. Es kann vielleicht gelegentlich auch einmal den Gehorsam verweigern, aber das ist dann ein Auflehnen gegen die bestehende Ordnung, und es muß wieder zum Gehorsam gezwungen werden» (KL A 10, S. 119). Quod erat demonstrandum. Um Handke zu paraphrasieren: Der Befehl wird ein Befehl sein, Bollnow wird Bollnow sein, der liebe Gott wird der liebe Gott sein.

Nachdem Sprache hier schon in repressiver Weise mißbraucht wird, ist sie fünf Seiten später selbst Gegenstand einer «Erörterung». Endlich scheint der Augenblick gekommen, wo das Lesebuch sein Geschäft einmal erklären könnte, wo es Anlaß hätte, sich selbst zu reflektieren. Der abgedruckte Sprachbeschreiber, Walter Porzig, gerät allerdings schnell zu einem Bewohner jener «mythisch-magischen Welt», in der angeblich die Kinder leben. Für ihn, dem die Wirklichkeit sich als «eherne Notwendigkeit» (KL A 10, S. 127) entgegenstellt, ist getreu germanischer Sitte das Wort die Sache, die Formel des Standesbeamten *schafft* die Ehe, der Freispruch des Richters *spricht* frei, Verwaltungsakte, deren zeitlose Gültigkeit nicht jedermann mehr einleuchten will, gewinnen noch einmal eine höhere Wahrheit. Ein hochgradig affirmatives Bewußtsein verbindet den Arbeiter mit dem «Lärm der Maschinen» (KL A 10, S. 128), den doch der Unternehmer mit anderen Investitionsschwerpunkten vermindern oder abschaffen könnte, und «wer seinen Lebenslauf erzählt, ist vom Richter oder von seinem künftigen Arbeitgeber gefragt worden» (KL A 10, S. 129). Die kritikbedürftige soziale Wirklichkeit mit dem Bündnis der Herrschenden rechtfertigt sich in einer phänomenologischen Wesensschau nach Hausmacherart. Kein Wunder, daß die Logik auf der Strecke bleibt. Die letzte von 198 Zeilen Porzigs stellt dann fest: «Und jede Rede ist schließlich die sprachliche Fassung eines sachlichen Inhalts» (KL A 10, S. 129). Aber das ist wirklich ganz unbedeutend.

Zeugnisse bieten sich also genügend an für die Versuche einer Verinnerlichung der tradierten Moral und gleichzeitige Anpassung an eine unbegriffene Gegenwart. Läßt sich das auch für das letzte der zu prüfenden Lesebücher sagen, das den Anspruch erhebt, «einen zeitgemäßen Inhalt» (LH BG 6, S. 3) zusammengestellt zu haben mit einem umfangreichen Arbeitsteil für die «Alltagsformen des Sprachgebrauchs» (LH BG 6, S. 6). Meine Meinung über das Bild des Jugendlichen, welches das Lesebuch erkennen läßt, habe ich bereits an anderer Stelle geäußert.[12] Es weicht wohl nicht wesentlich ab von dem, das auch in den hier besprochenen Bänden die Lesebuchbearbeiter beflügelte. Der Blick soll jetzt etwas genauer auf die Seiten gerichtet werden, die sich ausdrücklich mit «Technik» und «Wirtschaftswelt» (zwei Kapitelüberschriften des Bandes) beschäftigen. Unter der Überschrift «Kraftwerk und Staustufe» meditiert Carossa über «geistgebändigte Kräfte» (BG 6, S. 74). Ernst Jünger entzückt sich in einem Abschnitt aus «Gläserne Bienen» über «in hoher Ordnung konzentrierte zwecklose Macht» (BG 6, S. 81) und Adalbert Stifter läßt eine schöne Jungfrau, die erst «den klopfenden Busen und die ahnungsreiche Erwartung der Dinge» (BG 6, S. 81) kaum bändigen kann und nachher als schwaches Weib dem Abenteuer nicht mehr gewachsen ist, eine Ballonfahrt unternehmen.

Auch die weiteren Beiträge zum Thema Technik sind literarischer Natur, Andres, F. G. Jünger, Saint-Exupéry, mit Ausnahme eines Textes von Robert Jungk, der aber schon durch seinen Titel, «Ein Stückchen Hölle», ferner durch Anthropomorphisierung und Spannungsaufbau sich einer «dichterischen» Ausdrucksweise anzupassen versucht. Im Arbeitsteil ergänzen das Kapitel schließlich zwei Lexikonartikel und eine Erläuterung des Begriffes «Automation». Dazu kommt noch eine Stellungnahme des Deutschen Industrieinstituts zum Stand der Atomforschung in der Bundesrepublik. Der Rückstand der BRD auf dem genannten Gebiet wird eindrücklich beschrieben, wobei trotz der Erschwernisse, die in der föderativen Struktur der BRD und im Fehlen von militärischen Aufträgen liegen, Beachtliches geleistet worden sei.

Die Industrie hat also Gelegenheit, zweckdienliche Propaganda zu betreiben, während die politische Auseinandersetzung um die Autarkiebestrebungen der BRD auf dem Gebiet der Atomforschung, die auch bei dem jahrelangen Tauziehen um die Unterzeichnung des Non-Proliferations-Vertrages im Hintergrund stand, selbstverständlich verschwiegen wird. Der Schüler lernt in einer umstrittenen Frage die Industrie als bemühte und leistungswillige kennen, obwohl von seiten des Staates dauernd Schwierigkeiten gemacht werden.

Zum Thema «Wirtschaftswelt» können die auch diesmal wieder vorhandenen Anachronismen (Goethe, Stifter, Gaiser) außer Betracht bleiben, obwohl sie dem Lesebuch, das «Wirtschaftsverhalten als sittliches Verhalten» (LH BG 6, S. 51) begreift, besonders wichtig sind. Aktuellere Beiträge, «Bauer sein dagegen sehr» (aus: Christ und Welt), unterstreichen die Wichtigkeit einer Subventionierung des Landwirtes oder malen die moralischen und physischen Belastungen des aufstrebenden Wirtschaftsmannes aus (Böll und Eisenreich).

Höchst eigenartig ist die Behandlung der Bestandteile des Arbeitsteils. Ein Schaubild zur Höhe der Werbeausgaben wird kommentiert dadurch, daß die Werbung als Ausdruck von «Autonomie» und «Liberalität» der Wirtschaft bezeichnet wird und «alle Menschen des Staates» als «Nutznießer» (LH BG 6, S. 48). Man möchte doch fragen, wer da eigentlich der Nutznießer genannt zu werden verdiente und wer der Betrogene. Damit aber keine falschen Fragen aufkommen, schlägt das Lehrerheft als Diskussionsfrage vor: «Ist die Wirtschaft für den Staat oder ist dieser für die Wirtschaft da?» (ebda.). Abgesehen davon, daß die Schüler sich dazu nur naiv äußern könnten, wäre eine den Tatsachen entsprechende Beantwortung der Frage[13] sicher nicht im Interesse der Lesebuchbearbeiter.

Zu einer Autoanzeige sollen die Schüler eine Parallelanzeige entwerfen, die noch größere technische Genauigkeit haben soll – also den Kaufwunsch noch potenzieren würde. Ein Wirtschaftskommentar der Welt (BG 6, S. 226ff.) stellt die Gewerkschaften als «machtvolle Monopole» der «Front der Arbeitgeber» gegenüber, die «aufgesplittert und zerrissen» (BG 6, S. 226) sei, die Unternehmer müssen darin mit Investitionen «die Konjunktur am Kochen halten» (ebda. S. 228), zugleich sorgen sie aber auch dafür, «daß uns die Pferde, die den Wagen der Wirtschaft ziehen, nicht durchgehen» (ebda.).

Wer nun meint, der Text solle auf seine sachliche Zuverlässigkeit, die Verdummungsphraseologie auf ihre Manipulationsabsichten hin untersucht werden, sieht sich getäuscht. Gerade dieser Text ist es, an dem vor allem der «Schüler des Gymnasiums» lernen soll, «die Welt der Wirtschaft aufmerksam, ja kritisch zu bedenken» (BH BG 6, S. 52). Er hätte eher Anlaß, solche Arbeitsanweisungen auf die Welt des Lesebuches zu beziehen, das gerade da, wo es vorgibt, der Realität Einlaß in das Lesebuch gegeben zu haben, eben diese Realität am gründlichsten verstellt (vgl. besonders die Miniatur-Statistiken und ihre einseitige Auswertung, BG 6, S. 228 f.; LH, S. 56).

Damit sei der Eilmarsch durch die Stoffe von sechs Lesebuchbänden abgebrochen. Vielleicht ist es nötig, noch einmal zu sagen, was damit gezeigt werden sollte. Es wurde die Behauptung aufgestellt und mit Textbeispielen gestützt, daß die besprochenen Lesewerke für die Unter- und Mittelstufe der Gymnasien eine Auswahl überwiegend literarischer Texte anbieten, welche die Tendenz haben, den Schüler der Eingangsstufe in einer emotionalen, moralisierenden, autoritativen Bindung zu halten, damit er in späteren Jahren darauf ausgerichtet ist, sich mit einer entpolitisierten, anachronistischen und von allem Schlimmen gereinigten Lesebuchwelt zufriedenzugeben. Dabei war wichtig, daß gerade zeitgenössische Texte und die «Arbeitsteile» des Schroedel-Lesebuchs die Anpassungsstrategie nachhaltig unterstützen. Daß die Lesebücher «relativ» brauchbar sind, besonders wenn man sie sozusagen gegen den Strich liest, wurde gelegentlich angedeutet, die Kritik nahm aber darauf keine Rücksicht, da im gegenwärtigen Stand der Lesebuchkritik keine Kompromisse mehr, sondern Alternativen nötig sind.

V.

Die Alternative zu den vorliegenden Lesebüchern kann nicht in einer weiter verbesserten, moderneren und breiter gestreuten Auswahl von im Prinzip ähnlichen Texten liegen. Wenn das Lehrerheft zu «Begegnungen» Bd. 6 behauptet, es habe den «Anschein, als versage sich die moderne Welt dem dichterischen Wort» (LH BG 6, S. 3), kann zwar der Verdacht geäußert werden, daß die Herausgeber dazu auch gar nicht so viel finden wollten, die Problematik liegt aber eher darin, daß die moderne Welt gar nicht im «dichterischen Wort» gesucht werden sollte.[14] Das literaturpädagogische Lesebuch, wie vorliegend, ist weder der modernen Welt, noch den Aufgaben, die darin die Schule übernehmen muß, angemessen. Die Literatur mag ein notwendiger Erfahrungsbereich innerhalb des auf die Theorie gerichteten Bildungssystems sein, aber nur einer unter anderen. Ist sie in einem derart massiven Umfang überrepräsentiert, verdrängt sie die Wirklichkeit als Erfahrungsbereich und absorbiert zugleich die intellektuelle Aufnahmefähigkeit der Schüler.[15]

Damit aber nicht genug. Durch das Vorherrschen der literarischen Spiegelung der Welt im Lesebuch wird indirekt ein Bildungsbegriff weitergegeben, der anti-emanzipatorische und der anti-demokratische Tendenzen enthält.[16] Insbesondere die gehobene Qualität der Texte verhindert schon im Ansatz eine kritische Stellungnahme der Schüler, denen überall ehrfurchtgebietende, alte und neue «hohe» Literatur begegnet. Da gleichzeitig der gesellschaftliche Kontext verschwiegen wird, entfällt auch die Möglichkeit einer ideologiekritischen Literaturaufnahme. Das Lesebuch der Gymnasien zielt weiterhin auf den Nachwuchs des im status quo geborgenen Bildungsbürgertums, das auch auf dem Literaturmarkt als wichtigster Käufer auftritt. Kinder aus Bevölkerungsschichten, die ihre fremdbestimmte Freizeit anders verbringen, begreifen, falls sie zum

Gymnasium gelangen, die literarische Bildung als Aufstiegs- und Integrationsvehikel, erleben aber gleichzeitig eine Entfremdung aus ihrer sozialen Umgebung.

Aus all dem ergibt sich, daß literarische Texte im Lesebuch zurückgedrängt werden müßten zugunsten von sprachlichen Zeugnissen anderer Art.[17] Der Bereich, der dann nach repräsentativen Beispielen abgesucht werden müßte, läßt sich nur durch seine äußersten Grenzen bestimmen; er würde alles enthalten, was an gesprochener und geschriebener Sprache Kinder und Jugendliche in verschiedenen Altersstufen, schließlich aber ohne diese Begrenzung jeden Erwachsenen erreicht bzw. erreichen will. Der mögliche Einwand, daß damit die «Realien» das Lesebuch okkupieren würden, die doch Stoff des Faches «Gemeinschaftskunde» seien, verkennt die Tatsache, daß die Welt dem Menschen vorwiegend durch Sprache vermittelt wird. Es ist nötig, die Art dieser Weltvermittlung durch Sprache, ihre Möglichkeiten, Grenzen und Gefahren zu begreifen. Es ist noch nötiger, durchschauen zu lernen, auf welchen Gebieten, von wem und mit welchen Methoden Sprache bewußt eingesetzt wird, um Denken und Verhalten der Angesprochenen zu beeinflussen und zu steuern. Denkklischees, Vorurteile, Autoritätsfixierungen sind weitgehend Ergebnisse sprachlicher Manipulation und lassen sich durch Sprachkritik benennen und vielleicht aufweichen.

Eine solche Zielsetzung würde aber nicht nur die Aufnahme von Sachprosa oder Textbeispielen aus dem Sprachgebrauch von Massenmedien und Reklame – wie bisherige Ansätze es verstehen – bedeuten, sondern ebenso die Aufnahme von sprachlichen Beispielen aus den Bereichen wertorientierter Gesellschaftswissenschaften, der politischen Propaganda der Gegenwart, der Justiz, der Religion, der elterlichen Erziehungsterminologie und schließlich auch der Sprache der Pädagogik, der Lehrer also.

Die Komplikationen an dieser Stelle liegen auf der Hand. Der Lehrer müßte seine eigene Rolle, sein Selbstverständnis, sein schülerbezogenes Verhalten, soweit sich das alles sprachlich äußert, der Reflexion und der Kritik eben dieser Schüler aussetzen. Es sei ausdrücklich betont, daß diese Forderungen sich auch – in entsprechender Umsetzung – auf die Arbeit in der Unterstufe beziehen. Dort müßte sich ebenfalls in Teilen des Lesebuches ein dritter Bereich – neben «Weltbild der Sprache» und «Steuerung durch Sprache» – niederschlagen: Übungsmaterial zur kompensatorischen Spracherziehung, das auch den bislang durch das Sprachverhalten des Elternhauses retardierten Kindern Möglichkeiten anböte, sich Sprache in größerem Umfang verfügbar zu machen und die eigene Sprachfähigkeit zu erweitern.

Das alles sind Forderungen, die manchem utopisch klingen werden, da zum Teil nicht einmal die wissenschaftlichen Grundlagen dafür vorhanden sind. Dennoch müssen sie erhoben werden. Es ist dabei auch unwichtig, ob Fragestellungen der überkommenen Sprachbücher berührt wurden oder ob das Lesebuch seinen Charakter so weit verändern würde, daß es dann seinen Namen ändern sollte. Es kommt mir aber darauf an, gezeigt zu haben, daß die vorliegenden Lesebücher nur einen – selbst noch verzerrten – Ausschnitt aus dem Aufgabenbereich enthalten, der dem Lesebuch von einem Deutschunterricht zugewiesen werden müßte, der sich in seinen gesellschaftlichen Bezügen begreift. Er, der Deutschunterricht, würde damit, allerdings mit einer von der früheren deutlich unterschiedenen Begründung, wieder etwas von der zentralen Bedeutung im Fächerkanon der Schule erhalten, die er vor nicht allzulanger Zeit widerstrebend aufgeben mußte.

1 Benutzt wurden die erste Auflage des Klett-Lesebuches A 5–A 7, 1966; A 8 und A 9, 1967; A 10, 1968; aus dem Verlag Schöningh «Wort und Sinn» Band 1–3, 1964; Band 4, 1966; Band 5/6, 1966; aus dem Verlag Schroedel «Begegnungen» Band 1–4, 3. Aufl. 1969; Band 5 und 6, 2. Aufl. 1968. In den Anmerkungen werden fortan Sigel verwendet: WS = Wort und Sinn, KL = Klett-Lesebuch, BG = Begegnungen, LH = Lehrerheft (auf dem Titelblatt nennen sich die Lehrerhefte zu «Wort und Sinn» «Hinweise»), LV = Lehrer-Vorwort zum Klett-Lesebuch.
2 «Dieses Lesebuch geht neue Wege» (LV KL, selbst. Druck ohne Jahr, S. 8). «Trotz dieser Schwierigkeit dürfte erreicht worden sein, dem neuen Lesewerk einen zeitgemäßen Inhalt zu geben» (LH BG 1, S. 4). «Ein neues Lesebuch für Höhere Schulen herauszugeben ist heute eine Notwendigkeit und ein Risiko zugleich» (LH WS 1, S. 3).
3 Klaus Gehrt: Gedanken zu einem neuen Lesebuch. In: Die Diskussion um das deutsche Lesebuch, Hg. H. Helmers, Darmstadt 1969, S. 167.
4 Peter-Martin Roeder: Zur Geschichte und Kritik des Lesebuchs, wie Anm. 3, S. 62.
5 Dietrich Steinbach: Der literarische Wertbegriff und das Lesebuch, wie Anm. 3, S. 231.
6 Hermann Helmers: Das Lesebuch als literarisches Arbeitsbuch, wie Anm. 3, S. 191.
7 Gustav René Hocke: Manierismus in der Literatur, Reinbek 1959 (rde 82/83), S. 304.
8 Helge Pross im Nachwort zu Gerwin Schefer: Das Gesellschaftsbild des Gymnasiallehrers, Frankfurt 1969, S. 254.
9 Klaus Mollenhauer: Sozialisation und Schulerfolg. In: Begabung und Lernen, Hg. H. Roth, Deutscher Bildungsrat, Gutachten und Studien der Bildungskommission, Bd. 4, Stuttgart. 4. Aufl. 1969, S. 277.
10 Becker/Herkommer/Bergmann: Erziehung zur Anpassung? Schwalbach, 2. Aufl. 1968, S. 173.
11 Roger Garaudy in: Marxismus in unserer Zeit, Sonderheft der Marxistischen Blätter 1, 1968, S. 64.
12 Erstes Heft der Zeitschrift «Diskussion Deutsch», Diesterweg Verlag Frankfurt 1970.
13 Vgl. zum Beispiel Urs Jaeggi: Macht und Herrschaft in der Bundesrepublik, Frankfurt 1969 (Fischer 1014). Jörg Huffschmid: Die Politik des Kapitals. Konzentration und Wirtschaftspolitik in der Bundesrepublik, Frankfurt 1969 (ed. suhrkamp 313).
14 Anton J. Gail beklagt 1966 die vorliegenden Versuche einer Lesebuchreform. «Hier macht sich eine Vorherrschaft des ‹Wortkunstwerks› bemerkbar, die das Lesebuch

neuerdings zu einem Reservat für dichterische Gestaltungen zu machen drohte.»
A. J. Gail: Das Lesebuch – ein «Informatorium» der Wirklichkeit? wie Anm. 3,
S. 199.

15 «Die Befrachtung der jugendlichen Seele mit den starken Bildern der Dichter müßte
das Ziel literaturpädagogischer Arbeit sein» (kommentarlos, R. W.). Rolf Geißler:
«Kind- und Jugendgemäßheit» von Lesestoffen, wie Anm. 3, S. 217.

16 «Der Appell, neben der Literatursprache auch die Funktionen der Zwecksprache
wissenschaftlich zu thematisieren, bleibt dort unberücksichtigt, wo die vielfach
irrationalen Interessen der Universitäts- und Schulbildung ihm entgegenstehen.»
Fritz Paepcke: Das Französische in einer evolutiven Welt. Acta Teilhardiana,
Supplementa I, München 1969, S. 75. Der auf Frankreich bezogene Satz kann
getrost übertragen werden.

17 Die Sprachwissenschaft «kann zum Oppositionsprinzip werden, wenn sie dem
Sprachteilhaber gewisse eingeschliffene Zweckfunktionen der Gesellschaft bewußt
macht und die von der Sprache kaschierten, meist systemkonform domestizierten
Gegebenheiten aufzeigt. Wenn sie so verfährt, befreit sie sich von jeglichem
Ideologieverdacht und kann dann auch nicht als Produkt etablierter Machtverhält-
nisse in Anspruch genommen werden». Fritz Paepcke, a. a. O., S. 77, vgl. auch den
Bildungsplan für das Fach Deutsch an den Gymnasien des Landes Hessen, 1969,
der «Umgang mit Literatur» nur als einen von vier Aufgabenbereichen des Faches
Deutsch einsetzt, zugleich aber «Literatur im gesellschaftlichen Prozeß» als verbind-
liches Unterrichtsthema im Rahmen der Beschäftigung mit Literatur vorschreibt.

Dietrich Harth
Kritik der literarischen Bildung

Die Idee der literarischen Bildung erfuhr ihre klassische Prägung in jener Epoche zwischen 1770 und 1830, der Herman Nohl – mißverständlich genug – den Namen «Deutsche Bewegung» gab. Da die damals zerbröckelnde Ständegesellschaft nicht mehr imstande schien, die Kontinuität kultureller Überlieferung in ganz unmittelbarer und produktiv fortbildender Weise zu wahren, entwarfen die auf Erhaltung des Überkommenen bedachten Gelehrten von Herder bis Schleiermacher mit großer Energie Theorien und Pläne, die der Sicherung literarischer Traditionen galten. Sowohl die Entstehung der philologisch-historischen Wissenschaften im strengen Sinne, wie auch der Gedanke, Überlieferungswissen mittels öffentlicher, alle sozialen Gruppen erfassender Bildungseinrichtungen weiterzugeben, bilden, wie man weiß, die konkreten Resultate dieser Anstrengungen. Freilich war der damals gültige Begriff von Literatur keineswegs auf Dichtung beschränkt; er kennzeichnete vielmehr die literarische Überlieferung jenes praktischen und ästhetischen Wissens, dessen Verständnis ein Studium seiner Genesis allemal voraussetzt. In bunter Reihenfolge zählt Herders Reisejournal von 1769 die zugehörigen Bereiche auf: «Historie, Roman, Politik und Philosophie, Poesie und Theater», ergänzt durch die unmittelbare Erfahrung des Lebens und Menschenkenntnis. Kurz, literarische Bildung war, da Literatur fast den gesamten Bestand schriftlich fixierter Lebensäußerungen meinte, Bildung des historischen Bewußtseins, das, wie Hegel später formulierte, über die Aneignung der vom Geist abgelegten Gestalten zu sich selber kommen sollte.

Wenn heute die klassische Idee der literarischen Bildung häufig recht harter Kritik ausgesetzt ist, so richtet sich diese wohl meist gegen ihre ideologischen Verzerrungen, an denen festzuhalten zumal den Geisteswissenschaftlern und unter ihnen vorab den Germanisten und Historikern zur Last gelegt wird. Aufklärung in diesem Zusammenhang verspricht man sich von einer stärkeren Berücksichtigung der in den naturwissenschaftlichen Disziplinen enthaltenen Bildungsressourcen. Karl Steinbuchs Anklage etwa gegen eine von wirklichkeitsfremden und fortschrittsfeindlichen «Buchhaltern» bevölkerte «Hinterwelt», deren bewußtseinsverfälschende Wirkung über anachronistische Bildungsvorstellungen gesellschaftspolitisch sich durchsetze, ist an dem Gegensatz von szientifisch und literarisch gebildeter Intelligenz orientiert, der, wie es scheint, dazu herhalten soll, den im 19. Jahrhundert geführten Humanismus-Realismus-Streit zu erneuern. Auch wenn man geneigt ist, Steinbuchs Kritik mit dem Hinweis abzutun, daß sie ihre rhetorische Stilisierung eben jener Bildungs-idee verdanke, gegen die sie sich wendet, so wird man doch manche der erhobenen Vorwürfe anerkennen müssen. Denn es lassen sich leider gerade dort Indizien für deren Triftigkeit ausmachen, wo die Idee der literarischen Bildung zum Gegenstand didaktischer Überlegungen wurde. Ein Tatbestand, der um so unbehaglicher wirkt, als die verbreitetsten Methodiken des Deutschunterrichts Jahr für Jahr in kaum veränderten Fassungen neu aufgelegt werden. Die Bedeutung solcher Bücher für die Befestigung fragwürdiger Bildungsvorstellun-gen ist nicht zu unterschätzen, da sie nicht nur als Arbeitsanleitungen noch weitgehend in Gebrauch sind, sondern auch jene, freilich höchst revisionsbe-dürftigen Definitionen des Berufsbildes des Deutschlehrers liefern, deren der pädagogische Neuling, der eben die akademische Ausbildung abschloß, bedarf, um sich mit einer Rolle identifizieren zu können. Wie sehen nun die zu inkriminierenden Grundsätze im einzelnen aus?

In einem mehrbändigen Standardwerk zur Methodik des Deutschunterrichts[1] ist z. B. ständig von «Sprache und Dichtung» die Rede, so als könne der ‹richtige› Spracherwerb allein im Umgang mit der sogenannten hohen Literatur zustande kommen. Da die Sprachbildung darüber hinaus den Anspruch erhebt, zur Bildung des «Selbst» und der «Gemeinschaft» zu führen, erhält auch die Dichterlektüre gesellschaftspolitische Relevanz. Bildung wird ferner, wie die Wortverbindung mit Wert und Gewissen sowie die Unterscheidung von der «intellektuellen Schulung» erkennen lassen, im weitesten Sinne als normativer Verinnerlichungsprozeß begriffen, der den Realitätsbezug der anderen Unter-richtsfächer und deren Anteil an der Ausbildung der Sprachkompetenz igno-riert. Der Trick, mit dem die Erfindungen der imaginativen Literatur in «Wirklichkeit» verwandelt werden, beruht auf einer schlechten Ästhetisierung dessen, was ist. Auf dieser Grundlage läßt sich dann behaupten, die Institutionen (Staat, Familie u. a.) seien «symbolische Gebilde», deren Verständnis allein jenem hermeneutischen Vermögen zugänglich sei, das im Umgang mit Sprach-kunstwerken ausgebildet werde. Erschließt dieses auf ein nicht weiter erläutertes «sinnentdeckendes Organ» zurückgeführte Vermögen in der Kunst das Übersinnliche, Unfaßbare, Unbewußte, so erfährt es analog dazu an den Erscheinungen der ‹Welt› das Unsichtbare, Innere, Ganze, Bleibende und Dauernde.

So besehen sind die Phänomene der Kunst und des Lebens bloß das Äußere virtuell vorhandener Ideen und Werte, deren Aneignung jene ominöse «Person» formen soll, die dem konservativen Leitbild einer Erziehung entspricht, die einseitig dem Bestehenden das Wort redet. In jedem Fall kann die Dichtung nach dieser Ansicht noch als Arsenal «großer Menschen» herhalten, deren Mustergültigkeit zur Bildung eines höchst fragwürdigen Wertbewußtseins eingesetzt werden soll. Da werden z. B. noch «echte Helden» beschworen, deren Vorbildlichkeit der Erzieher sich dort zunutze machen möge, wo ein altersspezifisches Interesse für das Abenteuer vorauszusetzen sei.

Doch ist auf der mit dieser Wachstumsphase übereinstimmenden mittleren Bildungsstufe auch die Distraktion zu steuern, die durch die Lektüre der populären Lesestoffe sogenannter Groschenhefte, noch immer «Schmutz und Schund» genannt, zur Gefolgschaft «unechter Helden» verführe. Das positive Gegenbild hingegen sei der «Krieger..., der spielend alles Schwächere, Schlechtere, Minderwertige überwindet». Für die so skizzierte heroische Vorbildlichkeit, vor deren Gewalt wohl die meisten Comic-Helden zu Jammergestalten schrumpfen, stehen Namen von Beowulf und Siegfried bis Hans Hass ein. Die von diesen verkörperten Eigenschaften und Werte der Vitalität, Mannesehre, Zivilcourage, Selbstzucht, des Pflicht- und Verantwortungsbewußtseins, die der Verfasser aufzählt, sprechen für sich selbst.

Welche seltsame ‹Realität› den Schülern auf solche Weise vorgespiegelt wird, illustriert ferner die Einteilung in die literarischen Wirklichkeiten des Mythischen, des Märchens, des Realismus usw. Eine derartige Gliederung der objektiven Erfahrungsbereiche nach Maßgabe literarisch stilisierter Weltansichten läßt selbst die Ansicht verzeihlich erscheinen, die neun- bis elfjährigen glaubten noch an Nixen, Wassermänner, Feen usw. Mit solchen Verfälschungen der Realitätsbezüge werden offenbar zwei Ziele dieser Erziehung zu Weltfremdheit verfolgt: 1. Was Wirklichkeit ist, erfahren die Schüler aus Fiktionen, die zudem – das erläutern die Namen der in diesen Zusammenhängen immer wieder aufgeführten kanonisierten Autoren von Goethe über Stifter bis Hauptmann – die bürgerliche Welt von gestern repräsentieren. 2. Daß diese Literatur zusammen mit den Werten, die sie darstellen soll, zeitgebunden ist, erfahren die Schüler nicht. Ja noch die Erklärung von Begriffen wie Freude, Friede, Freiheit, Schuld, Recht und Macht soll sich jenes literarischen Museums bedienen, das diese absonderliche Art von Schulweisheit sich eingerichtet hat.

Der heuchlerisch als «Begegnung» mit Sprachkunstwerken getarnte Mißbrauch der literarischen Bildung zu Zwecken einer fragwürdigen moralischen Dressur liegt, wie ein Blick in die einschlägigen Verordnungen lehrt, auch den meisten offiziellen Lehrplänen zugrunde, die – wie oft muß das wohl noch geschrieben werden? – dringend einer radikalen Novellierung bedürfen.[2] Wie schwer es offenbar ist, sich von den Residuen unserer Bildungstradition in dem Bereich des nachgerade mit nationalen Vorurteilen überfrachteten Deutschunterrichts freizumachen, zeigt etwa die hier und da noch anzutreffende Forderung, er solle ein «Bild deutschen Lebens» vermitteln, eine Forderung, die, stets mit dem Hinweis auf die «gemeinschaftsbildende Kraft» der Sprachbildung verknüpft, freilich nicht immer so unverblümt geäußert wird.

Wie in dem oben zitierten Beispiel gilt auch in den amtlichen Richtlinien die Dichtung als Hort absoluter Werte, deren Studium, wie ein kommentierender Begleittext verspricht, dem Schüler «Führung und Geleit» gewährt. Folgerichtig raten die Lehrpläne, bis auf seltene Ausnahmen, von einer historischen Behandlung der literarischen Überlieferung ab und empfehlen einen thematischen Vergleich mehrerer Werke, ungeachtet ihrer zeitlich verschiedenen Kontexte.

Die für sich sprechenden Titel der empfohlenen Themen, die übrigens zu einem Teil in den Gliederungspunkten der Schullesebücher wiederkehren, deuten an, unter welchen Wertgesichtspunkten «hohe Literatur» auszuwählen ist: Der Einzelne und der Staat – Schuld und Sühne – Maß und Maßlosigkeit – Die Verantwortung in der Gemeinschaft – Sein und Leistung – Begegnung als Schicksal – Der ringende Mensch – Der Mensch auf der Suche nach Gott – Die verwandelnde Kraft des Schönen – usw. Solche hochtrabenden Formulierungen beziehen sich, wie die begleitende Kommentierung und der angehängte Lektürekanon unterstreichen, auf ein konservatives Gesellschaftsbild, in dem Staat, Kunst und Religion noch als Stützen einer unbeschädigten Gemeinschaftskultur gelten sollen. Ihr zu Diensten greift die literarische Bildung in der erwähnten ahistorischen Weise selbst auf die ältesten fiktionalen Texte zurück, wenn sie nur das zu erhaltende Wertsystem bestätigen. Daß die Gegenwartsliteratur – entgegen der, wie sich zeigt, bloß rhetorischen Forderung nach ‹zeitnaher› Bildung – mit relativ wenigen und zumeist nach ästhetizistischen Kriterien ausgewählten Texten im Kanon vertreten ist, verwundert kaum noch. Und es zeugt von der erschreckenden Zähigkeit des traditionalistischen, weil ungeschichtlichen, Literaturverständnisses, wenn in einem Lehrplan von 1968 zu lesen ist, der Begriff ‹Gegenwartsliteratur› betreffe alle jene Texte, «die heute als gegenwärtig wirken, sie seien nun zeitgenössische oder bedeutende Werke der . . . Überlieferung».

Der durch die Thematisierung sogenannter «menschlicher Grundsituationen» erzwungenen Gleichzeitigkeit der Werke korrespondiert eine scheinbar rein werkimmanente Versenkung in den Text, die nur in höchster Verstehensnot bereit ist, auch literarhistorische Befunde zu Rate zu ziehen. Wohl finden sich gelegentlich auch Hinweise auf nicht weiter ausgeführte «literatursoziologische» Verfahren; doch stehen diese meist in unverbindlichen Nebensätzen. Das Interpretationsklischee ‹Begegnen – Erleben – Vertiefen› ist freilich ebenso wie die Fixierung der Literatur aufs Sprachkunstwerk durch Zutun der akademischen Literaturkritik in die Methodiken und Richtlinien des Deutschunterrichts eingedrungen. Die autoritative Wirkung der Präzeptoren der Nachkriegsgermanistik, Emil Staiger und Wolfgang Kayser, ist hier in vollem Ausmaß noch spürbar, eine Wirkung, der selbst die im Jahre 1969 in einer revidierten 3. Auflage herausgekommene Didaktik Hermann Helmers noch allzuviel verdankt.

Man hätte erwartet, daß wenigstens diese, den Titel einer Wissenschaft beanspruchende «Theorie der Bildungsinhalte» Notiz nimmt von der seit Jahren geführten Debatte über den Sinn des Literaturstudiums. Daß es nicht geschehen ist, spricht übrigens, ebenso wie die große Zahl systematischer Einwände, gegen Helmers Versuch, der Didaktik der deutschen Sprache den Status einer selbständigen wissenschaftlichen Disziplin zuzuerkennen. Was soll uns z. B. eine «Theorie der literarischen Bildung», die den ‹pädagogischen Bezug› der hermeneutischen Künste, wie Helmers will, allein für sich beansprucht, um die akademische Literaturkritik vollends von allen praktischen Aufgaben zu entbinden? Die Literaturwissenschaft, möchte man eher meinen, hat diese Dimension heute wieder zurückzugewinnen, um einmal den in der Struktur ihrer Erkenntniswege enthaltenen pädagogischen Bezug sich erneut bewußt zu machen, und zum andern die hiermit gegebenen didaktischen Probleme der ‹Anwendung› (Traditionsvermittlung und Kanonbildung, Ausbildung der linguistischen und hermeneutischen Kompetenzen usf.) in ihre selbstkritischen Anstrengungen einzubeziehen.

Die bislang zurückgedrängte Geschichte der literarischen Bildungsidee, deren undurchsichtige Autorität, wie wir andeuteten, in den Regelbüchern und Normvorschriften des Deutschunterrichts fortwirkt, gilt es in diesem Zusammenhang zu revidieren. Nur die historische Kritik, die quasi von innen her, nämlich in Form der Selbstreflexion zu üben ist, verspricht die Überwindung der im Sprach- und Literaturunterricht noch künstlich am Leben erhaltenen, längst überfälligen Bildungstraditionen. Es liegt auf der Hand, daß diese Aufgabe nicht von einer autonom sich dünkenden Didaktik gelöst werden kann. Gleichwohl sind deren Grundsätze und Ziele mit der gebotenen kritischen Vorsicht in die erwähnte literaturwissenschaftliche Debatte aufzunehmen.

Man darf hoffen, daß die Literaturwissenschaft durch den Blick in den Zerrspiegel solcher Schulweisheiten ihre eigenen Verfehlungen besser wiedererkennt: etwa die Trennung von Textexplikation und didaktischer Applikation, die zurückführt bis zu den romantischen Theoretikern der Interpretationslehre; oder die Analogie zwischen den Wachstumsphasen des Kindes- bis Jugendalters und den Epochen der menschlichen Gattungsgeschichte, eine bekanntlich auf Herder zurückgehende Analogie, die, wider besseres sozialpsychologisches Wissen, insgeheim noch verwendet wird, um den einzelnen Bildungsstufen des Sprach- und Literaturunterrichts die ‹genetischen› Etappen der Literaturgeschichte vom ‹Mythos› zum ‹Realismus› zuzuordnen; oder die Behauptung einer literarhistorischen Kontinuität von den germanischen Heldensagen bis zur Dichtung der Neuzeit, eine Behauptung, die, wie man weiß, seit Jacob Grimm zu den harmonisierenden, die Traditionsbrüche verschleiernden Tendenzen der nationalen Geschichtsschreibung gehört und die heute immer noch aufrechterhalten wird, um die «Begegnung» mit germanischen und mittelhochdeutschen «Literaturdenkmälern» zu rechtfertigen; usw.

Diese Beispiele mögen ausreichen, um anzudeuten, daß ein Aufholen des von manchen Pädagogen beklagten ‹Modernitätsrückstandes› in den sprachbildenden Fächern nicht um den Preis der Eliminierung der historischen Reflexion geschehen kann. Zudem führen alle Formen des akademischen und in der Schule geltenden Literaturverständnisses stets auf jene eingangs erwähnte Epoche zurück, in der die Idee der literarischen Bildung in der Weise, wie wir sie noch heute verstehen, konzipiert wurde. Neben der unbestreitbaren Tatsache, daß aus diesen Anfängen immer noch viel über die unverfälschten Intentionen der klassischen Bildungsbewegung zu lernen ist, die *auch zur Mündigkeit erziehen* wollte, kann die Retrospektive den Blick für jene Probleme schärfen, die sich der an der Leitidee einer Gesellschaft mündiger Individuen festhaltenden Erziehung stellen. Die vor allem mittels audiovisueller Kommunikationstechniken vorangetriebene Mediatisierung der Literatur – nicht nur der Dichtung – ist dabei, die traditionell verfestigten Einstellungen von Produzenten wie Konsumenten zu verändern. Mithin wachsen die Anforderungen an die hermeneutische Fähigkeit, die falschen Aktualisierungen der literarischen Überlieferung zu durchschauen und die vernebelnden Suggestionen der gestellten Bilder und überredenden Sätze kritisch aufzulösen. Eine solche Kompetenz läßt sich aber nur ausbilden, wenn sowohl die Literatur als auch der sie aufbereitende Apparat als faits sociaux entzaubert werden.

Es darf angenommen werden, daß ein solches Bildungsziel um so eher erreicht wird, je intensiver der Unterricht sich den Problemen der zeitgenössischen Literatur widmet, die sehr viel mit den politischen und sozialen Kategorien des *Öffentlichen*, der *Information* und der *Verständigung* zu tun haben. Für dieses Vorgehen spricht überdies das der Hermeneutik entnommene Argument, daß ein engagiertes Fragen nach der Bedeutung tradierter Sinngebilde in triftiger Weise erst aus jenen Aporien gestörten Selbstverstehens erwächst, die dem Zweifel am möglichen Sinn gegenwärtiger Lebensverhältnisse entspringen.

Die Lehrenden selber, nähmen sie solche Argumente ernst, wären freilich gezwungen, den konventionellen Kanon sogenannter Bildungsgüter nach Maßgabe dessen, was heute Not tut, zu revidieren. Eine Aufgabe, die der offenen Diskussion über die gesellschaftspolitischen Ziele auch der sprachlichen und literarischen Bildung nicht entraten kann. Da eine solche Auseinandersetzung offenbar weder von den Lehrern selbst noch von deren Ausbildern energisch in Gang gesetzt wird, hat das hessische Kultusministerium im vergangenen Jahr einen Bildungsplan veröffentlicht, der den Literaturbegriff auf Texte jeder Art ausdehnt, den Lektürekanon zunächst offen läßt, der soziologischen Betrachtung der mit schriftsprachlichen Produkten sich befassenden Institutionen vom Schriftsteller bis zu den auf bestimmte gesellschaftliche Gruppen bezogenen Lesertypen mehr Beachtung schenkt und die sprachlich-literarische Bildung schließlich einem praktischen Interesse unterordnet, das an der Idee ungezwungener Verständigung über Normen und Wunschphantasien orientiert ist.[3]

Es ist zu hoffen, daß solche Ansätze die hier vorgetragene Kritik rasch überflüssig machen und, indem sie mit fragwürdigen Gewohnheiten brechen, jene vernünftigen Gehalte der klassischen Bildungsidee sich zu eigen machen, die dazu angetan sind, die Unterscheidung zwischen szientifischer und literarisch gebildeter Intelligenz als arbiträr erscheinen zu lassen. Denn die Erziehung zu einer Mündigkeit, in welcher *Sprachkompetenz und Vernunftinteresse zur Deckung kommen*, will wohl jene Fähigkeit zur Kritik und Selbstkritik im Heranwachsenden ausbilden, die den Mißbrauch sowohl der Technik als auch der Grammatik durchschaut und ihm widersteht.

1 Ich beziehe mich hier und im folgenden vor allem auf R. Ulshöfer, Methodik des Deutschunterrichts, 3 Bde., 4.–7. Aufl., Stgt., 1968/69. Die hier vorgefundene Tendenz ist insofern exemplarisch, als sie in mehr oder weniger abgeschwächter Form auch in den Methodiken bzw. Didaktiken von E. Essen (8. Aufl., Heidelbg. 1969) bis H. Helmers (3. Aufl., Stgt. 1969) wiederkehrt.
2 Dies bezieht sich auf die Lehrpläne folgender Bundesländer: Baden-Württemberg (1957), Bayern (1964), Bremen, Hamburg (1968), Niedersachsen (1965/66), Nordrhein-Westfalen (1963), Rheinland-Pfalz (1960).
3 Bedenkenswert in diesem Zusammenhang sind die Vorschläge von Hubert Ivo, Kritischer Deutschunterricht, Diesterwegs Rote Reihe Nr. 1618, Frankfurt a. M. 1969.

Helmut Hoffacker / Bodo Lecke
Zur Terminologie der Schulgermanistik

Die pure Tautologie, die den Begriff propagiert, indem sie sich weigert, ihn zu bestimmen, und ihn statt dessen starr wiederholt, ist Geist als Gewalttat.[1]

I.

In einer noch immer viel benutzten Didaktik des Deutschunterrichts[2] steht «ein Wort Johannes Pfeiffers ..., das vielleicht am klarsten aussagt, was nicht Ziel und Aufgabe des Umgangs mit Dichtungen in der Schule sein kann und darf: ‹Echte Dichtung hat ihre fordernde Gewalt nicht durch eine stoffliche Auswahl nach moralischen Gesichtspunkten und mit erzieherischer Tendenz, sondern ganz allein durch die verwesentlichende Kraft der Darstellung als solcher ... Das dichterische Ethos ist unabhängig von aller stofflichen Moralität: die Gestaltung selber und als solche vollbringt die Läuterung, um die es sich hier handelt. Die sammelnde Gewalt, die etwa den ‹Kannitverstan› von Hebel durchwirkt, läßt sich nicht in eine Moral pressen ..., sondern steckt mittelbar in der Wesenhaftigkeit und Entschiedenheit der dargestellten Daseinssicht.›»

In dieser «klaren Aussage» des vielfach als kompetenter Kronzeuge herangezogenen Johannes Pfeiffer werden «Ethos» und «Moral» gleich viermal recht kritisch negiert. Deshalb sei dem Leser erlaubt, seinerseits kritisch zu fragen, wie es denn um die Moral des hier zitierten Textes selbst bestellt sei. Offenbar von Anfang bis Ende nicht gut. Denn bereits im Klappentext steht zu lesen: Der als «bekannter Sprach-Pädagoge» angepriesene Paul Nentwig hat ein «Hauptanliegen». Schon ein einfaches «Anliegen» wäre schlimm genug, wollte man dem «Wörterbuch des Unmenschen»[3] glauben: demnach nämlich wäre das Wort «Anliegen» zunächst «privat», ja «intim», ein Bestandteil der «Innerlichkeit» und durchaus «frommen» Ursprungs (Ps 55; Lk 23,23), das seine Gefahren erst dann offen zeigt, wenn es in Vorreden zum offiziellen Programm und damit Ausdruck massierter «Interessenvertretung» wird.

Der deutsche Schulmann verneigt sich in traditioneller Ehrfurcht vor den hehren Orakeln der Germanistik, weil sie ja schließlich «am klarsten aussagt», wie er zusammengebraut ist, der trübe Brei aus «echter Dichtung», «verwesentlichender Kraft der Darstellung als solcher», «Gestaltung selber und als solcher», «sammelnder Gewalt», «Wesenhaftigkeit und Entschiedenheit der dargestellten Daseinssicht».

Solcher Stil in solcher Wortwahl ist verräterisch. «Klarheit» wird man ihm wohl kaum bescheinigen, es sei denn die Klarheit einer höchst verdächtigen «Haltung», eines Bewußtseins, das hier Sprache geworden ist und nicht unbefragt hingenommen werden sollte. Eine derartigem «Wortgut» und ihrem Gegenstand, dem als «Unterrichts- und Bildungsgut»[4] verwendeten «alten literarischen Gut»[5], «Lieblingsgut»[6] und «Sprachgut»[7] einzig angemessene, nämlich kritische Einstellung wird sich mit Vorliebe der sogenannten Wortschatzanalyse bedienen. (Als Beispiele dafür wären etwa die 1969 erschienen Studien von Wendula Dahle oder mehrere vom «Wörterbuch des Unmenschen» inspirierte Glossen, Analysen und lexikalische Bestandsaufnahmen des NS-Vokabulars zu nennen. Solche Arbeiten haben ihrerseits die sogenannte ideologiekritische Methode der Literaturwissenschaft[8] vorbereitet.) Über Weg und Ziel dieses auch von uns angewandten Verfahrens ließe sich mit Adorno sagen: «Was an der schlechten Sprachgestalt ästhetisch wahrgenommen, soziologisch gedeutet ist, wird abgeleitet aus der Unwahrheit des mit ihr gesetzten Gehalts.»[9] Der Wortgebrauch der wenigen hier ausgewählten, weil besonders oft im Deutschunterricht benutzten Handbücher ist ein Symptom des durch ihn repräsentierten Bewußtseins; darin ist auf den Begriff gebracht, was als Erziehungsziel praktisch erreicht werden soll.

Die zunächst recht diffus und willkürlich wirkenden, bei näherer Untersuchung aber doch leitmotivisch hervortretenden «Grundbegriffe» haben verschiedene Herkunfts-, Bedeutungs- und Anwendungsbereiche, die wir – freilich nur schematisch – mit dem Bild sich überlagernder Schichten beschreiben können. Wir unterscheiden:

die traditionelle Terminologie der Poetik und Germanistik (II),

den popularisierten Jargon der Existenzphilosophie (III),

das spezifische Vokabular der Pädagogik (IV).

II.

Die Terminologie der Poetik entsteht aus dem europäischen Traditionszusammenhang der antiken Rhetorik. Sie existiert bis zum Ende des 18. Jahrhunderts, z. B. in den zahlreichen Lehrbüchern der ars poetica in Humanismus, Barock und Aufklärung, als verbindlicher Kanon und fixiertes Begriffssystem. So steht etwa das bei Nentwig mehrfach erwähnte «Sinnbild»[10] – zunächst als «Sinnenbild» des Barock verstanden – noch in der Tradition der mittelalterlichen Allegorese: Poetische Fabeln und Figuren sind Träger fester, vom Dichter verbindlich gemeinter und in der Auslegung eindeutig zu benennender «Bedeutungen», der theologisch-philosophischen Systematik zufolge in strenger Vierzahl. Als Rhetorikschüler kannte man den Merkvers:

«Littera gesta docet, quid credas allegoria,
Moralis quid agas, quo tendas anagogia.»[11]

Nentwig aber, als Bewunderer Pfeifferscher Germanistik zu sakral gestimmt, um sich als Pädagoge dem antiken wie mittelalterlich-christlichen «littera docet» zu bequemen, rückt nun das «Sinnbild» in die Nähe des «Symbols», das in der traditionellen Literarästhetik auch in der Tat zunächst meist als «Bild», «Gleichnis» oder «Sinnbild» übersetzt wurde.[12] Dabei wäre allerdings zu bemerken, daß sich die Bedeutung des Symbolbegriffs in kurzer Zeit vielfach gewandelt und differenziert hat.[13] Den wohl wichtigsten Einschnitt markiert Goethes bekannte Unterscheidung zwischen «Allegorie» und «Symbol». An die Stelle des objektiv und eindeutig zu Übersetzenden und dem Anwendungsbereich systematisch Zuzuordnenden tritt ein individueller und weiter Spielraum freier, oft subjektivistisch gefärbter Bedeutungsentfaltung. Was zu seiner Zeit – in der Literaturtheorie vom Rang Herders, Goethes, Schillers oder Schlegels – historisch berechtigt oder gar notwendig sein mochte, mißriet den durchaus unkritisch, unsystematisch und ahistorisch verfahrenden Epigonen zur verschleiernden Paraphrase. Eine Paraphrase freilich in Form jener tautologischen Gewalttat gegen Geist und Geschmack, die unser einleitendes Zitat kritisierte:

«Durch die Kraft symbolischen Schauens gewinnt dichterisches Erleben an Tiefe und an Weite, aber auch an Symbolkraft. Der Dichter verspürt im flüchtigen Alltagsgeschehen den Grundrhythmus, er gewahrt den ruhenden Pol in der Erscheinungen Flucht und sieht im Einmaligen das Gültige, er sieht im lebendigen, ewigen Wechsel das Obwaltende, sieht in der Fülle und in der sich drängenden, wirren Eile vieler Farben und Farbmischungen die klaren Regenbogentöne, er sieht im Alltag das Überzeitliche, im bloßen Geschehen das Werthaltige, und er sieht in der Abfolge von Taten und Handlungen und Verhaltensweisen das, was an die Existenzmitte des Menschen heranreicht, an die Person, das, was wir Gehalt nennen, Grundidee oder Wesen einer Dichtung. . .»[14]

Der im ganzen 19. und 20. Jahrhundert ersichtliche Verzicht auf exakte literaturtheoretische Begrifflichkeit mußte auch für die Didaktik und Praxis des Deutschunterrichts entsprechend negative Folgen haben. So bleibt völlig unklar, welchen Symbolbegriff unsere «Sprach-Pädagogen» in ihrer zumindest unvorsichtigen Symbiose gemeint haben. Wird aber der höchst differenzierte Terminus «Symbol» ohne systematische Verbindlichkeit und ohne explizites historisches Vorverständnis eingeführt, verschwimmt er im Unbestimmten. Ist dieses desolate Stadium erreicht, machen sich die Daseins- und Wesensdeuter an ihm zu schaffen; sie wühlen nach «tieferem Sinn» und «sinnträchtiger Handlung», finden schlechterdings alles «bedeutungsvoll» oder «symbolisch bedeutend»[15], wobei gerade die letzte Formulierung ohne ausdrücklichen historischen Verweis auf Goethe völlig nichtssagend und unverständlich ist.

Die an diesem Beispiel vorgeführte terminologische Misere der Literaturwissenschaft, die heute oft beklagt wird, hat also deutlich ihre historischen Ursachen. Schiller, der eben deshalb die Verständigung über ästhetische Fragen schon zu seiner Zeit für überaus schwierig hielt, und viele seiner Zeitgenossen haben auf dieses traditionelle Problem der Textinterpretation hingewiesen.

In dieser historischen Situation nun sind die verschiedenen nationalen – besser nationalistischen – Philologien entstanden. Die Begriffe, mit denen man fortan Literatur beschreibt, betrachtet und bewertet, wirken – wie in der germanistischen Selbstkritik häufig dargestellt – emotional, subjektiv, verinnerlicht, idealistisch. Hermeneutik und Allegorese, kritische «Zergliederung» und «Beurteilung» als verbindliche Methoden der Textanalyse sind durch unkritische, paraphrasierende, affirmative oder gar verklärende «Interpretation» ersetzt worden, seit die Germanistik mit den Waffen der Innerlichkeit und des Idealismus gegen die im deutschen Bewußtsein allzu kurzlebige Aufklärung focht. Die kritisch-rationale, z. T. moral- und sozialpädagogische Funktion der Literatur, wie das aufklärerische Zeitalter sie verstand, drohte nun wieder auf Bewußtseinsstufen reduziert zu werden, die man historisch längst überwunden glaubte: eine durchaus archaische Mythisierung, Pseudo-Religion, Mystifikation oder gar Magie, «ein ausgedehnter und wirkungsmächtiger Lese- und Lebensraum . . ., phantastisch-magisch»![16] Diese Auffassungen haben sich in den Interpretationskulten, im sakralen oder magischen Ritual beim feierlichen «Umgang mit Dichtung» bis heute erhalten.

Das «innere Ja des Geöffnetseins»[17] ertönt «vom Ursprung, d. h. vom Gemüt her»[18]. Sollte dem nach mancherlei pädagogischen Erfahrungen mit einer skeptischen und kritischen jungen Generation in Deutschland mittlerweile nicht mehr so sein, muß immer wieder eine dahin einschlagende «Pflege»[19] und «Prägung»[20] möglichst früh und in «kindgemäßer»[21] Massierung einsetzen: «Schöne Sprachstücke für Kinder . . . erregen gefühlig-lustvoll, sie schaffen Stimmungen des Wohlbehagens und der Geborgenheit, sie erregen und beruhigen zugleich . . . In der Regel sind diese Urerlebnisse eingebunden in urtümliche Gemeinschaftserlebnisse . . .»[22] Da «urtümliche Gemeinschaft» (nicht Gesellschaft!) sich in eindeutiger ideologischer Absicht der exakten Definition entzieht, liegen unselige Erinnerungen an die vorausgegangene «Volksgemeinschaft» nahe. Die auf solchem «Lebensgefühl» aufbauende, selbstredend «nicht rational formulierte ganzheitliche Bildungsidee»[23] Beinlichs und der von ihm zitierten Gewährsmänner leistet schon in der Grundschule gründliche Arbeit: «Die innere Sprachbildung entfaltet das wahre Wesen der Sprache im Unterricht . . . Sprachliche Gestaltung ist der auf der inneren Sprachform beruhende schöpferische Sprachvorgang.»[24] Eine so solide Grundlage verheißt entsprechend schöne Resultate: «Die innere Sprachbildung erzeugt einen Sprachgebrauch, in dem Unbewußtes und Bewußtes, Natur und Kultur, Gefühl und Verstand, Sinnliches und Geistiges sich in einer geläuterten Lebendigkeit die Hände reichen.»[25]

Um diese ebenso komplexen wie bedenklichen Vorgänge in der Methodik und Geschichte unseres Faches auf ein besonderes Symptom zurückzuführen: Man kann von einer Ideologie der Innerlichkeit sprechen, die bei uns vom «Wortschatz des Pietismus» ihren Ausgang genommen haben dürfte, um dessen Erschließung sich besonders August Langen bemüht hat. Der Begriff «Innerlichkeit» wäre jedoch nur dann brauchbar und unverdächtig, wenn er weiterhin einem ganz bestimmten Bereich des christlichen Subjektivismus zugeordnet bliebe: Goethes «Werther», aber auch noch Hegel und Kierkegaard «erkannten, einig mit der protestantischen Überlieferung, Innerlichkeit wesentlich an der Selbstverneinung des Subjekts, der Reue. Die Erben, die aus dem unglücklichen Bewußtsein taschenspielerisch das glücklich-undialektische machten, hüten davon einzig noch die beschränkte Selbstgerechtigkeit, die Hegel mehr als hundert Jahre vorm Faschismus witterte.»[26] Indessen: Die Anwendung eines – irgendwie allemal positiven – «Innerlichen» ist alsbald nicht nur völlig beliebig oder «glücklich-undialektisch», sondern dient grundsätzlich der Nobilitierung des ästhetischen Gegenstandes: «Das Kunstwerk wird wie die natürlichen Gebilde aus inneren Formkräften geboren.»[27] «Führer und Diener», nicht demokratisch gleichberechtigte Glieder, bestimmen den «Umgang mit Dichtung». In der «inneren Kernzelle der Person» treiben «das Wesentliche» oder das «Wesen»[28] ihr Unwesen, nebst ebenso erhabenen und letzten deutschen Gemütswerten wie «Stimmung», «Seelenkraft», «Einswerden».[29]

In der bürgerlichen Heldendiktion des «miles christianus» wird die Theorie der eigenen Dekadenz mit Hilfe der total heruntergekommenen Begriffe «Originalität» und «Genie» vorgetragen: «Also am Anfang steht . . . das Werk, das Sprachgut, die Dichtung, aus ihr strömen den Hörern und Lesern Erkenntnisse und Haltungen, Wertungen und Urteile, Entscheidungen und Pläne zu, nicht umgekehrt. Es steht also am Anfang der Text, das lebendige Wort der Dichtung; das ist zunächst eine Aufgabe und Forderung an uns. Dieser Text ist durch Genialität und Originalität geprägt; das sind zwei urgesunde Merkmale. Originelles steckt in jedem Menschen, und Keime zur Genialität ebenfalls; aber dort, wo die Sprachbegabung und die Sprachgenialität leitend sind und Oberhand gewinnen, dort ist der Schriftsteller und Dichter am Werk.»[30]

Mit den katastrophalen politischen Konsequenzen des Nationalismus haben «Idealismus» und «Innerlichkeit» als vielmißbrauchte Leitbegriffe bürgerlicher Kultur ihren Tiefpunkt erreicht: «Die Geschichte der Innerlichkeit nach dem Scheitern der bürgerlichen Revolution in Deutschland war vom ersten Tag an auch ihre Verfallsgeschichte.»[31]

III.

Neben dem Vokabular der Germanistik entwickelt sich – aus derselben Quelle des bürgerlichen Subjektivismus und Idealismus – eine popularphilosophische Pseudo-Terminologie. Adorno hat in seiner Studie «Jargon der Eigentlichkeit.

Zur deutschen Ideologie» deren Formen, Verfahrensweisen und Traditionen untersucht – besonders am Beispiel der Heideggerschen Existentialontologie: «In Deutschland wird ein Jargon der Eigentlichkeit (i. S. Heideggers) gesprochen, mehr noch geschrieben . . ., edel und anheimelnd in eins; Untersprache als Obersprache. Er erstreckt sich von der Philosophie und Theologie . . . über die Pädagogik, über Volkshochschule und Jugendbünde bis zur gehobenen Redeweise von Deputierten aus Wirtschaft und Verwaltung. Während er überfließt von der Prätention tiefen menschlichen Angerührtseins, ist er . . . standardisiert . . ., weil er seine Botschaft durch seine pure Beschaffenheit automatisch setzt und sie dadurch absperrt von der Erfahrung, die ihn beseelen soll. Er verfügt über eine bescheidene Anzahl signalhaft einschnappender Wörter.» Charakteristisch sind «unterminologische Termini» wie «existentiell», «Auftrag», «Anruf», «Begegnung», «echt», «Anliegen», «Bindung» und viele andere «marktgängige Edelsubstantive». Der Jargon «greift auch banale (Wörter) auf, hält sie in die Höhe und bronziert sie, nach faschistischem Brauch, der das Plebiszitäre und Elitäre weise mixt.»[32]

Diese pseudo-philosophische Terminologie ist ein integrierter Bestandteil fast aller neueren Geisteswissenschaften und damit auch der Germanistik. Wir brauchen hier nur kurz an die vielfach dargestellte Traditionskette zu erinnern: Pietismus – Empfindsamkeit – Idealismus – Romantik – Neuromantik – Jugendstil – Jugendbewegung – Nationalsozialismus. Sie ist leider bis heute nicht abgerissen, wie ein Blick in das «Wörterbuch des Unmenschen» zeigt. Der «Jargon der Eigentlichkeit» hat, statistisch betrachtet, in den Didaktiken des Deutschunterrichts ein deutliches, erschreckendes Übergewicht.

Es gibt traurige Mittlerfiguren zwischen Literatur, Germanistik und Deutschunterricht, die «ergriffen», mit wenig «Geist», «Unterscheidungs- und Urteilsvermögen» (die Wörter «begreifen», «verstehen», «urteilen», «erklären», «kritisch» sind wenig oder gar nicht vertreten!), dafür mit um so mehr «Gemüt» und «Gefühl» eine «vertiefte Einsicht in das Wesen der Dichtung», «wesenhaften Zugang zur Dichtung, zu ihrem Gehalt»[33] suchen, die, «wesensschauend» den treuen Blick auf «das Ganze» und die «Kerngehalte»[34] gewandt, «Sinn und Herz für das Wesentliche öffnen» wollen, die von der Dichtung als «seelischen Besitz für das Leben» einhandeln, «was als starkes inneres Erlebnis aufgenommen wird», «echtes Erlebnis» ist oder «Lebensgefühl» und «Weltschau» des Dichters offenbart. Da wird unentwegt von «Sinnmitte», «Vertiefung», «Wesen», «Wesensbestimmung», «Wesensmerkmalen»[35] geraunt, ohne daß nur einmal auf die komplizierte Geschichte des Begriffs «Wesen» in der Philosophie aufmerksam gemacht würde; die Vieldeutigkeit des Wortes «Sinn» (besonders in dessen «höherer Bedeutung») kultiviert man mit Absicht, als «Versicherung von Sinn um jeden Preis».[36]

«Echtheit» und «innerer Wert einer Aussage» messen sich selbstgefällig an den «Ordnungsmächten des Lebens»[37], die sie darstellen. Das schwergewichtige

Wort «Aussage» nämlich «will . . . glauben machen, die Existenz des Redenden teile sich zugleich mit der Sache mit und verleihe dieser ihre Würde».

Verschwommen und verschwunden ist «Aussage» als Terminus der Erkenntnistheorie, «wo man prägnant . . . den Sinn prädikativer Urteile bezeichnet».[38] Aber um Prägnanz und Präzision ist es dem Jargon natürlich nicht zu tun. Schon 1964 hat Adorno die notwendigen ideologischen Implikationen solchen Sprachgebarens offengelegt – wie es scheint, vergebens: «Oft auch klebt am Wort ‹Aussage› das Attribut ‹gültig› . . ., es bedarf eines Lautverstärkers. ‹Aussage› möchte anmelden, daß ein Gesagtes aus der Tiefe des redenden Subjekts komme, . . . Das Gefasel von der Aussage ist die komplementäre Ideologie zu dem Verstummen, zu welchem die Ordnung diejenigen verhält, die nichts über sie vermögen und deren Appell darum vorweg hohl ist. Was aber kritisch dem Zustand absagt, wurde von Deutschen in Amt und Würden als ‹ohne Aussagewert› abgewertet.» Aus ähnlichen Gründen auch «kann niemand das Wort Echtheit ohne Ideologie in den Mund nehmen».[39]

Die Begriffe möchten gerade nicht klarmachen, in welchem systematischen Zusammenhang der Fachsprache sie stehen und welchen wissenschaftlichen Gegenstand sie präzis meinen. Sie umgeben sich mit einer «Aura» des Absoluten – einer «Aura», die gerade durch die «Reproduzierbarkeit» solcher Begriffe offensichtlich von vornherein in Frage gestellt ist. So jedenfalls hat es Walter Benjamin dargestellt[40], auf den sich der Herausgeber seiner Schriften, Theodor W. Adorno, beruft: «Daß die Jargonworte, unabhängig vom Kontext wie vom begrifflichen Inhalt, klingen, wie wenn sie ein Höheres sagten, als was sie bedeuten, wäre mit dem Terminus Aura zu bezeichnen. . . . Sakral ohne sakralen Gehalt, gefrorene Emanationen, sind die Stichwörter des Jargons der Eigentlichkeit Verfallsprodukte der Aura.» In der «Himmelfahrt des Wortes über den Bereich des Tatsächlichen» hinaus wird «die Transzendenz der Wahrheit über die Bedeutung der einzelnen Worte und Urteile den Worten als ihr unwandelbarer Besitz zugeschlagen». Mehr «Bedeutung» können sachbezogene Termini jedoch billigerweise nur dann bekommen, wenn sie in der «Konstellation» eines systematischen Zusammenhangs von Sprache und Sache, in philosophischen Sätzen und Urteilen, Erkenntnis erweitern. Die Worte des Jargons aber wollen selber reden – «bar der Beziehung aufs Gedachte». Die «Aura», die selbstgebastelte «Transzendenz» könnte man daher auch mit dem entsprechenden Bild des «Nimbus» bezeichnen, «in welchen die Worte verpackt werden wie Orangen in Seidenpapier». Für solches Sprachgebaren ist typisch, daß sein Vokabular «keinen Gehalt hat als die Verpackung», daß es als «Kunstgewerbliches» rasch reproduzierbar ist, in seiner Mobilität und Vertauschbarkeit den Weg des «Gütertausches»[41] geht und dabei nicht eben selten in die «Liquidität»[42] des Kitsches abgleitet – auch wenn wiederholt die Mächte der «Bindung» und «Ordnung» in typischem Tonfall beschworen werden, denn «der Jargon . . . benutzt als Organisationsprinzip die Desorganisation, den Zerfall der Sprache in

Worte an sich», indem «die einzelnen Worte aufgeladen werden auf Kosten von Satz, Urteil, Gedachtem».[43]

Auch in den hier kritisch unter die Lupe genommenen Didaktiken werden in unordentlicher, abschweifender und disziplinloser Sprache «Werte der Ordnung, der Einfalt und Geschlossenheit»[44] beschworen: Das faschistische Sprachgebaren mit all seinen historischen Traditionen und stilistischen Spielarten ließe sich auf eben diese kurze Formel bringen.

Wir haben exemplarisch die wohl wichtigste Untersuchung dieses Problems, Adornos «Jargon der Eigentlichkeit», mit dem Sprachgebrauch unserer Fachdidaktiken konfrontiert und mußten dabei feststellen, daß den «Unmenschen» sein «Wörterbuch» überlebt hat: «Die zeitgemäße deutsche Ideologie hütet sich vor faßbaren Lehren wie der liberalen oder selbst der elitären. Sie ist in die Sprache gerutscht. . . . Daß jene Sprache tatsächlich Ideologie, gesellschaftlich notwendiger Schein sei, läßt immanent sich aufdecken am Widerspruch zwischen ihrem Wie und ihrem Was.»[45]

IV.

Die mangelnde Kompetenz der Schulgermanistik und ihre Flucht in Philosophie, mit deren Hilfe sie die eigene Position aufzuwerten versucht, könnte immerhin mit dem Argument entschuldigt werden, ihre Aufgabe sei nicht primär Wissenschaftspropädeutik, sondern die pädagogische Intention habe die Priorität. Mithin müßte – das wäre die Schlußfolgerung – zumindest die pädagogische Terminologie Zeugnis ablegen von adäquater Anwendung pädagogischer Kategorien. So bitter ist es, das feststellen zu müssen: Auch hier muß vor falschen Hoffnungen gewarnt werden. Es erscheint uns als nützlich, bei der kurzgehaltenen pädagogischen tour d'horizon uns drei Fragen zuzuwenden:
1. Wie wird der Lehrer und sein Unterricht gesehen?
2. Welche pädagogische Funktion schreibt man dem Stoff (Dichtung) zu?
3. Was wird über «den Schüler» gesagt?

Äußerungen über den Lehrer belegen das Selbstverständnis der zitierten Autoren. Es ist nicht unsere Aufgabe, einen Abriß der sozialen Rolle dieses Berufes zu liefern. Dennoch sei festgestellt, daß die Auffassung vom Lehrer als einem säkularisierten Priester bis in die 60er Jahre sich fortgeschleppt hat. Wir erinnern uns, daß während unseres Studiums (1960–1966) in pädagogischen Seminaren ernsthaft die Frage diskutiert wurde, ob nicht dem Lehrer eventuell ein zölibatäres Leben zugemutet werden könne, auf daß er sich ungeteilt der Erziehung seiner «Zöglinge» widme.

Wenn auch die Entwicklung seit langem über so geartete – quasi religiöse – Omnipotenzansprüche hinweggegangen ist, so traut man doch heute noch dem Deutschlehrer zu, Sachwalter des Metaphysischen zu sein. Nentwig sagt in seinem Handbuch[46]: Der Lehrer «muß sich . . . über das *Wesen* der Dichtung im klaren sein». Wenn Büttner «Dienst am Kunstwerk und Dienst an der Jugend»[47] fordert, so ist die Herkunft solcher Vorstellungen aus kultischem, wenn nicht militärischem Bereich ganz offensichtlich. Religiöse Bekennerschaft schwebt etwa Th. Rutt[48] vor, wenn er an einer Stelle sagt: «Wir müssen ... unser mögliches tun, daß wir uns selbst in den Stunden der Dichtung zum geprägten Wort deutscher Sprache, zum gestalteten Gut deutscher und ausländischer Dichtung *bekennen*, daß wir selbst dafür *Zeugnis ablegen*.» Für ihn ist der Lehrer «Führer des Unterrichts»[49], der «innere Festigkeit des Auftretens im Unterricht und im Darüberstehen über dem Text an den Tag legen»[50] soll. Wo bei solch martialischem «Auftreten» und «Darüberstehen» die Forderungen der Texte selbst bleiben, wenn der Lehrer sie derart unter die Füße tritt, bleibt als Frage offen.

Manchen Didaktikern sind solche Vorstellungen fremd; sie hüten sich vorm Sakralen und lassen die Katze der auf den Lehrer projizierten faschistischen Führervorstellung nicht aus dem didaktischen Sack. Sie verbrämen das Bild vom Lehrer lieber künstlerisch-theatralisch und bleiben damit der Sache ebenso unangemessen. B. Schulz[51] etwa sieht den Lehrer so: «Die Literatur tönt durch ihn durch, seine Person vertritt den Autor im Werk, dem Regisseur und dem guten Schauspieler vergleichbar, im Wagnis sich vorzudrängen oder zurückzubleiben, das ihm gleichwohl nicht erspart bleibt.» Beinlich bringt in seinem Handbuch[52] das Faß des Erträglichen zum Überlaufen, wenn er sich auf Philipp Wackernagels biedermeierlichen Definitionsversuch aus dem Jahre 1842 stützt: «Das Amt des deutschen Sprachlehrers ist ein königliches, ein hohepriesterliches Amt.»

Nimmt man an, daß Generationen von Deutschlehrern ihren Beruf so oder ähnlich gesehen haben, kann man den Verfall ihres sozialen Ansehens geradezu als wünschenswerte Konsequenz betrachten, erklärbar aus der Diskrepanz zwischen hybridem Anspruch und kleinbürgerlicher Realität. Eben dies ist es, was heute noch im öffentlichen Bewußtsein einer adäquaten Einschätzung ihrer Rolle im Wege steht.

Daß nicht etwa kritische Rationalität, sondern «Einstimmen»[53] als didaktisches Ziel gesehen wird, verwundert dann kaum mehr. Aber nur selten bricht die Tradition der 20er Jahre (Pädagogische Reformbewegung etc.) ungefiltert hervor. Das meiste verdankt seine Entstehung der pädagogischen Partnerschafts-Ideologie der restaurativen Periode der 50er Jahre.

In völliger Verkennung sozialer Realitäten wird «echte Partnerschaft zwischen Lehrer und Schüler»[54] gefordert. Wo sie zustande kommt, ist allemal anzunehmen, daß Lehrer und Schüler sich über ihre wahre Rolle und die unterschiedliche Interessenlage hinwegtäuschen. Da erst in den letzten Jahren die Pädagogik begann, mit Hilfe empirischer Methoden zur Wissenschaft zu werden und vorher allenfalls Philosophie im dritten Aufguß bis Klafki war, konnte bis dahin auch von der Schulgermanistik kein eindeutig bestimmbares Bild des Lehrers entworfen werden.

Noch heute ergeht man sich in unverbindlichen Bestimmungsversuchen. Zimmermann charakterisierte 1960 die Avantgarde der Deutschlehrer, die sich Krolow, Gaiser, Benn, Brecht etc. nicht verschließen mochte, als «verantwortungsbewußt und aufgeschlossen»[55]; etwas modifiziert wird heute der Deutschlehrer als «verantwortlich» und «fortschrittlich» apostrophiert.[56] Darin liegt nur scheinbar ein Fortschritt. Leerformeln sind beide, solange nicht gesagt wird, wem gegenüber der Deutschlehrer denn verantwortlich sei: Seinem «Gewissen», der vorgesetzten Behörde, den Schülern, den Eltern oder der Wissenschaft?

Es liegt nahe, bei mangelnder Klarheit über die eigene Rolle die Blöße mit allerlei Phraseologie notdürftig zu bedecken. Das simple Eingeständnis, daß man als Deutschlehrer bei relativ gutem Gehalt allerlei höheren Blödsinn der Jugend verkauft, der gesellschaftlich irrelevant ist, wäre zwar nüchtern und letztlich kaum befriedigend, hätte aber zumindest die Ehrlichkeit für sich; ein solches Maß an Selbsterkenntnis ist jedoch vom Deutschlehrer kaum zu erwarten. In Analogie zur Unverbindlichkeit der Äußerungen über den Lehrer sind die Anschauungen von seinem Unterricht zu werten. Man verspricht sich «eine fruchtbare erzieherische Wirkung der Dichtungsbesprechung», die selbstredend dann etwas für «ganzheitliche Bildung»[57] leistet.

Die völlige Bestätigung der von Adorno herausgearbeiteten Kriterien liefert das «Hauptanliegen des Deutschunterrichts»: den «Sinn für *echte* Dichtung wecken».[58] Voraussetzung dieses Unterrichts, der mit subtropisch-organologischen Termini umschrieben wird, ist «ein günstiges pädagogisches Klima».

Nicht einer sachlichen, kritischen und nach Maßgabe der Möglichkeiten objektivierten Analyse wird das Wort geredet, sondern dem Mißbrauch von Dichtung als «fruchtbarem Ansatz für ein Gespräch». So sieht H. J. Skorna[59] die Aufgabe der Literaturdidaktik darin, «die Akzente . . . danach zu setzen, wieweit in ihren (d. h. der literarischen Werke) Bildern bestimmte Ordnungen menschlichen Verhaltens und Zusammenlebens sichtbar werden, die der jungen Generation helfen können, das Leben zu meistern und mit Wertgehalten zu füllen». Was der Sache nach ebensogut Ansatz einer kritischen Durchleuchtung sein kann, wird rein affirmativ verstanden. Die «Ordnungen» sind dann die vorhandenen, nicht etwa die wünschenswerten; und «Wertgehalte» bleiben so lange fragwürdig, wie sie ihre Inhalte nicht preisgeben. Dazu vermag Skorna sich nicht durchzuringen; der Lehrer soll offenbar auf magische Weise wirken und dem Kind «das Tor zu den heilenden Kräften der Dichtung . . . eröffnen».[60]

Selbst Ulshöfer, dem eine opportunistische Flexibilität im Didaktischen nicht abzusprechen ist, kann bei den Neuauflagen seiner «Methodik» nicht so schnell Schritt halten, wie das bei der von ihm betreuten Zeitschrift möglich ist. Er sieht die Aufgabe des Deutschunterrichts folgendermaßen: «Die Dichtung schenkt ihm (dem jungen Menschen) gültige Anschauungsformen und Denkformen zum Verstehen der Wirklichkeit.»[61] Von «gültig» ist oft bei ihm die Rede, vor allem, wenn es um die «für alle Zeiten gültige Wahrheit»[62] geht, die den Mythen und

Sagen innewohne. Der ahistorische, irrationalistische Ansatz Ulshöfers hat sich in apodiktischen Behauptungen etwa der folgenden Art niedergeschlagen: «Die großen Anreger der Menschheit haben zu allen Zeiten aus einem mythischen Weltverständnis gelebt und gewirkt.»[63] Der Zweck einer Beschäftigung mit Sagen in der Schule ist für ihn, «das mythische Bewußtsein zu wecken und wachzuhalten»[64], nicht etwa, den Schülern zu zeigen, daß andere Epochen oder die Frühzeit der Kulturen über gewisse Dinge anders gedacht haben als wir heute.

Wird ein Deutschunterricht unter solchen Maximen erteilt, dann ist die Gefahr, ihn völlig zu diskreditieren, nicht fern. Raunendes Beschwören sog. ewiger Werte führt in der Regel dazu, dem Schüler den Geschmack an der Sache zu verleiden.

Auch bei der Behandlung moderner Dichtung wird die Frage «nach dem eigentümlichen Bildungswert» für die Jugend gestellt, weil sie eine «heilsame Wirkung auf die heranwachsende Generation» verspricht. Überhaupt wird Dichtung als Generaltherapeutikum für die Leiden des Jahrhunderts verordnet, zum Teil in homöopathischer Dosierung, wenn trotz aller Verrottung der Zeit und ihrer Literatur eine «heilsame innere Unruhe» als Resultat der Lektüre moderner Autoren erwartet wird. Autoritär unterstellt Zimmermann dem jungen Menschen «Gleichgültigkeit und Gedankenlosigkeit», aus der er «aufgerüttelt» werden müsse; durch Dichtung, versteht sich, die «auf die sitttlichen Kräfte des Jugendlichen»[65] einwirkt, wohl vermittels ihrer «Wesenhaftigkeit» und «Entschiedenheit», oder weil sie ganz schlicht die rechte «Daseinssicht»[66] vermittelt.

Es scheint uns nicht vermessen, einem Deutschunterricht, der auf dem Fundament eines solchen Jargons sein ideologisches Gebäude errichtet, die Existenzberechtigung abzusprechen. Mit Phrasen, Klischees und Leerformeln versucht man, sich die «geistig-seelische Situation der heutigen Jugend»[67] zu vergegenwärtigen, ohne in der Lage zu sein, darüber Konkretes auszusagen. Soll schon Dichtung, wie Lehmann fordert[68], dem Jugendlichen «Anruf werden, dem er zu entsprechen hat», so ist es für den Benutzer besagter Handbücher nicht allzu anmaßend, zu fragen, was inhaltlich sich dahinter verbirgt.

Kaum klarer sind Ulshöfers Vorstellungen, der vom Kinde meint, es brauche «Urbilder des uneigennützigen Handelns, des Rechttuns und des freien Gehorsams».[69] Der metaphysischen Urbild-Abbild-Relation werden rasch die gängigen sozialen Topoi von Recht, Gehorsam und Uneigennützigkeit attachiert, ohne die Frage nach dem historischen Kontext auch nur zu berühren. Seine Modellvorstellungen vom Unterricht beziehen ihre komische Kraft im klassischen Sinn aus der Differenz zwischen Vorstellung und Realität, wenn etwa folgende Situation als realistisch fingiert wird: «Die Klasse kommt aus der Pause, legt die Bücher auf den Tisch, schlägt die Arbeitshefte auf. Lehrer und Schüler begrüßen sich in natürlich-herzlichem Ton.»[70]

Besonders infam ist, das eigene Verlangen nach «Gehorsam», «Ordnung» und «Bindung» in die Dichtung selbst hineinzuprojizieren.

In der Kurzgeschichte werde «hinter aller scheinbaren Ausweglosigkeit die tiefe Sehnsucht unserer Zeit nach neuen Wertbindungen spürbar».[71] Man sollte sich überlegen, wie erstrebenswert solche «neuen Bindungen» tatsächlich sind, denn «Bindung ist die gängige Vokabel für die Zumutung von Zucht ... Ihr Begriff konserviert die Autorität, deren Quelle er verstopft».[72] Trotzdem mutet solche alte bürgerliche Pädagogik jungen Leuten weiterhin zu, in «altbewährter» Weise «nach gängigen Wegen zu neuen Bindungen und Ordnungen ... zu suchen».[73] Derart auf «Führung», «Ordnung» oder «Bindung» bedachte «Leitbegriffe» wollen ihre eigene Unverbindlichkeit vage kaschieren; ihr ästhetischer, verklärender Anspruch affirmiert und restauriert bürgerliche Kultur; er läßt sich in pädagogische «Zucht» umsetzen; der vage formulierte Geist der Literaturwissenschaft ist an der «pädagogischen Front» massiv zum «Einsatz» zu bringen.

Noch in den Versuchen, die zu erkennen geben, daß man die Andersartigkeit der heutigen Jugend in den Griff zu bekommen trachtet, werden die eigenen irrationalen Kategorien auf sie projiziert: Die heutige Jugend sei «tiefer als viele Erwachsene von dem Gefühl ergriffen, in einer durch die moderne Naturwissenschaft veränderten Welt zu leben».[74] Was sich da an Veränderung vollzogen hat, wird generell als vom Übel angesehen. Die Jugend müsse mit möglichst «kindertümlichen», wenn nicht gar «einfältigen»[75] literarischen Produkten vertraut gemacht werden, so, als wüßte man nicht, daß sie weniger die von Pädagogen empfohlene «jugendgemäße» Literatur konsumiert, sondern Fernsehserien à la Bonanza. Vom Throne der Schulmeisterlichkeit herab empfängt noch heute die Jugend ihren Richtspruch: Man kümmert sich natürlich um ihre «geistig-seelische Haltung» und ist gnädigst bereit, sie hinzunehmen, «soweit sie *positiv* zu bewerten ist».[76]

V.

Es verbleibt abschließend die Aufgabe darzustellen, welche didaktischen Vorstellungen, ob ausgesprochen oder nicht, sich hinter der von uns dargelegten Selbstauffassung der Schulgermanistik verbergen. In summa stellt sich die Lage nach Prüfung eines kleinen, aber repräsentativen Teils angebotener Hilfsmittel für den Deutschunterricht trostlos dar. Die Aufnahme des Faches Deutsch in den Fächerkanon und seine überragende Stellung entsprang unzweifelhaft bürgerlichem Bedürfnis nach Selbstdarstellung in der nationalen Literatur. Neben den klassisch-philologischen Fächern und der Geschichte war vor allem das Fach Deutsch dem neuhumanistischen Bildungsideal verpflichtet; darüber hinaus war es auch klassisches Instrument gesellschaftlicher Legitimierung.

Das mag angemessen und zu seiner Zeit historisch notwendig gewesen sein – wo heute noch mit jenen «Bildungsgütern» didaktisch operiert wird, stellt sich der Verdacht auf Ideologie ein. Seit mit den Soldaten des 1. Weltkrieges, die ihren Hölderlin im Tornister trugen, der Gehalt von Bildung schwand, verblieb allein ihr Jargon. Er verteidigt nach einer Formulierung Adornos «vergängliche, mit dem gegenwärtigen Stand der Produktivkräfte unvereinbare gesellschaftliche Formen als unverlierbar».[77] Heute ist der Deutschunterricht, wie uns scheint, nach Zurückdrängung des Religionsunterrichts und der Preisgabe des nationalen Prinzips in der Geschichtsbetrachtung, immer noch Refugium bürgerlicher Ideologie: die Vermittlung puren Scheins fernab jeder gesellschaftlichen Realität. Sein Irrationalismus ist konstitutiv.

Der Deutschlehrer droht wie kein anderer Lehrer als ideologischer Unteroffizier der Gesellschaft der Gefahr zu erliegen, die Fragwürdigkeit des Fachs mit Hilfe des Eigentlichkeitsjargons in Existenzberechtigung umzumünzen. Auch auf die Gefahr hin, daß man uns vorhält, mit unseren Bemerkungen sei allenfalls ein Beitrag geleistet, einem sterbenden Löwen den Gnadenschuß zu geben, möchten wir feststellen, daß der Bewußtseinsstand der Schulgermanistik hinter dem, was an der Tagesordnung wäre, hinterherhinkt.

Das Bedürfnis, diesen Mangel zu kompensieren, hat dazu verführt, die didaktischen Zielsetzungen in folgender Weise zu formulieren: «Da Dichtung Herz und Gemüt bewegt, bleibende Vorbilder schafft, heimliche Maßstäbe gibt und Ziele setzt, ist die Frage der Auswahl von außerordentlicher Bedeutung. Die eigentliche Verantwortung des Deutschlehrers liegt darin, seine Auslese so zu treffen, daß ihre Frage- und Problemstellung, daß ihr Bild vom Menschen und ihre Anschauung vom Leben und von der Welt dem Erziehungs- und Bildungsauftrag dienen und nicht in einem zersetzenden Widerspruch zu ihm stehen.»[78] Das Ensemble falschen Bewußtseins ist hier versammelt. Der Deutschunterricht versteht sich als affirmativ, konservierend; er ist jederzeit bereit, unbefragt jedem «Erziehungs- und Bildungsauftrag» zu dienen, wo immer der auch herkommt: Unterricht als Perpetuierung von Herrschaft mit den Mitteln des Überbaus.

Weniger reaktionär, aber kaum ungefährlicher sind Formulierungen, die pauschal, inhaltsleer und unbefragt die Zielsetzung des Unterrichts durch «von der Gesellschaft als gültig anerkannte Ordnungen, Verhaltensweisen und Denkformen» darstellen und meinen, sie könnten sie «verstehbar»[79] machen, ohne generell auf ihre Machbarkeit und Veränderbarkeit hinzuweisen.

Die Aufgabe kritischer Rationalität und die Absage an den Geist sind damit zur Maxime des Deutschunterrichts gemacht. Was an gesellschaftlicher Entwicklung sich dem widersetzt, wird als «Streben nach materieller Sicherheit und steigendem Lebensstandard»[80], obwohl legitimer als das nach abendländischen Pseudo-Werten, schlicht diffamiert. Allein die Arroganz dichtungs- und bildungsbeflissener Bürgerlichkeit, die materielle Sicherheit und Lebensstandard auf Kosten anderer zu ihren Privilegien zählt, vermag im «Streben» nach diesen Zielen «eine Gefahr der Veräußerlichung und Verflachung des seelischen, sittlichen und geistigen Lebens»[81] zu diagnostizieren. Sie selbst hat die Gewalt als Geist verinnerlicht.

Dieser Deutschunterricht hat sich selbst das Urteil gesprochen. Säße in den Schulen des Jahres 1970 nicht eine kritisch-distanzierte Generation von Schülern, die den Produktionen ihrer Deutschlehrer ein hinreichendes Maß an Skepsis entgegenbringt – es bestände aller Anlaß, den Deutschunterricht als jugendgefährdend zu betrachten.

1 Theodor W. Adorno: Jargon der Eigentlichkeit. Zur deutschen Ideologie. Frankfurt/M. (edition suhrkamp 91) 1964, S. 111.

2 PaulNentwig: Dichtung im Unterricht. Grundlegung und Methode. Braunschweig (Westermann) 1966³, S. 146.

3 Dolf Sternberger/Gerhard Storz/W. E. Süskind: Aus dem Wörterbuch des Unmenschen. München (dtv) 1962, S. 14f.

4 Th. Rutt in: Baumgärtner u. a.: Literarische Erziehung in der Grund- und Hauptschule. Frankfurt/M. (Diesterweg) 1965, S. 43.

5 K. Doderer in: Baumgärtner a. a. O., S. 20.

6 Th. Rutt in: Baumgärtner, S. 30.

7 Th. Rutt in: Baumgärtner, S. 33.

8 Siehe z. B. Heinz Schlaffer: Das Dichtergedicht im 19. Jahrhundert. Tropos und Ideologie (Jahrb. d. dt. Schillerges. X, 1966).

9 Adorno, S. 138.

10 Nentwig, S. 14 u. ö.

11 Zit. Friedrich Ohly: Vom geistigen Sinn des Wortes im Mittelalter (Z. f. d. A. 89, 1958/59).

12 Nentwig, S. 14.

13 Vgl. dazu Curt Müller: Die geschichtlichen Voraussetzungen des Symbolbegriffs in Goethes Kunstanschauung (Palaestra 211, 1937). Ders.: Der Symbolbegriff in Goethes Kunstanschauung (Goethe VIII, 1943).

14 Th. Rutt in: Baumgärtner, S. 36f.

15 Nentwig, S. 14, 52.

16 A. Beinlich: Handbuch des Deutschunterrichts im 1.–10. Schuljahr. Emsdetten/Westf. (Lechte) o. J., Teil 12, S. 723.

17 Th. Rutt in: Baumgärtner, S. 36.

18 Th. Rutt in: Baumgärtner, S. 31.

19 Th. Rutt in: Baumgärtner, S. 44.

20 F. Pfeffer in: Beinlich, Teil 12, S. 804.

21 ib. S. 805.

22 A. Beinlich, Teil 12, S. 703.

23 A. Beinlich, Teil 5, S. 319.

24 Zit. A. Beinlich, Teil 5, S. 326.

25 Zit. A. Beinlich, Teil 5, S. 327.

26 Th. W. Adorno, S. 63.

27 Th. Spoerri zit. Nentwig, S. 11.

28 Th. Rutt in: Baumgärtner, S. 43.

29 A. Beinlich, Teil 5, S. 348.

30 Th. Rutt in: Baumgärtner, S. 33.

31 Adorno, S. 62.

32 Adorno, S. 9.

33 Th. Rutt in: Baumgärtner, S. 40.

34 Th. Rutt in: Baumgärtner, S. 39.

35 Nentwig, S. 9–11, 14f., 165, 174.

36 Adorno, S. 43.

37 Werner Zimmermann; Deutsche Prosadichtungen der Gegenwart. Interpretationen für Lehrende und Lernende. Teil III. Düsseldorf (Schwann) 1960, S. 42, 44. – Die Neubearbeitung war in mehreren hiesigen Bibliotheken nicht zugänglich; die hier angegebene Ausg. wird noch häufig benutzt. Ob sich bei der Neubearb. Wesentliches an Intention und Sprachgebrauch geändert hat, bliebe zu prüfen!

38 Adorno, S. 10, 19.

39 Adorno, S. 16, 61.

40 Walter Benjanim: Das Kunstwerk im Zeitalter seiner technischen Reproduzierbarkeit (Schriften I), Frankfurt/M. 1955.

41 Adorno, S. 11, 13, 39, 78, 88, 90.

42 Walther Killy: Deutscher Kitsch, Göttingen (Kleine Vandenhoeck Reihe 125–127) 1962, S. 13 u. ö.

43 Adorno, S. 10f.

44 Zimmermann, S. 44.

45 Adorno, S. 138f.

46 Nentwig, S. 159.

47 Ludwig Büttner: Europäische Dramen von Ibsen bis Zuckmayer. Dargestellt an Einzelinterpretationen. Frankfurt/M. (Diesterweg) o. J. 3. Auflage, S. 6.

48 Th. Rutt in: Baumgärtner, S. 33.

49 ib. S. 36.

50 ib. S. 37.

51 B. Schulz in: Baumgärtner, S. 56.

52 A. Beinlich, Teil 1, S. 1.

53 Nentwig, S. 196.

54 Zimmermann, S. 48f.

55 ib. S. 9.

56 Interpretationen moderner Kurzgeschichten. Frankfurt/M. (Diesterweg) 1969, 8. Auflage, S. 3.

57 Zimmermann, S. 10, 12.

58 Interpretationen moderner Kurzgeschichten, a. a. O., S. 3.

59 H. J. Skorna: Moderne Literatur in didaktischer Sicht. Weinheim/Bergstr. (Beltz) 1965, S. 55.

60 ib. S. 3.

61 Robert Ulshöfer: Methodik des Deutschunterrichts. Bd. 2. Stuttgart (Klett) 1968, S. 4.

62 Ulshöfer, Bd. 1, 1967, S. 271.

63 ib. S. 273.

64 ib. S. 273.

65 Zimmermann, S. 10, 41, 43, 48, 49, 52.

66 Nentwig, S. 159.

67 Zimmermann, S. 41.

68 Interpretationen, S. 3.

69 Ulshöfer, Bd. 1, 1967, S. 11.

70 ib. S. 31.

71 Interpretationen, S. 6f.

72 Adorno, S. 60.

73 Interpretationen, S. 7.

74 Zimmermann, S. 42.
75 Nentwig, S. 176.
76 Zimmermann, S. 42.
77 Adorno, S. 42.
78 Didaktisch-methodische Analysen. Handreichungen für den Lehrer zum Lesebuch
   «Kompaß». Paderborn (Schöningh) 1965, S. 13.
79 Ulshöfer, Bd. 3, 1966, S. 50.
80 Zimmermann, S. 42.
81 ib. S. 42.

Helmut Hartwig
Eine ideologische Strategie in den Sprachbüchern: Anweisungen zur richtigen Begriffsbestimmung

Im Lehrgang Deutsch, wie er von den heute im Deutschunterricht benutzten Sprachbüchern repräsentiert wird, gibt es für die Klasse 11 einen Arbeitsabschnitt «Begriffsbestimmung».

Was die Schüler bis zu diesem Zeitpunkt mehr oder minder unbewußt taten und was verdeckt gelehrt wurde, wird in diesem Abschnitt zum Gegenstand offener Lehre: Vorstellungen von «der Sprache» werden artikuliert. Zwar tritt nicht notwendig eine ausgearbeitete Theorie zutage, aber die Anweisungen, welche die Lehrbücher geben, lassen erkennen, wie ihre Verfasser sich die Wirkungsweise von Begriffen und Wörtern vorstellen, welche Instanzen sie anerkennen, an denen sich jemand, der einen Begriff «richtig» gebrauchen will, zu orientieren hätte. An diesen Stellen müssen die Sprachlehren sich zu den Fragen äußern, wie die Identität von dem subjektiv Gemeinten und einem im Wort gegebenen objektiven Sinn hergestellt wird, von welchen Bedingungen die Gültigkeit einer Begriffsbestimmung und richtiger Begriffsgebrauch abhängen, wodurch eine Definition abgesichert werden kann und auf welche Weise ein Begriff mit der Geschichte einer Sprachgesellschaft verknüpft ist. Dabei muß auch ein Begriff von Sprachgeschichte hervortreten und eine Vorstellung von der Art und Weise, wie Geschichte in Sprache eingeht.

Im folgenden kommt es mir darauf an, die Prämissen der Lehre von der richtigen Begriffsbildung, wie sie in den Sprachbüchern zu finden ist, deutlich zu machen mit dem Ziel, die praktischen Wirkungen einer solchen «Lehre» zu zeigen. Ich orientiere mich also an der Fragestellung: Welche Folgen hat es für das Verhalten eines Schülers in unserer Gesellschaft, wenn er die zu analysierenden Prinzipien der Begriffsbildung verinnerlichte? Es geht also um Folgen in der Praxis, um Wirkungen auf Interaktion, Kommunikation und soziales bzw. politisches Verhalten – und nicht um Folgen für den Geist.[1]

Diese Feststellung – mag sie vielen auch banal erscheinen – ist nicht überflüssig, eine solche Aufgabenstellung nicht selbstverständlich, vielmehr stellt sie schon eine erste kritische Distanzierung von der Konzeption einer verbreiteten Didaktik dar. In den untersuchten Sprachlehren[2] erscheint richtige *Begriffsbestimmung zuerst als ein geistiges Problem;* falscher Begriffsgebrauch wird mehr oder minder auf mangelnde geistige Konzentration oder mangelnde «geistige Formung» (Sprachspiegel) zurückgeführt.

Wenn im folgenden der Versuch gemacht wird, die Lehre von der richtigen Begriffsbestimmung in einen größeren Zusammenhang zu stellen, sie als Moment eines unausgesprochenen – oft aber auch durch Zitate direkt repräsentierten – Gesellschaftsbildes bzw. einer Ideologie erkennbar zu machen, dann muß es bei der Analyse der Texte darauf ankommen, daß man seine Aufmerksamkeit nicht nur dem Inhalt der «Lehre» widmet, sondern ebensosehr der Art und Weise, wie die Autoren der Texte selbst Begriffe bilden.

«Alle Bildung von Begriffen steht im engsten Zusammenhang mit der Entwicklung der Sprache überhaupt. Wortinhalte sind nichts anderes als Resultate geistiger Arbeit, Ergebnisse vieler Erfahrungen und geistiger Ordnungsversuche; Begriffe erweisen sich dann als Wortinhalte von höherem Exaktheitsgrad (aber dadurch auch höherer Spezialisierung). Man könnte sagen: Begriffe im engeren Sinne sind nichts anderes als zu möglichster Exaktheit entwickelte, bewußt abgegrenzte und als solche vereinbarte Wortinhalte; sie sollen eindeutig und genau umrissen sein. Begriffe im weiteren Sinne sind ebenfalls Ergebnisse geistiger Formung, Auseinandersetzung und Stellungnahme, doch beruhen sie nicht auf einer irgendwann festgelegten Definition, und sie können daher nicht letzte Eindeutigkeit und endgültige Festlegung beanspruchen, sondern bleiben in gewissem Maße offen und wandeln sich mit den allgemeinen Veränderungen der geistigen Welt.»[3]

Dieser Text steht im «Deutschen Sprachspiegel» in einem eingerahmten und damit als «Lehre» gekennzeichneten Abschnitt am Ende des «Ersten Arbeitsganges: Sprachverstehen im Bereich der Wissenschaften». Es wird also Sprachtheorie – denn um solche handelt es sich ja indirekt – nicht offen in ihren Kontroversen zum Unterrichtsgegenstand der Klasse 11; Reflexion über Sprache bleibt vielmehr – sofern sie überhaupt über einen solchen Text in Gang kommen kann – in den Grenzen der Bestimmung, deren theoretische, die praktischen Folgen für Denken und Sprechen betreffenden Prämissen für den Benutzer – und man muß den Verdacht haben – auch für die Schreiber nicht durchschaubar sind. Oder aber: sie verbergen die Besonderheit ihrer allgemeinen Aussagen über Begriffsbildung aus Interesse. Durch ihre Sätze wird der Leser in Abhängigkeit von fremden Gedanken gebracht, ohne daß ihm die Möglichkeit gegeben wäre, auf deren Prämissen zu reflektieren und den Erkenntnisprozeß nachzuvollziehen, der zu solchen Thesen über Sprache geführt hat. Die Reaktionen des Leser-Schülers sind dadurch in der Dimension Gehorsam oder Verweigerung determiniert. Nicht ohne Grund wurden die Sätze, in denen die «Lehre» hier formuliert wird, in den alten Sprachlehren «Behauptungssätze» genannt. Die dieser Satzform entsprechende Redeabsicht zielt auf Ablehnung oder Übernahme der Behauptung, oder didaktisch gesprochen: Anwendung von Definitionen.

In einer Hilfsfrage auf S. 11 wird dieses Ziel deutlich:

«Worin liegt die Eigenart derartiger geschichtlich-politischer Begriffe (es sind ‹Begriffe im weiteren Sinne›) begründet?»

Zwischen der Lehre vom richtigen Begriffsgebrauch, einer bestimmten Vorstellung vom Zusammenhang zwischen Denken – Handeln – Sprechen (Theorie sagen hieße, einen bestimmten Grad an Konsistenz bei den Gedanken anzunehmen) und – durch die Art, wie all das vorgetragen wird – einem didaktischen Konzept, das eine bestimmte Schüler-Lehrer-Beziehung impliziert, besteht ein Zusammenhang.

Über das Abhängigkeitsverhältnis, in das der Schüler durch die «Lehre» gerät, wurde schon einiges gesagt.

Welche *Vorstellung vom Funktionieren der Sprache* oder von «der Sprache» gewinnt er nun durch diese Sprachlehre, was müßte er alles akzeptieren, wenn er auf Erfolge im Unterricht aus ist?

Sprache muß ihm als ein Aggregat von mehr oder minder eindeutig definierten Begriffen bzw. von Einzelsätzen erscheinen. Der Akt der Definition, der Entstehung von Wortinhalten und die Bedingungen richtigen Sprachgebrauchs werden nicht problematisiert – oder doch nur insoweit, als Andeutungen über die definierenden Kräfte in den Aktionsbereich anonymer Mächte führen, von denen nur deutlich gesagt wird, daß sie «geistig» sind. Dies ist besonders problematisch bei der Einführung der Kategorie «Begriffe im weiteren Sinne». Gerade der Prozeß, in welchem diese Begriffe Geltung gewinnen, müßte zum Gegenstand von Reflexion werden; gerade hier käme es darauf an, Aufklärung zu initiieren. Handelt es sich doch um «nicht-fachwissenschaftliche Begriffe», durch die Verhältnisse und Verhalten interpretiert werden und gesellschaftliche Interessen sich am stärksten durchzusetzen suchen: im Sprachspiegel «Wahrheit» und «Wahrhaftigkeit», «Demokratie» – in den anderen Sprachlehren Begriffe wie «Gehorsam», «Kultur», «Dankbarkeit» (Muttersprache). Nach der «Lehre» bleibt der Inhalt und der Anspruch solcher Begriffe in einem irrationalen Bereich begründet und die Unabgeschlossenheit der Definition ohne Erklärung.[4]

Der Schüler erhält keine Hilfe zur rationalen Erklärung der Unbestimmtheit, von der gesprochen wird. Dies natürlich, weil jede Erklärung auf *gesellschaftliche Bedingungen der Begriffsverwendung* verweisen würde. Zum Beispiel darauf, daß hinter unterschiedlichem Begriffsgebrauch in unterschiedlichem Maß gesellschaftliche Interessen wirken und die Unabgeschlossenheit von Begriffsbestimmungen in «natürlichen Sprachen» auf die Unabgeschlossenheit oder «mangelnde Formung» nicht nur der «geistigen Welt», sondern der Geschichte in all ihren Momenten verweist. Nach der «Lehre» sollen die Schüler der Meinung sein, daß als Bedingung für Geistiges nur schon selbst Geistiges angenommen werden kann, und in diesem Sinne muß ihnen Sprache als Bedingung und Folge ihrer selbst erscheinen. Zwischen der Verwendung von Sprache, ihrem richtigen Gebrauch in der Gesellschaft und gesellschaftlichen

Prozessen, gar ökonomischen, gibt es danach keine Verbindung. Damit wird nicht nur die Problematisierung eines «richtigen Gebrauchs» verhindert, sondern werden auch die materiellen Lebensprozesse indirekt aber wirksam als für den Geist Bedeutungsloses diskreditiert.[5]

Das alles merkt der Schüler nicht. Es ist ihm nach Übernahme der Lehre nur selbstverständlich.

Kritisch würde Unterricht – aber auch die Situation für den Schüler – erst dann, wenn von außen Kritik an diese Lehre herangebracht würde; dann würde er sich nämlich über die Kritik an dem Lernziel unmittelbar in Gegensatz zur Autorität des Buches (wieweit sie die des Lehrers ist, hängt von der Rolle ab, die das Lehrbuch für ihn hat) und damit zu schulischen Leistungsforderungen setzen. Denn darauf läuft doch die «Lehre» letztlich hinaus: indem die Festlegung von Begriffsinhalten in der «geistigen Welt» stattfindet, wird ein Urteil über die Richtigkeit oder Angemessenheit, mit welcher ein Phänomen durch einen bestimmten Begriff interpretiert ist, denjenigen zugestanden, die in der «geistigen Welt» zu Hause sind, und wer dürfte diese Heimat den Deutschlehrern absprechen? Diese Abhängigkeit gilt auch dann, wenn der einzelne Lehrer sie nicht direkt in Anspruch nimmt, sie ist verbunden mit der Lehre. Akzeptiert jemand diese Lehre von den Bedingungen eines richtigen Begriffsgebrauchs, dann hat er das Abhängigkeitsverhältnis verinnerlicht, dann sind die Wächter der Sprache jene, die ihren Gegenstand von den geschichtlichen Prozessen abtrennen, über die sie offensichtlich keine Macht haben – auch wenn sie durch ihre «Lehre» Herrschaftsverhältnisse rechtfertigen.

Wenn man auch annehmen kann, daß die einzelnen Lehrer im Rahmen der Bestimmung von «Begriffen im weiteren Sinne» den Schülern eine Menge Spielraum lassen, so werden sie doch gerade durch die Anerkennung eines so vagen Zusammenhangs zu Agenten *bestimmter* gesellschaftlicher Interessen.[6] Ihre Toleranz wird repressiv dadurch, daß bestimmte mögliche Fragestellungen fehlen, bzw. daß durch die angebotenen Erklärungen von ihnen abgelenkt wird.

«Nicht in ihren Antworten, schon in ihren Fragen selbst lag eine Mystifikation»[6a].

Ein Mittel dieser Ablenkung ist die *Aufwertung vager Begriffe*.

Es könnte jemand, der diese Analyse immer wieder mit dem Text konfrontiert, darauf hinweisen, daß die vermißten «objektiven» Faktoren als Wirkungsfaktoren bei der Entstehung von Sprache und als Bedingungen für die Bildung von Begriffen im Text des «Sprachspiegels» genannt seien, z. B. wenn es heißt, daß Begriffe «geistige Ergebnisse» seien, die sich als «Bekräftigungen von Bestrebungen, Überzeugungen, Urteilen beim menschlichen Zusammenleben im Laufe der Geschichte gebildet haben». Es käme jetzt darauf an, die Funktion eines Ausdrucks wie «Bekräftigung von Bestrebungen» zu bestimmen. Können hier die materiellen Lebensprozesse gemeint sein?

Die Frage nach der Bedeutung dieses Begriffs wird zur Frage nach seiner

Funktion im Argumentationszusammenhang hier und in anderen Texten und Situationen. Diese Veränderung der Fragestellung stellt sich über die Kritik an der «Lehre» unmittelbar ein. Während die «Lehre» nahelegt, daß die Frage nach dem Sinn eines Wortes ins Innere führt, insoweit als dort über die Anteilnahme am Geist auch die richtigen Bedeutungen bewahrt sind, führt die Kritik dahin, die Frage nach der Bedeutung eines Wortes zu ersetzen durch die Frage nach seinem Gebrauch.[7] Erst dann wird die Aufmerksamkeit auch angemessen auf die Bedingungen gelenkt, denen die Sprachverwendung bestimmter Subjekte unterliegt. Statt der Frage: Was meint dieses Wort, was bedeutet dieser Begriff – geht es jetzt um die Beantwortung der Fragen: Wann, mit welcher Absicht wird der Begriff verwendet, welche Handlungsanweisungen stecken in dem Begriff? Entscheidender Bestandteil einer Begriffsbestimmung müßten dementsprechend die Konkretisierung der Gebrauchssituation sein, und zu dieser gehört die Angabe der Funktion, die sein Gebrauch hat, und die Beschreibung der Gruppe, die ihn bevorzugt verwendet. Man versuche dies einmal mit den oben genannten Begriffen «Gehorsam», «Kultur», «Dankbarkeit» und vergleiche das Ergebnis mit der Begriffsbestimmung, die in den Sprachlehren vorgeschlagen wird.[8]

Es ist jetzt die Frage, welche Funktion die Verwendung des Begriffs «Bestrebungen» an dieser Stelle hat. Zuerst einmal muß man sich bewußt machen, daß hier ein höchst unbestimmter Begriff mit dem Anspruch auftritt, Bestimmtes zu sagen. Das betrifft seine Funktion im Rahmen der im Sprachbuch eingerahmten «Lehre». Die inhaltliche Unbestimmtheit dieses Begriffs betrifft genau die Beziehung zwischen dem subjektiven Anteil in einer Aktion und den Momenten, durch welche sie Bestandteil eines nicht vom einzelnen kontrollierbaren gesellschaftlichen Prozesses ist, die Frage also, ob es sich bei «Bestrebungen» überhaupt um eine Aktion handelt oder bloß um irgendwelche Bewußtseinsvorgänge. Es ist offensichtlich, daß auf diese Weise genau das Problem verschleiert wird, um dessen Klärung es hier gehen müßte: die Rolle des objektiven Faktors bei der Entstehung von Begriffen und Wortinhalten.[9]

Im Kontext wird deutlich, daß mit diesem Stichwort kein Verweis vom Begriff und dem Vorgang «geistiger Ordnung» von Zusammenhängen auf die nicht bloß begriffliche, sondern durch Produktion und Herrschaft vermittelte Ordnung der Verhältnisse gemeint ist. In den Stichwörtern, in denen Objektives angedeutet sein könnte, überwiegt das psychologisch subjektive Moment, wird vom Zusammenhang zwischen materiellen Lebensprozessen und geistigen Ordnungen abgelenkt. «Bekräftigt» werden durch die Benutzung bestimmter Begriffe nicht gesellschaftliche Verhältnisse oder gar Produktionsverhältnisse oder Geistiges als deren Auswirkungen, sondern selbst schon Subjektives: Bestrebungen, Überzeugungen und Urteile. Außer jenen gibt es nichts, was Sprache prägt, und damit wird auch Geschichte ins Psychologische aufgelöst. *Sprachgeschichte wird Geistesgeschichte, und Arbeit erscheint als Bedingungsfaktor von Sprache nur als «geistige Arbeit»:*

«Wortinhalte sind nichts anderes als Resultate geistiger Arbeit, Ergebnisse vieler Erfahrungen und geistiger Ordnungsversuche.»

Eine solche Interpretation der Beziehung zwischen Sprache und Arbeit ist nun aber – unabhängig davon, wie man die Beziehung zwischen Sprache und Denken im einzelnen versteht – *im prägnanten Sinne ideologisch*.

Einmal in dem Sinne, daß hier

«Geistiges selbständig, substantiell und mit eigenem Anspruch aus dem gesellschaftlichen Prozeß hervortritt (unter) Verleugnung des gesellschaftlichen Grundes»,[10]

und zum anderen, als es sich bei solchen Formulierungen um

«seiner Abhängigkeit nicht bewußte(s), geschichtlich aber bereits durchschaubares Wissen, . . . vor der fortgeschrittensten Erkenntnis bereits zum Schein herabgesunkenes Meinen . . .»[11]

handelt.

Ideologisch ist aber solches Denken nicht nur nach einem an Marx orientierten Begriff von Ideologie, sondern auch im Sinne einer anderen kritischen Tradition: der des angelsächsischen Pragmatismus: dessen Interpretation des Sprechaktes als eines symbolischen Handlungsaktes legt die Frage nach dem praktischen Zweck, dem interaktionären Kontext eines solchen Aktes auch dann nahe, wenn es sich um Allgemeinbegriffe handelt, deren Bezug auf konkrete Handlungen recht gering zu sein scheint. Mit dem pragmatistischen statement, daß der Inhalt eines Wortes definiert sei durch den Gebrauch, wird die Frage nach dem Sinn eines Wortes verwiesen auf den sozialen und geschichtlichen Zusammenhang, auf einen Zusammenhang von Interaktion und Kommunikation zwischen Menschen; gerade davon aber wird durch die «Lehre» des Sprachspiegels abgelenkt.[12]

Es wurde schon erkennbar, daß für den ideologischen Charakter der «Sprachlehre» der *implizierte Begriff von Gesellschaft und Geschichte* verantwortlich ist, oder anders gesagt: der Vorwurf der Ideologie enthält immer auch Kritik an der Art, wie der gesamte geschichtliche Prozeß dargestellt und damit interpretiert wird.[13]

Entscheidend für den Text ist – wie schon gesagt –, daß ganz bestimmte Fragen nicht gestellt werden. Wer «vereinbart» Wortinhalte? Wie werden «allgemeine Veränderungen der geistigen Welt» bewirkt? Welche Kräfte sind wirksam?

Schon diese Fragen muß man gleichsam gegen den Text formulieren; mit ihnen aber hat man noch nicht viel gewonnen, denn sie entsprechen kategorial noch dem Bewußtseinsstand des Textes. Nahegelegt werden durch den Text Fragen nach irgendwelchen mehr oder minder kollektiven und doch personalen geistigen Akten bei den Festlegungen von Begriffsinhalten.

Durch all die Verworrenheit dieses Denkens wird ein unbestimmter, in seiner gesellschaftlichen Funktion aber bestimmbarer Begriff vom *Charakter des geschichtlichen Prozesses erkennbar*.

In dem Kapitel, das sich im «Sprachspiegel» dem «Ersten Arbeitsgang: Sprach-Verstehen im Bereich der Wissenschaft» anschließt, geht es dann direkt um die «Geschichtlichkeit der Sprache». Der erste Unterabschnitt heißt: «Geschichte als Gegenwart in der Sprache unserer Zeit»; das erste Beispiel ist ein Text von Hans Freyer: «Über die Machbarkeit der Sachen.» Was erscheint nun nach den Erläuterungen als historische Substanz eines Textes?

Nach den Erläuterungen muß der Leser der Meinung sein, daß die geschichtliche Substanz der Gegenwartssprache in dem etymologischen Gehalt der Begriffe bewahrt ist.

Es muß also gefragt werden, was das für eine Geschichte ist. Die Mystifikation, von der Marx in der Deutschen Ideologie spricht, liegt auch hier vor. In der Überschrift und überall im «Sprachspiegel» wird vorausgesetzt, daß es sinnvoll ist, Allgemeinbegriffe wie «Geschichtlichkeit», «Vergangenheit», «Gegenwart» zu verwenden, bzw. daß diese Begriffe nur einer inhaltlichen Erläuterung (sie folgt auf S. 17 unter der Überschrift: «Über das Verhältnis von Vergangenheit und Gegenwart überhaupt», Texte von Goethe und Hans Freyer), nicht aber einer Kritik als Kategorien bedürften. Mit diesen Begriffen aber bleibt man bereits auf den Rahmen einer ontologischen Fragestellung beschränkt, denn durch die Frage nach der «Beziehung zwischen Vergangenheit und Gegenwart überhaupt» wird von der Frage nach dem konkreten Modus abgelenkt, mit welchem in der kapitalistisch organisierten Gesellschaft der Bundesrepublik Deutschland bestimmte soziale und geistige Traditionen «gegenwärtig sind» und wie die Beziehung zwischen jenen in eine bestimmte (welche?) Vergangenheit reichenden Erscheinungen der gegenwärtigen Gesellschaft und einer Sprache zu denken sei, die den unterschiedlichsten gesellschaftlichen Gruppen irgendwie zur Verständigung dient.[14] «Irgendwie» bloß deshalb, weil sie einer Gruppe mehr und einer anderen Gruppe weniger dient, sich die Interessen der einen Gruppe besser als die einer anderen von ihr repräsentieren lassen. Von dieser Feststellung her (vgl. die sprachsoziologische Untersuchung von Bernstein, Oevermann, Habermas) wird schon die Rede von «der Sprache» überaus problematisch, wenn der Begriff nicht als linguistische Kategorie verwendet wird.

Die Notwendigkeit, im Zusammenhang mit der Frage nach der «Gegenwart von Geschichte in unserer Sprache» (unserer!) nach dem materiellen Lebensprozeß zu fragen, besteht natürlich nur dann, wenn Sprachgeschichte nicht von der wirklichen Geschichte einer Gesellschaft oder auch einer Nation getrennt wird, bzw. wenn Sprachgeschichte als ein Moment jenes komplexen Prozesses, der Geschichte genannt werden kann, begriffen wird. Erst dann kann es zu einem kritischen Begriff von Sprache kommen, erst dann ist der Schüler gefeit dagegen, daß ihm als fraglose Gegebenheit ein «Geist der Sprache» aufgetischt wird, ein prästabiliert harmonischer Gruppengeist und mit ihm das Bild einer Gesellschaft, die – ohne Widersprüche – eine Gemeinschaft wäre, eine Sprachgemeinschaft.[15]

Die Rolle jener Allgemeinbegriffe wird im Kontext verstärkt durch die *etymologischen Erläuterungen.*

So paradox es klingen mag, aber die etymologische Fragestellung führt zu einer im prägnanten Sinne ungeschichtlichen Betrachtung eines Textes – hier des Textes von Freyer.

Wenn in den Erläuterungen auf die älteren Bedeutungen des Wortes «machen» verwiesen wird und gesagt wird, daß es im Sinn von «fügen» ein Wort des Hausbaus sei, dann kann dies vom Benutzer des Buchs doch nur als ein Hinweis darauf aufgefaßt werden, daß man durch diese Information etwas für das Verständnis des Freyer-Textes gewinnt.

Tatsächlich gewinnt man auch etwas dafür, aber in einem anderen Sinne als es der Sprachspiegel nahelegt. Man könnte nämlich auf die Idee kommen zu fragen, weshalb Freyer den Begriff «machen» emphatisch gebraucht und mit handwerklicher Tätigkeit verbindet, könnte fragen, was er mit diesem Gebrauch bezweckt. Diese Frage aber wird vom Sprachspiegel her nicht nahegelegt. Eher dürfte es im Sinne der Autoren sein, daß jemand folgert, mit diesen Erläuterungen sei auch gesagt, daß derjenige, der den Begriff «machen» im üblichen Sinne verwendet, nicht weiß, was er «eigentlich» damit sagt, oder daß er den Begriff nicht richtig gebrauchen kann, wenn er die ältere, ursprüngliche Bedeutung nicht kennt. Das Problem ist nun nicht, daß nach dem älteren Wortsinn überhaupt gefragt wird, sondern daß weder nach dem praktischen Zweck gefragt wird, den ein emphatischer Gebrauch des Begriffs, wie er bei Freyer vorliegt, haben könnte, noch nach den Faktoren, von denen Bedeutungswandel abhängt. Die Frage nach der Geschichte wird also im Sprachspiegel insofern ungeschichtlich, als mit dem Hinweis auf die vergangene Bedeutung von Wörtern nicht die Frage nach den materiellen Lebensprozessen, im besonderen nach der Produktionsweise verbunden wird, auf die sich die jeweils identifizierbaren älteren Bedeutungsschichten eines Begriffs beziehen ließen. Konkret müßte gefragt werden, unter welchen historischen Voraussetzungen die Bezeichnung einer speziellen, besonderen Arbeitstätigkeit (machen = ein Haus zusammenfügen) zum Wort für die allgemeinste Form von Tätigkeit werden konnte. Von dieser Fragestellung her käme man aber immer wieder auf den Zusammenhang zwischen Sprachentwicklung und ökonomischer Veränderung in einer Gesellschaft.

In den «Grundrissen der Kritik der polit. Ökonomie» (Berlin 1953, S. 25) reflektiert Marx auf den Begriff «Arbeit»:

«So entstehen die allgemeinsten Abstraktionen überhaupt nur bei der reichsten konkreten Entwicklung, wo Eines vielen gemeinsam erscheint, allen gemein. Dann hört es auf, nur in besondrer Form gedacht werden zu können. Andrerseits ist diese Abstraktion der Arbeit überhaupt nicht nur das geistige Resultat einer konkreten Totalität von Arbeiten. Die Gleichgültigkeit gegen die bestimmte Arbeit entspricht einer Gesellschaftsform, worin die Individuen mit Leichtigkeit aus einer Arbeit in die andre übergehen und die bestimmte Art der

Arbeit ihnen zufällig, daher gleichgültig ist. Die Arbeit ist hier nicht nur in der Kategorie, sondern in der Wirklichkeit als Mittel zum Schaffen des Reichtums überhaupt geworden, und hat aufgehört als Bestimmung mit den Individuen in einer Besonderheit verwachsen zu sein. Ein solcher Zustand ist am entwickeltsten in der modernsten Daseinsform der bürgerlichen Gesellschaften – den Vereinigten Staaten. Hier also wird die Abstraktion der Kategorie «Arbeit», «Arbeit überhaupt» Arbeit sans phrase, der Ausgangspunkt der modernen Ökonomie, erst praktisch wahr. Die einfachste Abstraktion also, welche die moderne Ökonomie an die Spitze stellt, und die eine uralte und für alle Gesellschaftsformen gültige Beziehung ausdrückt, erscheint doch nur in dieser Abstraktion praktisch wahr als Kategorie der modernsten Gesellschaft.»

So wie hier die allgemeine Kategorie «Arbeit» mit der Entstehung der Warenproduktion und die Verwandlung der konkreten Arbeitstätigkeit in eine bloße Funktion dieses ökonomischen Ziels der kapitalistischen Gesellschaft in Zusammenhang gebracht wird, könnte man auch den Vorgang der Bedeutungsentleerung in einem Wort wie «machen» mit historischen Prozessen in Verbindung bringen. Eine Konkretisierung und Überprüfung solcher Hypothesen wäre die Aufgabe der Sprachgeschichte.

Folgt er den Erklärungen des «Sprachspiegels», dann muß der Schüler die Geschichte ebenso als Aggregat von Ereignissen begreifen, wie ein Wort durch die vorgeschlagenen etymologischen Erklärungen zu einem Aggregat von irgendwie vergangenen und doch gegenwärtigen Bedeutungen wird. Über die Intensität und die Art der Beziehung zwischen den einzelnen historischen «Schichten» in Wörtern der Gegenwartssprache wird nichts gesagt. Alle alten Bedeutungen sind als irgendwie Vergangenes gleichzeitig in der Gegenwartssprache da.

Damit fallen wichtige Entscheidungen über das, was richtiger Begriffsgebrauch wäre. Durch den Kontext wird nahegelegt, daß Freyer die Wörter besonders adäquat verwendet, indem er auf der Benutzung älterer Bedeutungsschichten insistiert. Das heißt aber auch, daß richtiger Begriffsgebrauch mit der Bewahrung oder Wiederherstellung älterer (ursprünglicher) Bedeutungen zusammenhängt. Wirksam, aber undurchschaubar, ist damit ein kulturkritischer Ansatz verbunden, der durch die Aufwertung älterer Bedeutungsschichten die Forderung nach Wiederherstellung vergangener Verhältnisse verbindet. Im Text von Freyer ist dies offensichtlich: handwerkliche Produktionsweise wird durch das Insistieren auf älteren Bedeutungsschichten im Wort «machen» gegenüber industrieller aufgewertet.

«Das Lügenhafte der Verschiebung durch eine Art Kulturkritik, in welcher das verkniffene Pathos der Eigentlichen regelmäßig einstimmt, wird sichtbar daran, daß Vergangenheiten, die je nach dem Geschmack vom Biedermeier bis zu den Pelasgern reichen, als Zeitalter anwesenden Sinns figurieren, getreu der

Neigung, auch politisch und sozial die Uhr zurückzustellen . . .» (Adorno, Jargon . . . S. 33).

Ohne Reflexion auf das, was nach dem Stand der ökonomischen Entwicklung geschichtlich möglich ist, muß der Versuch, ältere Bedeutungsschichten von Wörtern gleichsam als Forderungen an die Praxis aufzuwerten, zur Ablenkung von der Geschichte im Namen von Geschichte führen. Indem die Beziehung der älteren Sinnschichten nicht bestimmt bleibt durch die Angabe der Lebensprozesse, auf die sie jeweils verwiesen sind, bleibt es ein Willkürakt des Interpreten, welche «Vergangenheiten» (aus dem etymologischen Aggregat eines Wortes) er zu «anwesendem Sinn» erklärt.

Jede geistesgeschichtliche Betrachtung muß in diesem Sinn durchaus willkürlich bleiben, weil sie die Frage, «wie» eine Bedeutung in einem Wort bewahrt ist, nur durch Verweis auf andere Wörter beantworten kann. Diese Kritik betrifft Aussagen des folgenden Typus, die denselben Charakter haben wie die kritisierten etymologischen Erklärungen: (Die dialektische Methode von Hegel und Marx) «leitet sich aus archaischen Überlieferungen her, und zwar vor allem aus dem Mythos von Fall und Wiederaufstieg der Seele, dem wir schon bei Platon begegnen . . .»[16]

Trennung der Sprachgeschichte von den materiellen Lebensprozessen, Verwandlung von Geschichte in ein Aggregat von irgendwie Vergangenem durch etymologische Fragestellungen, Erklärung von Wortbedeutungen aus dem Geist und geistiger Arbeit, Aufwertung von Betrachtungsweisen, durch welche eine bestimmte Gruppe von Allgemeinbegriffen eine besondere Würde erhalten und zum besonders adäquaten Gegenstand von Begriffsbestimmung werden – in diesen Aspekten stellt sich die Ideologie des «Sprachspiegels» dar – aber nicht nur die des «Sprachspiegels».[17]

In der «Lehre» wird auf diese Weise die Möglichkeit zu richtigem Begriffsgebrauch mit geistigen Fähigkeiten und etymologischen Kenntnissen verknüpft. Die gesellschaftlichen Bedingungen, die in die Verbindung von Handlungsanweisungen und sozialen Normen mit bestimmten Wörtern eingehen, bleiben unberücksichtigt.[18]

Hält ein Schüler sich an die Anweisungen des «Sprachspiegels», dann ist es bloß eine Frage der geistigen Arbeit, ob es ihm gelingt, einen Begriff wie «Treue» oder «Gehorsam», «sauber» (Muttersprache, S. 15) zu bestimmen und gegen andere Abstrakta richtig abzugrenzen. Auf diese Weise erwirbt er – bei allem Mißtrauen gegen seine geistigen Fähigkeiten und trotz der Autorität des Lehrers (des Buchs) – ein grundsätzliches Vertrauen in die eigene begriffsbildende Kraft. Denn auch er ist ja irgendwie Mitglied der Sprachgesellschaft, in welcher die Bedeutungen objektiv bewahrt sind. Er muß der Meinung sein, daß es in ihm ein Pendel (Riesman: innengeleitet) oder eine platonische Instanz gibt, die es ihm bei genügender «geistiger Anstrengung» ermöglicht, den richtigen Begriffsinhalt zu finden. Er muß der Meinung sein, daß es eine und nur eine richtige Bestimmung von «Kultur» und «Zivilisation», von «Natur» und «Unnatur», von «Gehorsam» und «Ordnung» gibt, weil ihm nirgends nahegelegt wird, zu fragen, wann, von wem und zu welchem Zweck diese Begriffe eigentlich in unserer oder irgendeiner anderen Gesellschaft benutzt werden. Wenn ihm – nach Meinung des Lehrers – die Bestimmung eines Begriffs nicht gelungen ist, dann muß er «mangelnde Erfahrung», geringere «geistige Formung» oder ähnliche individuelle Mängel dafür verantwortlich machen, denn auf die Idee, daß man sich vielleicht bei der Bestimmung von «Gehorsam» und «Natur» an anderen sozialen Normen als der Lehrer orientieren könnte, daß dies legitim ist ebenso wie die Verwendung anderer Erkenntnisse (etwa der Psychoanalyse, der Sozialpsychologie, der Soziologie) bei der Begriffsbestimmung heranzuziehen als der Lehrer (Philosophie, Morallehre, Theologie), das wird ihm von der «Lehre» nicht zugebilligt. Nach ihren Prämissen gibt es nur eine richtige Bedeutung und bei den «Begriffen im weiteren Sinn» wandelt sie sich auch nur mit dem kollektiven Geist, ist Unbestimmtheit ein Moment ihrer Identität im «geistigen Leben».

Die Frage nach der Art der Geltung einer Begriffsbestimmung wird nicht gestellt; der Charakter des Konflikts, der bei dem Versuch, Begriffe – gar in einer Gruppe – zu bestimmen, je nach der Funktion dieses Begriffs, mehr oder minder stark auftreten muß, wird nicht zum Gegenstand für Reflexion.

In Verbindung mit den Begriffen, die zur Übung vorgeschlagen werden, wird deutlich, daß die «Lehre» ein Instrument darstellt, mit dessen Hilfe die Schüler die besondere Moral der bürgerlichen Klasse als allgemeine und einzig mögliche methodisch verinnerlichen sollen. Durch die Lehre von der richtigen Bestimmung von Begriffen müssen ihnen die ideologischen Forderungen einer bestimmten gesellschaftlichen Gruppe in einer bestimmten historischen Situation zu allgemein menschlichen, immer gültigen Normen werden, weil die Bedeutungen der Begriffe tief in «der Sprache» verankert sind.[19] Es ist kein Zufall, daß die meisten Begriffe, die zur Übung vorgeschlagen werden, von der Art sind, durch die Beziehungen zwischen den Mitgliedern einer Gesellschaft interpretiert, geordnet und bewertet werden. Es geht um soziale Normen. Daß es darum geht, wird aber nicht gesagt, sondern durch verschleiernde Formulierungen gefordert:

«Verehrung, Respekt, Ehrfurcht, Achtung. Ordnen Sie diese Begriffe und erläutern Sie daran das entsprechende menschliche Verhalten!» (Muttersprache 8, S. 21, und Henss/Kausch 3, S. 29.)

«Das menschliche Verhalten» – jeder der Begriffe verweist also auf ein identisches entsprechendes menschliches Verhalten. Die «allgemeinen Fragen unseres Lebens» (Muttersprache, S. 15) werden durch die Erläuterungen von Gehorsam, Kultur, Dankbarkeit, Heldentum, Mut, Tapferkeit, Kühnheit, Frechheit, Furcht, Angst, Freiheit, Zivilcourage, Mensch, Person, Persönlichkeit, Natur, Unnatur, Kultur, Zivilisation, Technik, Gesetz, Recht, Gerechtigkeit, Freiheit, Willkür, Bindung, Schicksal, Patriotismus, Vaterlandsliebe,

Nationalismus, Chauvinismus, Weltbürgertum, Form, Sitte, Konvention, Volk, Nation, Staat, Gesellschaft, Begeisterung und Fanatismus («Muttersprache» in der Reihenfolge ihrer Nennung) geklärt. Bei Henss/Kausch sind es Arbeit und Job, Pflicht und Zwang, Geiz, Habgier, Neid.

Es bedarf schon einer ungeheuren Energie und des Einflusses starker außerschulischer Kräfte, wenn jemand den Kreis eines Denkens sprengen will, das durch die Würde dieser Begriffe getragen wird, und wenn er die «allgemeinen Probleme unseres Lebens», die durch diese Begriffe signalisiert werden, als Scheinprobleme durchschauen soll.

Die Frage wäre schon, was «unser» Leben wäre. Unterstellt wird, daß es für jeden in der Gesellschaft das gleiche Leben gibt, daß es für jeden sinnvoll und nützlich wäre, «allgemeine Probleme» so zu diskutieren, daß die angegebenen Allgemeinbegriffe für die Diskussion den Rahmen bilden. Indem dies aber als Prämisse suggeriert wird, wirkt schon eine ideologische Strategie.[20]

Natürlich können wir damit rechnen, daß wir im Gymnasium unter uns sind und wir von daher nicht zu fürchten haben, daß jemand unsere Begriffe durcheinanderbrächte, weil ihre Bestimmungen seinen Interessen nicht entsprechen. Eher geschieht es ja, daß jemand seine legitimen Interessen und Bedürfnisse für unmoralisch hält, weil die Begriffsbestimmungen sie diskreditieren. Die Frage müßte sein: Wer hat die Begriffe unter Aufsicht; wer hat die Menschen unter Aufsicht? Eine solche Kritik aber wäre einem Schüler nicht zu raten; es wäre nicht in seinem Interesse, als Schüler «Ordnung» anders zu interpretieren als die Schulordnung; Spielraum bekommt er aber dann, wenn es um einen Aufsatz über die Weltordnung geht, und es geht oft um die Weltordnung und weniger um die Schulordnung in Aufsätzen. Das Ziel, bestimmten sozialen Normen in unserer Gesellschaft Anerkennung zu verschaffen und die Schüler zu einer Diskussion von Allgemeinbegriffen auf hohem Abstraktionsniveau (Beispiele erlaubt für die «entsprechenden» menschlichen Verhaltensweisen!) zu bringen, ist ganz offensichtlich mit Herrschaftsinteressen verbunden. Zuerst erreicht man damit, daß Begriffe, von deren Gebrauch die Autorität vieler Personen abhängt, überhaupt ernst genommen werden (Didaktische Frage: Wer benutzt die Wörter Ehre, Gehorsam, Kultur, Schicksal? In welchen Situationen?).

Indem auf diese Weise jemand lernt, als wirklich ernsthafte Probleme diejenigen anzuerkennen, bei deren Formulierung diese Begriffe eine Rolle spielen, wird er zugleich von anderen Möglichkeiten, allgemeine Probleme zu formulieren, abgelenkt. Gegenüber der Frage nach dem «Wesen von Gehorsam»[21] und dem Unterschied zwischen «Person» und «Persönlichkeit» müssen ihm dann Fragen nach dem Zusammenhang zwischen der gesellschaftlichen Organisation der Produktion und den Verhaltensmustern einer sozialen Gruppe als unwesentliche Spezialprobleme erscheinen, die nach dem Gesetz der Arbeitsteilung der Gemeinschaftskunde zugeordnet werden, weil sie Spezialwissen erfordern, während man all die schönen Begriffsbestimmungen aus dem Sprachgeist selbst leisten kann.

Für den Unterrichtenden kann es unter diesen Voraussetzungen nur eines geben: Eine Kritik des Vorgangs, der hier Begriffsbestimmung und Definition heißt, in welcher mit der Würde der Gegenstände auch der Bann durchbrochen würde, mit welchem Denken belegt ist, solange es die Frage nach der «Person» und der «Persönlichkeit» nicht für ein Scheinproblem hält, dessen Konstruktion zu jener ideologischen Strategie des Bürgertums gehört, durch die die Aufmerksamkeit der politisch Ohnmächtigen von den objektiven Bedingungen ihres Lebens abgelenkt werden soll.

1 Siehe auch Wendula Dahle: Neutrale Sprachbetrachtung? Didaktik des Deutschunterrichts. In: Das Argument 49 (Heft 6/1968), S. 459 ff., für diesen Band überarbeitet, vgl. S. 133.

2 Hans Thiel: Unsere Muttersprache Bd. 8, Frankfurt am Main, o. J.; Deutscher Sprachspiegel Bd. 4, Düsseldorf 1964. Henss/Kausch: Deutsches Sprachbuch Bd. 3, Hannover/Kiel 1967[2].

3 Sprachspiegel Bd. 4, S. 14.

4 Zu den Methodiken von Essen und Ulshöfer vgl.: N. Büning: In demokratischem Gewand. Methodiken für den Deutschunterricht, in: alternative, Heft 61, S. 122.

5 Zum Thema Sachtexte in den Lesebüchern der Oberstufe vgl.: F. Fülberth: Philosophische und politische Texte in deutschen Lesebüchern, in: alternative, Heft 45 (Dez. 1965), S. 229 f.

6 Zum Problem Toleranz: W. Hofmann: Abschied vom Bürgertum, edition suhrkamp 399, Frankfurt am Main 1970, S. 32 f.

6a Karl Marx: Deutsche Ideologie S. 19 in MEW 3.

7 Vgl. M. Walser: Die Parolen und die Wirklichkeit. In: Heimatkunde. Aufsätze und Reden, edidion suhrkamp 269, Frankfurt am Main 1968, S. 58 ff.

8 Zum Stichwort Bedeutungsanalyse: «Die Frage nach dem Sinn als nach dem, was etwas eigentlich ist und was sich darin versteckt, schafft jedoch die nach dem Recht jenes Etwas vielfach unvermerkt, und deshalb um so prompter, fort; Bedeutungsanalyse wird ihr zur Norm für die Zeichen, nicht bloß, sondern fürs Bezeichnete. Das Zeichensystem Sprache, das durch sein pures Dasein von der Gesellschaft Bereitgestelltes überführt, verteidigt diese seiner eigenen Gestalt nach, noch vor allem Inhalt. Dem stemmt Reflexion sich entgegen . . .
Die sprachlichen Formen, als vergegenständlichte – und einzig durch Vergegenständlichung werden sie Formen –, überleben das, worauf sie einmal gingen, samt dessen Zusammenhang. Die ganz entmythologisierte Tatsache entzöge sich der Sprache . . .» (Th. W. Adorno: Jargon der Eigentlichkeit, edition suhrkamp 91, Frankfurt am Main 1964, S. 38).

9 Vgl. B. Daerr: «Kritisch angepaßt». Die neuen Richtlinien des Berliner Senats. In: alternative.

10 Frankfurter Beiträge zur Soziologie, Bd. 4, Soziologische Exkurse, Frankfurt 1956, S. 176.

11 M. Horkheimer: Ideologie und Handeln. In: K. Lenk: Ideologie, Soziologische Texte 4, Neuwied 1967[4], S. 313.

12 Vgl. dazu das 4. Kapitel in der «Semantik» von Hayakawa (S. J. Hayakawa: Semantik – Sprache im Denken und Handeln, Darmstadt o. J.). Dort diskutiert der
Autor «Begriffsbestimmung» am Beispiel der Herstellung eines Wörterbuches.
Über den Unterschied zwischen der pragmatistischen und marxistischen Sprachtheorie – eine solche ist nicht ausformuliert – kann hier nicht gesprochen werden. Die
wichtigste Differenz dürfte in dem unterschiedlichen Begriff von Geschichte liegen.

13 Vgl. M. Horkheimer: Bemerkungen über Wissenschaft und Krise. In: Kritische
Theorie I, Frankfurt am Main 1968, S. 7.

14 Vgl. M. Horkheimer: Materialismus und Metaphysik, S. 42f. ibid.

15 Vgl. W. Benjamin: Probleme der Sprachsoziologie. In: Angelus Novus. Ausge-
wählte Schriften II, S. 77.

16 Ernst Topisch: Sozialpsychologie zwischen Ideologie und Wissenschaft. Soziologische Texte 10, Neuwied 1961, S. 36.

17 Vgl. K. Laermann: Das Lesebuch als gesellschaftliche Institution. In: alternative,
Heft 45, S. 251f.

18 Vgl. M. Horkheimer: Materialismus und Moral, S. 75., S. 82f.

19 Vgl. Th. Metscher: Dialektik und Formalismus. Kritik des literaturwissenschaft-
lichen Idealismus. In: Das Argument 49, S. 482f., und M. Pehlke: Zur Technik der
konservativen Polemik. In: Sprache im technischen Zeitalter 26 (1968).

20 Vgl. G. Anders: Visit beautiful Vietnam, Köln 1968, S. 189f., und R. Barthes:
Afrikanische Grammatik. In: Kursbuch 2 (1964).

21 «Zur Tugend wird Gehorsam, wo er in Freiheit und Überzeugung vollzogen wird. Es
ist Anerkennung von Gebot und Verbot eines höheren Willens. Zur Charaktertugend
macht den Gehorsam sein sittlicher Wert für den einzelnen und sein sozialer Wert für
die Gemeinschaft . . .» (Muttersprache 8, S. 16).

Klaus Roehler
Die Abrichtung – Deutsche Sätze für Schüler und Erwachsene

I. Der alte Hirt und sein treuer Hund

1.

Eltern mit Kindern im schulpflichtigen Alter müssen immer wieder Fragen beantworten nach den Regeln, mit deren Hilfe ein deutscher Satz gebildet wird, Fragen also nach der oft schwer erkennbaren Vernünftigkeit dieser Regeln und nach der Heimtücke der Ausnahmen; praktische Grammatik ist das tägliche Brot aller Schüler. Der Arglosigkeit, mit der sie sich an der Muttersprache versuchen, sind die Eltern gewöhnlich nicht gewachsen. Plötzlich lassen Kenntnisse zu wünschen übrig, nicht jede Schulstunde hat das Gedächtnis beeindruckt, die Fähigkeit zum Beispiel, auf den ersten Blick einen Dativ von einem Akkusativ zu unterscheiden, war früher vielleicht weiter verbreitet. Das macht doppelten Ärger: einen über die eigene Vergeßlichkeit, einen größeren über Regeln, für die man den Kindern keine überzeugende Erklärung anbieten kann.

2.

«Grammatik» heißt «Sprachlehre»; sie beschreibt ein «endliches System von Regeln, das die Erzeugung unendlich vieler Sätze erklärt».[1] Bücher, die dieses endliche System von Regeln lehren, gelten für unentbehrlich für den, der die eigene oder eine fremde Sprache lernen muß oder will. Die Methode, mit der der Unterricht in Grammatik erteilt wird, ist einfach und von Lehrbuch zu Lehrbuch gleich. Jede Regel, die der Schüler sich merken soll, wird beschrieben und erklärt; Wort- und Satzmodelle belegen und üben die beschriebene Regel. Ein Beispiel: «1. Ein Auto fährt auf der Straße. 2. Die Schülerin schreibt ihrer Freundin eine Karte. 3. Im Zimmer steht ein Stuhl. 4. Der Bauer fährt mit seinem Knecht auf das Feld. 5. Der Briefträger bringt meinem Bruder einen Brief. 6. Der Turm dieser Kirche ist hoch. 7. Bringe dem Herrn seinen Hut.»[2] Jeder dieser Sätze ist als Übung für die Deklination von Hauptwörtern gedacht; da aber alle Sätze so tun als bedeuteten sie sonst nichts, rufen sie beim Lesen einen leichten Schwindel hervor. Der Versuch, von Beispiel zu Beispiel einen Zusammenhang herzustellen, auf den Lesegewohnheiten zu bestehen und die Aussage der Sätze aufeinander zu beziehen, provoziert Heiterkeit oder absurde Geschichten. Wer will, kann dieses Vergnügen mit jedem Buch wiederholen, das die Erzeugung unendlich vieler Sätze lehrt – vorausgesetzt, er vergißt die Schularbeiten und die Fragen der Kinder.

3.

Jeder Satz, den wir schreiben oder sprechen, ist abhängig von anderen, früher schon geschriebenen oder gesprochenen Sätzen. Er hat Vergangenheit, er ist ohne Kenntnis von und Erfahrungen mit ähnlichen Sätzen nicht denkbar; er ist nicht denkbar ohne sein Urmodell, das heißt, ohne den Satz, der so oder ähnlich ein erstes Mal von uns gesprochen oder geschrieben wurde. Die Lehrbücher der Grammatik sind von solchen Ursätzen voll. Jedes Kind, das zum Beispiel den Satz «Unsere Eltern sind gut» nicht schon zu Hause gelernt hat, wird diesen Satz spätestens in der Schule lernen; er fehlt in keinem Lehrbuch für die ersten Klassen. Der erwachsene Leser bemerkt ihn nicht ohne Verblüffung. Er erkennt etwas wieder; plötzlich liest er deutsche Sätze, die, obwohl sie so tun als seien sie nur Beispiele für die Regeln der Grammatik, an etwas ganz anderes erinnern. Es ist der Anfang einer Erinnerung: sie erkennt noch nicht wieder, was alle diese Sätze aussagen. Zuerst und ehe ihre Aussage überhaupt erkennbar wird, erinnern sie an Empfindungen, an eine Erfahrung. Sie erinnern an eine Erfahrung mit ähnlichen Sätzen; sie erinnern an eine über Jahre sich hinziehende Übung mit Personen, die alles besser wußten und immer recht hatten. Ein Teil Vergangenheit, erste Übungen, erste Erfahrungen mit einer ganz unverwechselbaren Art von deutschen Sätzen sind plötzlich wieder gegenwärtig, und das hat mit den Regeln der Grammatik nichts mehr zu tun.

4.

Wie alle Bücher hat auch jedes Buch, aus dem Kinder in der Schule lernen, eine große und zähe, von bewährten Vorfahren wimmelnde Verwandtschaft. Sie zu kennen ist Voraussetzung für den, der abermals ein Buch für Kinder in der Schule im Sinn hat. Beides versteht sich von selbst; die jeweils herrschenden Lehrpersonen bilden sich etwas darauf ein. Schon ein erster Blick in Lehrbücher der Grammatik aus den vergangenen siebzig Jahren – heute werden sie von den Herausgebern überschrieben mit «Spracherziehung» oder «Unsere Muttersprache» oder «Deutscher Sprachspiegel»[3] – zeigt, daß die herrschenden Lehrpersonen immer mehr erwarten als nur die Kenntnis dessen, was sich einmal im Unterricht bewährt hat: sie erwarten, daß das Bewährte, und sei es noch so betagt, Vorbild ist. Ehe deshalb die Verfasser von Schulbüchern sich ändernden Verhältnissen in der Gesellschaft wie im Unterricht nachgeben, prüfen sie, was vom Bewährten übernommen werden kann – und zwar prüfen sie großzügig, das heißt, sie schreiben voneinander ab. Die Mehrzahl der gängigen Lesebücher sind ein Beispiel für diese Arbeitsweise. Sie erklärt, weshalb sich Eltern von den Grammatiken ihrer Kinder plötzlich an etwas erinnert fühlen.

5.

Schüler in Frankreich, die die deutsche Sprache erlernen wollen, werden in praktischer Grammatik unterrichtet anhand eines Buches mit dem Titel «La grammaire de l'allemand moderne»[4]. Das heißt: Grammatik der modernen deutschen Sprache. Auch in diesem Fall genügen den Herausgebern die Vorbilder: in ihrer Grammatik findet sich, wider Erwarten, kaum ein deutscher Satz, der für den besonderen Zweck des Unterrichts an französischen Schulen geschrieben wurde; obwohl dieses Lehrbuch von Franzosen für höhere Schüler in Frankreich verfaßt und in Paris verlegt ist, sind Satzmodelle aus dem Unterricht an unseren Schulen in der großen Überzahl. «La grammaire de l'allemand moderne» hat also, obwohl sie eine elende Regel bestätigt, einen Vorzug – allerdings einen Vorzug, an den die Herausgeber nicht gedacht hatten. Da die Vorbilder für ihr Lehrbuch Lehrbücher aus den Ländern der Bundesrepublik Deutschland sind, unterrichtet es schnell und gründlich über deren Zustand; es gibt einen Überblick über die Bücher, die die Kinder hier in den vergangenen zwanzig Jahren deutsche Sätze bilden lehrten. Der Nutzen für die folgende Untersuchung ist, daß mit jedem Beispiel aus «La grammaire de l'allemand moderne» eine Vielzahl von heimischen Lehrbüchern zitiert werden kann.

6.

«Die Wahl von Syntax und Vokabular ist ein politischer Akt; er definiert und umschreibt, wie ‹Fakten› erfahren werden sollen. In einem gewissen Sinne schafft er sogar erst die Fakten, die untersucht werden.»[5]

7.

In allen Lehrbüchern der Grammatik finden sich, unterschieden nach der Satzaussage, drei Arten von Modellsätzen. Der Satz zum Beispiel «Im Zimmer steht ein Stuhl»[6] ist, für sich, ein objektiver Satz; er teilt einen Sachverhalt mit, ohne ihn zu werten. Der Schüler liest über das Zimmer nicht mehr als daß ein Stuhl darin steht. Ein Satz dagegen wie «Der Soldat steht Wache»[7] täuscht Objektivität nur vor; in ihm ist eine allgemeine Übereinkunft versteckt. Die Tatsache, die behauptet wird, ist eine getarnte Norm. Sie fordert, daß so, wie jeder Soldat antreten, gehorchen und schießen, er auch Wache stehen muß; «Soldat» und «Wache stehen» wird dem Schüler eingeredet als selbstverständlicher Zusammenhang. Der Satz «Der Soldat steht Wache» heißt also nichts anderes als «Der Soldat *soll* Wache stehen»; es ist ein getarnter Meinungssatz. Die dritte Art von Modellsätzen spricht gesellschaftliche Normen direkt aus. Es sind Sätze, die der jeweils herrschenden Meinung aufs Wort folgen und, unmißverständlich, selber Meinung bilden sollen. Sie belehren den Schüler über das, was lieb und was böse ist, darüber also, was die Gesellschaft der Erwachsenen für gut oder schlecht hält; es sind offene Meinungssätze. «Das Kind gehorcht seinem Vater»[8] oder «Ein Auto zu kaufen ist schön»[9] oder «Dieser Knecht dient seinem Herrn redlich»[10]: hier wird der Unterricht in Grammatik Mittel zu einem ganz anderen Zweck.

Anzumerken ist, daß für sich objektive Sätze ebensooft zu getarnten Meinungssätzen wie getarnte zu offenen Meinungssätzen werden. In beiden Fällen verändert Quantität die Qualität. Eine Häufung für sich objektiver Sätze zu den Themen «Der Hirt» oder «Der Jäger» zum Beispiel ist in der Regel Ausdruck einer Meinung; jede Häufung von getarnten Meinungssätzen zu einem bestimmten Thema hebt deren Tarnung auf. Andererseits kann ein für sich objektiver Satz dann zu einem getarnten Meinungssatz werden, wenn seine Aussage im Kontext aller Modellsätze als Ausnahme steht. «Er verdient sein Brot als Arbeiter»[11] zum Beispiel ist, für sich, ein objektiver Satz; vergleicht man aber in dem Lehrbuch, das ihn aufführt, die Anzahl der Sätze zum Thema «Der Arbeiter» mit der Anzahl der Sätze zum Beipiel zu dem Thema «Der Jäger», ist «Er verdient sein Brot als Arbeiter» ein getarnter Meinungssatz: das Verhältnis Arbeiter – Jäger ist 5 zu 22.

Für sich objektive Sätze und getarnte Meinungssätze sind in jedem Lehrbuch der Grammatik in der Mehrzahl. Die offenen Meinungssätze stehen wie beiläufig dazwischen; Häufungen, zum Beispiel bei Sprichwörtern oder Deklinations- übungen wie «Die guten Eltern», sind Ausnahmen, Wiederholungen des gleichen oder nur syntaktisch veränderten offenen Meinungssatzes dagegen die Regel. Alle Modellsätze zusammen, und dabei ist die Manipulation mit den für sich objektiven Sätzen wie mit den getarnten Meinungssätzen oft auf- schlußreicher als die Aussagen der offenen Meinungssätze, sind ein Abbild der Gesellschaft, in der diese Sätze gesprochen, geschrieben und gelehrt werden. Es ist ein grobes, dafür um so deutlicheres Abbild; an jedem Lehrbuch der Grammatik läßt sich besser noch als an den jeweils vergleichbaren Lesebüchern ablesen, wie eine Gesellschaft sich selbst versteht, wozu sie ihre Kinder erzieht und wie. Entworfen wird ein solches Abbild selbstverständlich immer von der Klasse, die die Gesellschaft beherrscht.

8.

Ein Kind ist von Natur aus hilflos; es ist für lange Zeit den Personen ausgeliefert, die es erziehen. Seine Schwierigkeiten, die Umwelt zu begreifen, stehen in keinem Verhältnis zu den größeren Schwierigkeiten mit dem Prozeß der Anpassung, dem es von den Erwachsenen unterworfen wird. Die Behaup- tung, jeder sei seines Glückes Schmied, ein Glaubenssatz nicht nur der kapitalistischen Gesellschaft, ist ein Beispiel für die Tücken dieses Prozesses. Der

Satz macht weis, es werde bei uns jeder, selbstverständlich auch das Kind, an seinen Fähigkeiten und nach seinen Bedürfnissen gemessen: die Fähigkeiten werden aber beurteilt von den herrschenden Erwachsenen, sie bestimmen die Bedürfnisse und regeln damit den Prozeß der Anpassung. Im Verhältnis Lehrer – Schüler gilt dabei als Voraussetzung, daß die Kompetenz des Lehrers größer ist als die des Schülers. Auch der Gebrauch, den der Lehrer von der Muttersprache macht, darf deshalb nicht angezweifelt werden. Da aber fast jede Lehrperson nicht den tatsächlichen, sondern einen wünschenswerten Sprachgebrauch lehrt, erwirbt der Schüler während des Unterrichts in der Schule keine Herrschaft über die tatsächlich gesprochene und geschriebene Sprache. Er wird angehalten dazu, einen wünschenswerten Sprachgebrauch nachzuahmen. Sätze zu bilden ausschließlich nach den Modellen, die der Lehrer entwirft; der Schüler wird erzogen zu platter Reproduktion. Es genügt, wenn er die herrschenden Erwachsenen verstehen lernt und sich ihnen in ihrer Sprache verständlich machen kann. Der Prozeß der Anpassung schließt aus, daß der Schüler, das Kind, etwas über sich selbst erfährt, etwas also über seine von denen der Erwachsenen so sehr verschiedenen Verhältnisse; es wird eingeübt in die Welt der Erwachsenen, es wird für deren Zwecke abgerichtet. Ein Vergleich mit Lesestücken für die ersten Klassen der Grundschulen[12] zeigt, wie lückenlos das System der Abrichtung ist. Auch hier wird das Kind mit Hilfe lächerlich einfältiger Modellsätze darüber belehrt, wie die Welt der Erwachsenen funktioniert, wie es im Warenhaus zugeht oder auf dem Flugplatz, wie gefährlich ein Auto auf der Straße ist und wie man den Eltern hilft; sich selbst lernt es kennen als ein Wesen, das im Sommer Ball spielt, im Winter Schlitten fährt und zum Geburtstag mit Wellensittichen überrascht wird. Wehren dagen kann es sich lange nicht.

9.

Entscheidend für den Erfolg einer Abrichtung ist der Zeitpunkt, den der Abrichtende wählt. Das gilt für die Dressur von Schäferhunden wie für die vergleichbaren Prozesse, denen der Mensch unterworfen ist. Die Modellsätze in den Lehrbüchern der Grammatik, Mittel und Teil einer größeren Unternehmung, werden ihm von den herrschenden Lehrpersonen eingeschärft in der Zeit seiner größten Hilf- und Arglosigkeit: weder das Kind noch der heranwachsende Schüler können die Aussagen dieser Sätze übersehen oder gar prüfen. Im Gegenteil: eine beträchtliche Anzahl davon wird unbewußt aufgenommen; noch ehe die Aussage überhaupt begriffen worden ist, hat sie sich schon eingeprägt allein durch die Methoden des Unterrichtens, durch ständiges Wiederholen also oder durch den Zwang, auswendig zu lernen. Das Kind wird mit Sätzen groß, deren Bedeutung es erst viel später erkennt oder nie mehr erkennen wird.

10.

Das älteste Lehrbuch der Grammatik, das für diese Untersuchung zum

Vergleichen benutzt wurde, erschien 1914 in Berlin.[13] Es enthält die Neubearbeitung eines Lehrstoffes, der sich, wie es im Vorwort heißt, «in 33 Jahren als ein praktisches und sicher zum Ziele führendes Buch bewährt» hat; es greift also auf eine Vorlage aus dem Jahr 1881 zurück. In der Neubearbeitung von 1914 beschreiben die Modellsätze einen vorindustriellen Ständestaat, bevölkert in der Hauptsache von Bauern, Hirten, Jägern, Soldaten, Lehrern, einem Kaiser und einem Gott; die allgemeine Gesinnung ist edel, alle Leute sind zufrieden und deshalb glücklich. Jeder hat seinen Platz und dort nur Gutes im Sinn; es ist eine Gesellschaft ohne Konflikte. Interessengegensätze wie etwa zwischen arm und reich sind unbekannt. Die Tugenden, die jeder übt, heißen Ordnung, Fleiß, Gehorsam, Treue und Bescheidenheit.

Im einzelnen sieht das Bild, das diese Gesellschaft von sich selbst entwirft und ihre Kinder lehrt, wie folgt aus. Nicht zitiert werden Modellsätze, die von der Schönheit der Landwirtschaft handeln, vom einfachen und gesunden und natürlichen Leben der Hirten und Jäger und ihrer Hunde und vom Segen des Handwerks; sie sind aus gängigen Lesebüchern bekannt.

«Die Mädchen, deren Brüder einjährig dienen, sind stolz. Ein braver Soldat wird nie verzagen. Ein braver Soldat verläßt seine Fahne nicht. Die Mutigen werden siegreich sein. Kaiser Wilhelm I. war stets siegreich. Der Kaiser siegte wider alle seine Feinde. Die Deutschen besiegten die Franzosen. Aus Liebe zum Vaterlande haben viele Krieger freudig ihr Leben in der Schlacht geopfert. Seit dem letzten Krieg ist Deutschland ein mächtiges Reich geworden. Dekliniere: unser Kaiser. Dekliniere: ein blankes Schwert.»

«Gehorcht euren Lehrern und folget ihnen. Ein gehorsames Kind ist der Eltern Freude. Die Eltern lieben euch. Je lieberes Kind, je schärfere Rute. Die Eltern geben uns Nahrung und Kleidung. Dein Vater ist gütig. Ein gutes Kind liebt seine Eltern. Ein gutes Kind gehorcht geschwind, gute Kinder folgen den Eltern auf den ersten Wink. Die Kinder, die artig sind, werden gelobt. Ein artiger Junge darf nichts gegen den Befehl des Vaters oder den Wunsch der Mutter tun. Ein folgsames Kind sträubt sich gegen den Willen der Eltern nicht. Die Rute macht die Kinder fromm. Demut, Zucht und Höflichkeit ziert Kinder mehr als schönes Kleid. Kinder dürfen gegen Erwachsene nicht naseweis sein, Schüler dürfen nicht unachtsam, unordentlich und unruhig sein. Ein guter Schüler hält seine Bücher immer sauber. Der faule Schüler sitzt auf der letzten Bank. Seid euren Eltern und Lehrern gehorsam, liebe Kinder! Dekliniere: gute Eltern.»

«Den Gesetzen muß man gehorchen. Strenge Herren machen gute Knechte. Wer gehorcht, ist gehorsam, wer folgt, ist folgsam, wer sich genügen läßt, ist genügsam. Übermut tut selten gut. Wer seinen Leidenschaften frönt, untergräbt sein Glück und nimmt oft ein schmähliches Ende. Die Strafe folgt dem Verbrechen. Das unvorsichtige Trinken schadet uns, man räuspert sich nicht in guter Gesellschaft, die Gewohnheit zu lachen ist albern, Müßiggang ist aller Laster Anfang. Fleiß schafft Brot, Faulheit bringt Not. Vergreife dich niemals an fremdem Gut, Unrecht leiden ist besser als Unrecht tun. Die rechte Goldgrube ist der Fleiß für den, der ihn zu üben weiß. Laßt euch nicht verführen!»

«Geben ist seliger als Nehmen, der Eifer zu arbeiten ist löblich, Bescheidenheit ist das schönste Kleid. Mit dem Hut in der Hand kommt man durch das ganze Land. Dekliniere: brave Leute. Der Bescheidene wird artig sein, die Mäßigen werden gesund sein. Üb immer Treu und Redlichkeit bis an dein kühles Grab. Man lobt die Treue der alten Deutschen, die Deutschen sind treu. Sei ehrlich, redlich, fleißig, treu in deinem Dienst, wie schwer er sei; denn Fleiß und Treu und reine Hand geht, wie man sagt, durchs ganze Land. Stelle folgende Adjektive prädikativ: der brave Mann, der tapfere Soldat, die fleißige Magd, der treue Hund. Züchtig, fromm, bescheiden sein, das steht allen Menschen fein. Ordnung halt in allen Dingen, wer befehlen will, muß erst gehorchen lernen. Untertanen sind wir. Hast du gelernt, was löblich ist, so üb es auch zu jeder Frist! Zufriedenheit ist ein großes Gut. Arme und alte Leute erhalten von den Reichen Almosen, trotz seiner Armut steht mancher Mensch in höchster Achtung.»

«Wer nur den lieben Gott läßt walten und hoffet auf ihn allezeit, den wird er wunderbar erhalten in aller Not und Traurigkeit.»

Die Frage in unserem Zusammenhang ist jetzt nicht, ob dieses Selbstbildnis einer Gesellschaft mit den tatsächlichen Verhältnissen im Deutschen Reich zwischen 1881 und 1914 übereinstimmt oder in welchen Klassen dieser Gesellschaft zum Beispiel der so hartnäckig vorgestellte brave Mann zu suchen wäre. Die Frage ist, welche Modellsätze und was für Aussagen nachweisbar sind in den Lehrbüchern der Grammatik, aus denen die Schüler in der Bundesrepublik in den letzten zwanzig Jahren lernten.

11.

Modellsätze über die Vortrefflichkeit des deutschen Kaisers gehen nach 1918 zwar zögernd, aber dann doch verloren; bald nach 1933 treten an ihre Stelle Sätze über das Genie des Führers; sie fehlen plötzlich nach 1945. Insofern sind die Verfasser und Herausgeber unserer Lehrbücher immer auf der Höhe der Zeit gewesen. Das erklärt auch, weshalb sie nach 1945 weniger offene Meinungssätze bilden; auf allzu offene Sätze wie «Die Rute macht die Kinder fromm» oder «Untertanen sind wir» verzichten sie ganz. Dagegen nimmt die Zahl der getarnten Meinungssätze zu, besonders die der für sich objektiven Sätze, die zu getarnten Meinungssätzen werden. Ein für sich objektiver Satz wie «Manch' bunte Blumen sind an dem Strand», der 1914[14] wie 1968[15] als Beispiel für die adverbialen Bestimmungen dient, ist dabei zunächst nur ein Hinweis auf die Zähigkeit des Bewährten, also wie etwa durch die Jahrzehnte und von Lehrbuch zu Lehrbuch abgeschrieben worden ist. Offene Meinungssätze, die ebenso unverändert von Lehrbuch zu Lehrbuch übernommen wurden, belegen dagegen mehr als nur ein Festhalten an vielleicht liebgewordenen Modellen für die Regeln der Grammatik. Der Satz zum Beispiel «Geben ist seliger als Nehmen» steht 1914[16] wie 1968[17] für die Möglichkeit, das Verb als Substantiv zu verwenden; der Satz «Mit dem Hut in der Hand kommt man durch das ganze Land» steht 1914[18] wie 1969[19] für Präpositionen, die den Dativ regieren. Beispiele dieser Art gibt es genug. Auch Aussagen etwa über das Verhältnis Eltern–Kinder und Lehrer–Schüler, über die Landwirtschaft, das einfache Leben in der Natur oder über das Ideal vom braven Mann erinnern an das, was sich in den letzten neunzig Jahren im Unterricht bewährt hat. Alles in allem entwerfen die Lehrbücher der Grammatik seit zwanzig Jahren von der Bundesrepublik Deutschland das folgénde Bild.

12.

Die Bundesrepublik ist ein Agrarstaat mit einigen Fabriken, bevölkert in der Hauptsache von Bauern, Hirten, Jägern, Lehrern, Hundehaltern, Autofahrern, Hausbesitzern und einem Gott. Früher einmal hat ein nicht näher beschriebener Krieg stattgefunden; das ganze Volk hat aber gelitten. Die Hauptstadt heißt jetzt Bonn. Die allgemeine Gesinnung ist edel; jeder hat seinen Platz und dort nur Gutes im Sinn. Konflikte sind nicht unbekannt: jedenfalls hat es sie früher gegeben; ein Satz wie «Heute baut man helle und saubere, mit Grünanlagen umgebene Werke, in denen die Arbeiter ein gesundes Leben führen können»[20] deutet immerhin an, daß Arbeiter in der Vergangenheit ungesund gelebt haben. Gegen die ebenfalls nicht näher beschriebene Verderblichkeit von etwas, das Zivilisation genannt wird, schützt man sich durch Reisen aufs Land. Die Tugenden, die jeder übt, heißen Ordnung, Fleiß, Gehorsam, Treue und Bescheidenheit.

13.

Einzelheiten aus dem täglichen Leben in dieser Gesellschaft[21] sind unter II zusammengestellt. Getarnte und offene Meinungssätze wurden dort nach ihrer Aussage zu bestimmten Themen geordnet; Sätze, die dieselbe Aussage wörtlich oder nur syntaktisch verändert wiederholen, werden nicht in jedem Fall zitiert. Alle Modellsätze sind unverändert – ausgenommen bei «Der brave Mann». Hier wurde der Deutlichkeit halber jeder Satz bezogen auf das, was er meint: eben den braven Mann. Auf Sätze über das Leben der Bauern, Hirten, Jäger und Handwerker wurde auch hier verzichtet. Anzumerken ist allerdings das Mißverhältnis zwischen der Anzahl solcher Sätze und der Anzahl von Sätzen über jüngste Geschichte oder über Technik und Industrie: in der Fülle der Sätze über die Natur, das Leben auf dem Land und das Handwerk lesen sich Sätze über den Arbeiter, eine Fabrik oder ein Flugzeug wie Nachrichten aus einer anderen Welt. Das gilt nicht für die vergleichsweise zahlreichen Sätze über das Auto. Hier drängt sich die Vermutung auf, daß die Verfasser unserer Lehrbücher dieses Vehikel als ein Stück Natur begreifen, daß also für die Sätze wie «Der Baum blüht» und «Das Auto fährt» nur zwei Ansichten derselben Sache sind;

andererseits belegen die Sätze über das Auto den Fetischcharakter, den es für die Gesellschaft hat. Modellsätze über den Hund werden zitiert deshalb, weil in allen Lehrbüchern der Grammatik kein Haustier so oft erwähnt wird wie gerade er. Seine Tugenden erklären, weshalb er bei den herrschenden Lehrpersonen so beliebt ist: er ist sauber, gehorsam und treu bis in den Tod.

Modellsätze aus der schönen Literatur führen die meisten Lehrbücher der Grammatik auf. Die Auswahl, die die Herausgeber treffen, folgt dem Beispiel der Lesebücher. In kaum einem fehlen heute etwa Bölls «Die Waage der Baleks» oder Eichs «Züge im Nebel»; solche Zugeständnisse an die sogenannte Moderne ändern nichts an den bewährten Konzeptionen. Auch in den Lehrbüchern der Grammatik führt in der Regel Goethe; es folgen Autoren wie Hermann Hesse, Ernst Wiechert oder Luise Rinser. Döblin, Kafka, Broch oder Brecht werden gewöhnlich zitiert mit Sätzen, die für diese Autoren so charakteristisch sind wie etwa der Satz «Heute hat es in London geregnet» charakteristisch ist für den Autor Karl Marx.

14.

So grotesk das unter II nachgezeichnete Bild unserer Gesellschaft auf den ersten Blick scheint, es stimmt mit der Ideologie ihrer herrschenden Klasse überein. Das gilt für die Vorstellungen von der Familie, Glucke also plus Ernährer; es gilt für das Verhältnis Eltern–Kinder, Lehrer–Schüler wie für die Liebe zum Eigentum, für die Meinungen über jüngste Geschichte, Soldaten, Polizisten oder den Arbeiter, der mit wenigen Sätzen in seine Grenzen verwiesen wird, aufs Fahrrad also oder zu den Kohlesäcken. Im Auto jedenfalls möchte man ihn sich lieber noch nicht vorstellen. Bezeichnend in diesem Zusammenhang ist, was alles verschwiegen wird, worüber man besser nicht spricht bei Tisch, was man besser nicht zur Kenntnis nimmt. Dazu zählen alle Konflikte, die nicht – wie im Verhältnis Lehrer–Schüler – autoritär zu lösen sind; von den Schwierigkeiten im Umgang mit der Technik zum Beispiel oder von Politik ist keine Rede. Der brave Mann in den Lehrbüchern der Grammatik liest nur schöne Literatur, er kennt keine Parteien, er wählt nicht; in seinen Kreisen beschäftigt sich ein anständiger Mensch mit Politik nicht.

Anzumerken ist, daß menschliche Eigenschaften wie Fleiß oder Ordnung keineswegs von vornherein nützlich sind. Nicht in allen Gesellschaften finden zum Beispiel fleißige Diebe oder ordentliche Mörder öffentlich so viel Beifall, daß jeder angehalten werden könnte, ihnen nachzueifern. Erst bei einem System von Eigenschaften, das in sich alle Widersprüche ausschließt, kann von Tugenden die Rede sein. Das Ideal vom braven Mann ist ein solches Tugendsystem. Die Summe der in ihm vereinten Eigenschaften meint nur eins: Unterwerfung; die Ausschließlichkeit, mit der sie gelehrt und gefordert wird, verbietet sich vorzustellen, daß der Mensch vielleicht auch andere, bessere Eigenschaften hat. Insofern ist Fleiß eine zweifelhafte, sind Fleiß plus Ordnung bedenkliche,

Ordnung plus Fleiß plus Gehorsam gemeingefährliche Eigenschaften, wenn eine Mehrheit im Lande sie für Tugenden hält.

15.

Der Prozeß der Abrichtung in Elternhaus und Schule verschärft den Objekt-Status des Kindes; in der Schule macht dieser Prozeß, und der Unterricht in Grammatik ist ein Teil davon, aus Schülern bloße Produktionsidioten. Er unterdrückt die Fähigkeit, kritisch zu denken; er desorientiert die Schüler in der Wirklichkeit. Das ist früher so gewesen, daran hat sich bis heute wenig geändert. Lehrbücher, deren Verfasser nicht an den bewährten Vorfahren hängen, sind ebenso Ausnahmen wie Versuche mit neuen Methoden des Unterrichtens. In der Regel geht es in unseren Schulen, besonders in den Grund- und Berufsschulen, zu wie eh und je – und sei es nur deshalb, weil die Lehrer vor viel zu großen Klassen stehen. Wer täglich mit dreißig bis fünfzig Schülern in einer Klasse zu tun hat, vergißt die besten Vorsätze schnell. Das System zwingt ihn zu autoritärem Auftreten; die Abrichtung nimmt ihren Lauf.

Zu den ersten Ergebnissen zählen die Aufsätze, die Schüler schreiben. Sie zeigen, daß die Desorientierung nicht auf Inhalte beschränkt ist. Sie betrifft ebenso den Gebrauch, den der Schüler von der Muttersprache macht. Mit den Aussagen der Modellsätze in seinem Lehrbuch reproduziert er deren Syntax, den formelhaften Aufbau also, die Perversion durch grammatische Logik; seine Sprache erstarrt in Fertigsätzen. Die über Jahre hin eingeübten Satzmodelle lähmen die Ausdrucksmöglichkeiten dessen, der sie reproduziert. Das ist weniger ein ästhetisches, es ist ein gesellschaftliches Problem. Modellsätze über Hunde, Jäger, den braven Mann sind, nach Aussage und Syntax, untauglich für die Darstellung komplizierter Vorgänge in einer Industriegesellschaft; wer sich, und das gilt wieder besonders für Grund- und Berufsschüler, nach der Schulpflicht und weiter vielleicht ein Leben lang mit Schulsätzen dieser und ähnlicher Art behelfen muß, also auch in diesen Sätzen denkt, kann gar nicht anders als alle Informationen so zu reduzieren, wie er es in der Schule gelernt hat: auf das inhaltlich wie grammatisch einfachste Muster. Das aber heißt, er ist wehrlos gegenüber jedem Informanten, der ihm komplizierte Vorgänge als etwas im Grunde ganz Einfaches einredet. Zu vergleichen wären in diesem Zusammenhang die Modellsätze in den Lehrbüchern der Grammatik mit der zu Hauptsätzen zerhackten Sprache zum Beispiel in der *Bild*-Zeitung; zu fragen wäre, inwiefern die beschränkte Brauchbarkeit der in der Schule gelernten Sprache zur Ausbildung von Sondersprachen beigetragen hat. Die Antwort darauf wäre zugleich einerseits eine Erklärung für die Schwierigkeiten von Studenten, sich Arbeitern verständlich zu machen, andererseits für die Unfähigkeit einer vorsätzlich – unter anderem mit Hilfe des Unterrichts in Grammatik – desorientierten Klasse, Studenten zu verstehen oder sich selbst zu artikulieren.

Folglich führt jeder Versuch, die unter einem bestimmten grammatischen Stichwort aufgeführten Modellsätze nach der Aussage zu ordnen und daraus etwas wie eine Geschichte herzustellen, zu vertrauten Ergebnissen. Von der üblichen Literatur unterscheiden sich diese Texte durch die Art der Herstellung: am Anfang steht nicht ein Einfall, kein Bescheidwissen in groben Zügen über Verlauf und Ende; es werden nicht Satz auf Satz Sätze für eine Geschichte erfunden. Die Originalität erschöpft sich darin, vorgefertigtes, nach Aussage und Stil verschiedenes Wort- und Satzmaterial kausal miteinander zu verbinden. Das ist, zunächst, nicht mehr als ein Zusammensetzspiel, ein Zeitvertreib. Dann aber überraschen die Ergebnisse gerade deshalb, weil sie so vertraut sind. Sie erinnern nicht nur an vergangene oder vergehende, sie erinnern ebenso an gegenwärtige schöne Literatur. Mit anderen Worten: mit etwas Geschick und Geduld, ganz gewöhnlichen Eigenschaften also, ließe sich ein erheblicher Teil der deutschen Literatur nach 1945 rekonstruieren mit Hilfe von Lehrbüchern der Grammatik aus der gleichen Zeit. Das gilt besonders für die gerade wieder so beliebte Kurzprosa; an Parodie ist dabei nicht gedacht. Und weiter: gesetzt den Fall, es fände sich jemand, der die Werke unserer tapfersten Roman- und Dramenschreiber zu Modellsatz-Katalogen verkürzt, jeder Leser könnte sich in Zukunft seine schöne Literatur selber machen. Niemand müßte dann noch fürchten, daß ihn Literatur mit tatsächlichen Ereignissen belästigt.

II.   Grammatik der modernen deutschen Sprache

Vater, Mutter

Wenn ich gut lerne, sind meine Eltern froh

Die Eltern kümmern sich um ihre Kinder

Die Mutter ist um ihr krankes Kind besorgt

Der Vater ist besorgt um seinen Sohn

Die Mutter wäscht das Kind

Der Vater verbietet seinem Sohn das Rauchen

Gedenke derer, die dich erzogen haben

Die guten Eltern

die guten Eltern

den guten Eltern

der guten Eltern

Der Vater liest seine Zeitung

Meine Mutter läßt sich ein neues Kleid nähen

Wenn das Kind krank ist, ruft die Mutter den Arzt
Die Mutter bügelt die Wäsche
Das Essen wird von der Mutter gekocht
Die Mutter hat dem Kind ein neues Kleid gekauft
Die Rechnung wird von meinem Vater bezahlt
Alle Eltern freuen sich über die guten Zeugnisse ihrer Kinder

Ihre   guten Eltern
        gute Eltern
ihre   guten Eltern
        guten Eltern
ihren   guten Eltern
        guten Eltern
ihrer   guten Eltern
        guter Eltern

Der Sohn sorgt für seine Eltern

Ich helfe meiner Mutter zu arbeiten

Im Krieg sind alle Väter Soldat

Lehrer und Schüler

Ja, ich gehe gern in die Schule

Der Schüler sagt: «Ich habe meine Aufgabe gemacht»
Das Mädchen bringt der Lehrerin einen Blumenstrauß

Der Schüler ist fleißig
Der Schüler hört aufmerksam zu
Der Schüler läuft schnell in die Schule
Er ist stolz auf seine gute Note

Wenn du gut lernst, bekommst du ein gutes Zeugnis

Du mußt dich an den Lehrer wenden

Bringt mir einen Stuhl! Setzt euch! Zeigt mir eure Aufgaben! Seid nicht so laut!
Klettert nicht auf die Bäume! Eßt langsam! Seid ruhig! Nehmt eure Hefte! Steht
auf! Zieht euch an! Gebt mir die Hand! Geht nach Hause! Lernt fleißig!

Warum lernst du fleißig? Damit ich ein gutes Zeugnis bekomme und die Eltern
sich freuen

Der Lehrer ist nicht zufrieden mit dem faulen Schüler

Der Lehrer bestrafte die Kinder streng, deren Arbeit nicht gut war. Die Schüler
dachten nämlich oft mehr an das Spiel als an ihre Aufgaben, und wenn die Eltern
dem Lehrer nicht geholfen hätten, hätten viele Kinder niemals schreiben können

Der Lehrer ärgert sich über den schlechten Schüler
Er spielt, anstatt zu arbeiten

Der Lehrer droht dem schlechten Schüler

Der Schüler weint über sein schlechtes Zeugnis

Der fleißige Schüler hat saubere Hefte und Bücher, eine schöne Mappe; er zeigt
seinem stolzen Vater sein gutes Zeugnis

Der brave Mann

Er erwacht um sieben Uhr und steht sogleich auf

Er hat eine hohe Stirn, ein gutes Herz

Nachdem er früh aufgestanden ist, wäscht er sich

Er hat nur ein einfaches Kleid, aber dasselbe ist frisch und sauber

Mit dem Hute in der Hand kommt er durch das ganze Land

Er will nicht zu viel auf einmal

Das Glück seiner Tage wägt er nicht mit der Goldwaage

Er begnügt sich mit einem Strohlager

Er hütet sich vor dem Alkohol

Er raucht im Kino nicht

Er quält die Tiere nicht

Er ist ein selbstloser Mensch

Er bleibt im Lande und nährt sich redlich

Wes Brot er ißt, dessen Lied er singt

Er spricht nicht mit vollem Munde

Er dient seinem Herrn

Er dient seinem Herrn redlich

Er folgt seinem Herrn

Er bringt seinem Herrn den Hut

Er hat viel Selbstbeherrschung

Er vergilt nicht Böses mit Bösem

Er ist der treueste Kunde unseres Geschäfts

Das Eigentum, die Eigentümer

Nachdem die Eltern gestorben waren, teilten die Kinder das Erbe

Das Haus besteht aus einem Erdgeschoß und einem Stock

Klein, aber mein

Wir wohnen in unserem eigenen Haus

Ein Garten umgibt das Haus

Dieses Haus ist frei von Schulden

Der Garten ist klein, aber schön

Man soll die Haustür abends schließen

Das alles ist unser

Das Haus des Direktors Mayer

Das Haus Direktor Mayers
Das Haus des Herrn Direktor Mayer
Das Haus Herrn Direktor Mayers
Oh, wie schön ist dieses Haus!
Ich beneide dich um deinen schönen Garten
Hätte ich nur ein schönes Haus!
Der arme Mann bettelt vor der Kirche
Jedem das Seine!

1 Weinrich, Kritik der linguistischen Kompetenz, Akzente, 16. Jhrg. Heft 5, München 1969.

2 Chassard/Weil, La grammaire de l'allemand moderne, Paris, 1968.

3 Schorer/Wiechmann/Reiss, Lebendige Sprache, alle Hefte 2.–9. Schuljahr, Frankfurt, alle Auflagen bis 1967.
Hopff/Iben, Spracherziehung, Heft 1–6, Frankfurt, alle Auflagen bis 1967.
Thiel, Unsere Muttersprache, Heft 1–8, Frankfurt, alle Auflagen bis 1967.
Kiehn/Pohl, Deutsch, Arbeitsbuch für Frauenschulen, Hamburg, alle Auflagen bis 1967.
Martens/Hebel, Deutsches Sprachbuch, Heft 7–9, Frankfurt, 1963.
Schablin, Kurze deutsche Grammatik, Frankfurt, 1965.
Bornemann/Schmidt/Specht, Lebendige Muttersprache, Teil I–IV, Stuttgart, alle Auflagen bis 1967.
Rahn/Pfleiderer, Deutsche Spracherziehung, Teil III -VII, Stuttgart, alle Auflagen bis 1967.
Hirschenauer/Thiersch/Weber, Deutsches Sprachbuch für höhere Schulen, Band 3–9, München, alle Auflagen bis 1967.
Muthmann/Jeismann/Hassel, Wort und Sinn, Paderborn, alle Auflagen bis 1966.
Klinzing, Mein Sprachbuch, Heft 1–5, Berlin, alle Auflagen bis 1963.
Fesenfeld/Pröve, Deutsche Sprachwelt, Band II–III, Berlin, 1961.
Deermann/Stukenberg, Wege zur Muttersprache, Heft 4–6, Berlin, 1962.
Henß/Kausch, Deutsches Sprachbuch für höhere Schulen, Band 2–3, Berlin, 1964 und 1966.
Arnold/Glinz, Deutscher Sprachspiegel, Band 1–4, Berlin, alle Auflagen bis 1967.
Schwartz/Warwel, Westermann Sprachbuch, Heft 1–4, Braunschweig, alle Auflagen bis 1965.
Arens/Straube, Unser Deutschbuch, Darmstadt, alle Auflagen bis 1965.

4 wie 2.

5 Laing, Phänomenologie der Erfahrung, Frankfurt 1968.

6 wie 2. 7 wie 2. 8 wie 2. 9 wie 2. 10 wie 2. 11 wie 2.

12 Holm/Klinzing, Mein Sprachbuch, Ausgabe für Berlin, Heft 1, Berlin, Hannover, Darmstadt, 1956.

13 Schulze/Reimann, Lehrstoff für den grammatischen und orthographischen Unterricht in der Vorschule, Berlin 1914.
14 wie 13. 15 wie 2. 16 wie 13. 17 wie 2.
18 wie 13. 19 wie 2. 20 wie 2. 21 wie 2. 22 wie 2.

Nanne Büning
In demokratischem Gewand

Der Deutschunterricht an höheren Schulen in der Bundesrepublik und West-Berlin wird heute weitgehend von zwei Methodiken bestimmt – Erika Essen: *«Methodik des Deutschunterrichts»*, 6. überarbeitete Auflage. Quelle & Meyer, Heidelberg 1968. 310 S. – Robert Ulshöfer: *«Methodik des Deutschunterrichts»*. Band 1, Unterstufe, 3. durchgesehene Auflage. Ernst Klett Verlag, Stuttgart 1967. 333 S. – Dass., Band 2, Mittelstufe I, 7. durchgesehene Auflage. 1968. 216 S. – Dass., Band 3, Mittelstufe II, 4. erheblich veränderte Auflage. 1966. 244 S.

Die erste Auflage der Methodik von Essen erschien 1955. Nachfolgende Auflagen brachten Zusätze zu einzelnen Kapiteln. Die Oberstufenteile «Sprachbetrachtung» und «Das Sprachwerk» wurden in der neuesten Auflage überarbeitet: Es mußten «in behutsamen Ansätzen Zugänge eröffnet werden zur strukturalistischen Sprachbetrachtung und zu einer objektiveren Erfassung des literarischen Werkes im Hinblick auf das Verständnis moderner Dichtung und auf den Charakter des Experimentellen in der Sprachgestaltung» (Vorwort zur 6. Aufl.). Grundlegende Veränderungen brachte keine Neuauflage.

Anders liegen die Verhältnisse bei Ulshöfers Methodik. Sie berücksichtigt trotz ihres erheblichen Umfangs bis heute nur die Unter- und Mittelstufe des Gymnasiums. Zunächst erschien 1952 der erste Mittelstufenband (U II), 1957 folgte der zweite Band für die Mittelstufe (U III), und erst 1963 kam der Unterstufenband (U I) heraus. U I ist seitdem bis auf geringfügige Zusätze unverändert geblieben. Dagegen wurden U II und U III stark verändert. «Die Grundlagen des Werkes . . . wurden nicht angetastet», versichert Ulshöfer im Vorwort zur sechsten Auflage von U II, «sondern lediglich gegen Mißverständnisse besser abgeschirmt». Welcher Art die «Mißverständnisse» waren, erläutert der Autor im Vorwort zur vierten Auflage von U III: «Auf der Suche nach einem unserer demokratischen Erziehung gemäßen sozialpädagogischen Bildungsbegriff haben wir 1957 den Begriff der Ritterlichkeit (fairness) und das Leitbild des ritterlichen, sozialtätigen, helfenden Menschen (gentleman) eingeführt, wobei selbstverständlich weder an Feudalismus noch an Militarismus noch überhaupt an irgendwelche restaurative Tendenzen gedacht wurde (wie jedem aufmerksamen Leser von vornherein klar sein mußte). Bemerkenswerterweise ist der Begriff aber von gewissen Kritikern[1] in genau dieser Richtung mißverstanden worden. Das zeigt erneut, wie sehr ganze Begriffsgruppen heute noch belastet sind, weil sie einmal mißbraucht worden sind. Wir verzichten deshalb auf diesen Begriff, freilich nur, um das Gemeinte, den sozialpädagogischen Bezug des Bildungsbegriffs, aus dem Grundgesetz und den Länderverfassungen sowie aus dem Grundsatz der muttersprachlichen Bildung noch ausführlicher zu begründen.»

Schon eine flüchtige Durchsicht der Mittelstufenbände läßt Zweifel an den Beteuerungen von Loyalität und Reformeifer aufkommen. Denn Streichungen und Änderungen scheinen nicht etwa da vorgenommen worden zu sein, wo bestimmte Konzepte oder Ausdrücke «mißverständlich» waren, sondern im Gegenteil dort, wo sie allzu eindeutig im Sinne einer elitären Ideologie aufgefaßt werden mußten. In U III beispielsweise stellt der Autor mit Hilfe einer tabellarischen Übersicht einen Vergleich zwischen Drama und Film an. Die alten Auflagen charakterisierten unter der Rubrik «Erkenntnis» das Drama: «Schwere Kunst für Schauspieler und Dramatiker. Für geistig anspruchsvolle Menschen»; den Film: «Technisierte und teure Kunst auch für die gaffende und träge Masse» (2. Aufl., S. 229). Die vierte, «erheblich veränderte» Auflage ersetzt «für geistig anspruchsvolle Menschen» durch das neutrale «anregend und kurzweilig für den Zuschauer» sowie das eindeutige, angeblich mißverständliche «auch für die gaffende und träge Masse» durch die Formulierung «für die Gesamtheit der Bevölkerung» (S. 224).

Diese und andere Beispiele lassen den Verdacht aufkommen, daß die vorgenommenen Änderungen bloß oberflächliche Zurücknahmen sein könnten, daß die Affirmation gegenüber Demokratie und Grundgesetz lediglich rhetorischen Wert hat. Die folgende Untersuchung will diesem Verdacht an Hand dreier Themenkreise nachgehen. Die ihrem Anspruch nach ungleich «moderne» Methodik von Erika Essen sei zum Vergleich herangezogen. Zwei Fragen seien an die Methodiken gerichtet: 1. Welches Gesellschaftsbild implizieren die Ausführungen der Autoren? 2. Auf welche Rolle in der Gesellschaft werden die Schüler vorbereitet und auf welche nicht?

Erziehung und Bildung

Essen wie Ulshöfer wollen die Schüler erklärtermaßen für die demokratische Gesellschaft erziehen. Dabei spielt bei beiden die Erziehung zur «Gemeinschaft» eine entscheidende Rolle. Schon in der ersten Gymnasialklasse sollen die Schüler, nach Essen, sich als eine «Gesprächsgemeinschaft» verstehen lernen. Die «Zuwendung zum Partner» wird in der Unterstufe systematisch im Arbeitsgespräch, beim Vorlesen und Zuhören und im Stegreifspiel erlernt. Die Mittelstufe stellt die Beziehung des Schülers zur «Sache» in den Vordergrund. Die beiden «Haltungen» vertiefen und vermitteln soll der Oberstufenunterricht, wobei es darauf ankommt, daß der Schüler «die Mannigfaltigkeit des Weltanschauens und die Offenheit der menschlichen Weltwirklichkeit» begreife (Essen, S. 282).

Dieses der Vorstellung einer pluralistischen Demokratie entsprechende Erziehungsziel hat sich bei Ulshöfer erst in den Neuauflagen in vorsichtigen Ansätzen herausgebildet. Bis dahin wurde «Offenheit» zugunsten klarer Leitbilder und Leitideen abgelehnt. Daß aber trotz erklärter Zweifel in den späteren Auflagen die Leitbildidee durchaus nicht überwunden ist, zeigt sich daran, daß die in früheren Auflagen der «Idealbildung» und der «Festigung des Leitbildes» dienenden Übungen und Übungsthemen fast durchweg beibehalten wurden, während Hinweise auf deren Nutzen zur «Idealbildung» im allgemeinen eliminiert sind. Berichte über das Leben «großer Männer» sollen im Schüler ein Leitbild festigen, das der Jugendliche in der Pubertät – so hieß es in den früheren Auflagen – unbedingt zu seiner Bildung und Entwicklung in dieser Zeit benötige. In den Neuauflagen fehlt zwar die psychologische Begründung; aber die immer noch vorrangige Rolle «großer Männer» im Unterricht beweist, daß dem Schüler weiterhin das Klischee «Männer machen Geschichte» vermittelt wird, daß er selbst dem Leitbild dieser Männer (früher hieß es bei Ulshöfer auch «Führer») nacheifern und nachfolgen soll.

Die «Gesprächsgemeinschaft» soll auf das «Streitgespräch» nicht verzichten. Im Unterschied zum angelsächsischen Muster der «debate», das Ulshöfer in seinen Äußerlichkeiten übernimmt, sollen zwei gegensätzliche Thesen «auf höherer Ebene versöhnt» werden. Das so gewonnene Harmonie-Ideal kann der Schüler dann getrost nach Hause tragen. Essen betont dagegen, daß das Ergebnis eines Gesprächs «sehr wohl eine offene Frage sein kann» (S. 281).

Gemeinschaftserziehung besteht für Ulshöfer nicht in der Erziehung zu partnerschaftlichem Verhalten (wie Erika Essen sie vertritt), sondern in der Schaffung einer «wertvollen» Gemeinschaft. Ulshöfer fordert zwar «ein zugleich gesellschaftliches und kameradschaftlich-freundschaftliches Verhältnis» in der Klasse; diese Leerformel füllt er aber gleich darauf selbst mit wenig demokratischem Inhalt. Er fordert vom Lehrer, «die guten Elemente der Klasse gegen die schlechten auszuspielen», sobald sich Spannungen «zwischen dem Geist der Ordnung und der Unordnung» zeigen (U II, S. 27). Die eindeutige Ausrichtung aller Schüler nach einer vom Lehrer gesetzten Idee oder einem Vorbild wird in den Neuauflagen nur eingeschränkt. Autoritäre Entscheidungen des Lehrers werden geschickt als demokratische «Verträge» und «Spielregeln» deklariert. Als Beispiel für Ulshöfers «Unterricht als Regieführung» sei ein «Vertrag zwischen Lehrer und Schülern» aus dem Unterstufenband zitiert: ««Wollt ihr ein Spiel vorbereiten . . .?» – ‹Ja.› – ‹Gut, aber nur unter einer Bedingung: Ihr macht alle mit, sorgt *selbst* für Ordnung und rasche Erledigung, denn wir haben nur eine beschränkte Zeit zur Verfügung. Wollt ihr das?› – ‹Ja.› – ‹Gut, ich hoffe, wir müssen nicht abbrechen, weil ihr den Vertrag brecht.› – Appell an die guten Kräfte!» (S. 65 f. Hervorhebung des Verfassers.) Die Einverständnis heischenden Fragen des Lehrers, der selbstverständliche Gebrauch des «Wir» für Lehrer und Schüler täuschen antiautoritäres, demokratisches Verhalten des Lehrers vor. Der Appell an die Selbsttätigkeit der Schüler in Sachen Ordnung sorgt für Internalisierung der Herrschenden. Drohende Sanktionen – Abbrechen des «Spiels» – zeigen jedoch das wahre Gesicht der Integration in die «Gemeinschaft». Hier wird die gleiche «Partnerschaft» demonstriert, die dem Schüler später in Gesellschaft und Wirtschaft begegnen wird.

Die Gefahren in Ulshöfers Vorstellung von Erziehung und Bildung liegen auf der Hand: Der Schüler richtet sich in allem nach der Meinung des Lehrers. Von der «Norm» abweichende Schüler haben indes nicht etwa direkte Sanktionen vom Lehrer zu erwarten, sondern werden unter dessen indirekter Lenkung von den Mitschülern – ganz «demokratisch» – zurechtgewiesen. Die Gefahren von Essens Erziehungsvorstellung sind subtiler (wie Essen überhaupt selten so klare Angriffsflächen für eine Kritik wie Ulshöfer bietet): die durch den Deutschunterricht angestrebte Haltung der «Offenheit» bleibt formal, denn sie schließt veränderndes Eingreifen in die Wirklichkeit nicht ein. Müssen nicht Sprache und Literatur dem Schüler ähnlich abstrakt und unverbindlich bleiben? Feste Positionen sind ebenso unerwünscht wie tätige und konkrete Kritik. Es ist bezeichnend, daß Essen diese Erziehung zur «Offenheit» – «politische Bildung im weitesten Sinn» nennt (S. 282).

Gemeinsam ist beiden Autoren, daß sie in ihren Methodiken das privilegierende Schulsystem in der Bundesrepublik als selbstverständlich hinnehmen. Daß das Gymnasium eine Schule der Auslese darstellt, ist für Essen und Ulshöfer unbefragte Notwendigkeit. Ulshöfer ist hierin nur wieder sehr viel deutlicher: die «schlechten» Schüler müssen «ausgeschieden» werden (U III, S. 159). Folgerichtig findet sich bei beiden Autoren auch nicht ein Hinweis auf Methodenfragen des Deutschunterrichts an Gesamtschulen.

Sprache und Sprachunterricht

Sprache definieren die beiden Methodiken (nach Weisgerber) als das «Bindeglied zwischen Mensch und Gott», als den «großen geistigen Mittler, ohne den es kein geistiges Leben gibt» (Ulshöfer U III, S. 76); Sprachforschung hat darum «immer mit letztlich unergründlichem Geheimnis» zu tun (Essen, S. 176). Im «Benennen der Wesen und Dinge» (U III, S. 171) liege der Ursprung der menschlichen Sprache. Die zweite Auflage von U III sprach noch vom «magischen Benennen» (S. 174) der Dinge, was darauf hindeutet, daß für Ulshöfer nicht die Notwendigkeit menschlicher Kommunikation das Benennen der Dinge verursacht, sondern daß ein ursprünglicher – magischer – Zusammenhang zwischen dem Namen und dem Ding besteht. Essen verlangt: «Diese Zusammengehörigkeit von Wesen und Benennung sollte für das Kind Leitvorstellung bleiben» (S. 78). Sie erklärt, daß die Betrachtung des Wortes Aufschlüsse über das bezeichnete Ding geben kann, ohne allerdings ein Beispiel dafür anzuführen. Ihren im Vorwort geäußerten Anspruch, «Zugänge» zur «strukturalistischen Sprachbetrachtung» zu eröffnen, scheint die Autorin dem Oberstufenunterricht vorbehalten zu haben. Oder sollte «Strukturalismus», der sich nie mit Essens (und Ulshöfers) Behauptungen über die Sprache einverstanden erklären könnte, eine Leerformel sein?

Die wissenschaftlich längst als unhaltbar erkannte Sprachauffassung der deutschen Linguistik um Leo Weisgerber, daß «Wesen» und «Benennung» in einem ursprünglichen Zusammenhang stehen, führt Ulshöfer zu ständigen Wortfelduntersuchungen und Begriffsbestimmungen, besonders von Wörtern mit «gesinnungsbildender Kraft» wie Höflichkeit, Recht, Mut usw. In der neuesten Auflage von Essen erscheint zwar Basil Bernsteins wichtiger Aufsatz «*Soziokulturelle Determinanten des Lernens*»[2] immerhin im Literaturverzeichnis, die Methodik selbst aber bleibt von Bernsteins Erkenntnissen unberührt. Wenn Essen darauf hinweist, daß die «verschiedenen Lebensbereiche sich auch als Sprachbereiche unterscheiden» (S. 243), so meint sie damit die verschiedenen Fachsprachen, nicht die schichtenspezifischen Artikulationsvermögen und das entsprechend unterschiedliche Verhältnis zur Sprache überhaupt. Differenzen in der Sprachfähigkeit besonders bei Schülern der Unterstufe[3] sind individual-psychologisch als «Hemmung» oder «Triebhaftigkeit» aufgefaßt (S. 35 f.). Lediglich der Gebrauch des Dialekts wird unter sozialpsychologischem Aspekt, dem Unterschied zwischen Stadt und Land, gesehen: «Wenn Kinder von Hause aus Mundart sprechen, sollte gerade der Deutschunterricht ihnen diesen sprachlichen Heimatboden zu erhalten suchen» (S. 39). Es darf im Gespräch und bei vielen Übungen durchaus die Umgangssprache benutzt werden.

So fragwürdig die Rede vom «sprachlichen Heimatboden» in seiner angenommenen Unmittelbarkeit ist, Essens Anleitungen zum Grammatikunterricht zeigen, daß ihr Verhältnis zum «unergründlichen Geheimnis» Sprache doch nicht ungebrochen ist. Beherrschung der Grammatik gilt ihr mehr als die Meisterung stilistischer Feinheiten. Bei bestimmten Übungen im Grammatikunterricht kommt es ausdrücklich nicht auf «Gefälligkeit», sondern auf das genaue Erarbeiten und Gliedern komplizierter Vorgänge durch Sprache an. Für ein Kind aus der Arbeiterklasse, das nach Bernstein vornehmlich in ungegliederten Sätzen spricht, ist solche nüchterne Schulung sinnvoller als die beliebten Stilübungen vieler Spracherziehungswerke. Essen sieht das sprachpädagogische Problem (wenn auch nicht in seinem sozialen Kontext), wenn sie zur Vorsicht gegenüber dem Begriff «Stilbildung» mahnt: «Auch die unbeholfene und rohe Sprache kann ... Klarheit anstreben, und das muß dem Spracherzieher zunächst einmal das Wichtigste sein» (S. 228).

Zur Überwindung der tatsächlich vorhandenen Sprachbarriere zwischen verschiedenen Gesellschaftsklassen etwas beizutragen, ist für Ulshöfer nicht erstrebenswert, denn: «Deutsch bleibt ein Auslesefach» (U I, S. 139). Es gibt eben für die «höhere Bildung» Begabte und Unbegabte. In U III stellt Ulshöfer eine sehr fehlerhafte Schülerarbeit mit folgendem Kommentar vor: «Bei der Fülle der Fehler fragen wir: Ist der Junge überfordert, oder gehört er nicht in die Klasse?» (S. 110). In den früheren Auflagen folgte hier noch eine «mißverständliche» Aussage: «Er gehört zu den vielen, welche die Höhere Schule ohne Gewinn durchlaufen; praktisch begabt, sollte er die Mittelschule oder Volksschule besuchen» (2. Aufl., S. 109). Anstatt sprachlich gehemmte Kinder, wie es Essen versucht, u. a. durch Stegreifspiele zu fördern, lehnt Ulshöfer diese ab, gerade weil sich das Kind dort der «Alltagssprache» bedient. «Gassendeutsch ist verboten; Mundart wird zurückgedrängt», lautet eine von Ulshöfer mit seinen Schülern «gemeinsam» festgesetzte «Spielregel» in einem «Vertrag» über das Klassengespräch (U I, S. 31 f.). – «Lassen wir Sextaner oder Quartaner sprechen, ‹wie ihnen der Schnabel gewachsen ist›, so verraten wir Spracherziehung und Geist der Schule» (U I, S. 23). Vielmehr ist die Ausbildung eines «gepflegten» und «wertvollen» Stils von großer Wichtigkeit. Bei dieser Verkennung und Abwertung der Sprachwirklichkeit verwundert es nicht, daß Ulshöfer eine «Grammatik der gesprochenen Sprache» zu lehren ablehnt (U III, S. 164) und daß das «Rundgespräch» für ihn der Erziehung zum Schreiben dient, «denn es führt in den Besinnungsaufsatz ein» (U III, S. 93). Ulshöfer zieht es vor, Sprachbetrachtung auf «sprachlich wertvolle» Texte zu beschränken. «An keinen inhaltlich oder sprachlich wertlosen Texten Übungen veranstalten, damit das noch nicht ausgebildete Qualitätsgefühl für Sprache nicht fehlgeleitet werde, sofern die Texte nicht als schlecht gekennzeichnet sind und in gutes Deutsch übertragen werden sollen» (U I, S. 23). Für ihn kommt die Sprache der Massenmedien weder in der Unter- noch in der Mittelstufe als Unterrichtsgegenstand in Betracht – bei dem Anspruch, auf «moderne Forderungen» an den Deutschunterricht einzugehen[4], immerhin erstaunlich.

Essen bringt zahlreiche Übungen zur Sprache von Politik, Reklame und Massenmedien, zu dem «situationsbezogenen Schrifttum der täglichen gesellschaftlichen Wirklichkeit» (S. 237) – allerdings erst in der Oberstufe. Die Schüler der Oberstufe sollen zu «einem grundsätzlichen Gespräch über Reklame überhaupt» kommen (S. 269); sie sollen den Aufbau einer Zeitung und die verschiedenen Stilarten in den einzelnen Zeitungsressorts durchschauen lernen. Auf konkrete gesellschaftliche Zusammenhänge verweisende Fragen: warum sich die Werbung überhaupt so raffinierter Mittel bedienen muß, wie und mit welcher Intention Nachrichten in Presse, Rundfunk und Fernsehen gegeben werden – bleiben ausgeklammert.

Literatur und Literaturunterricht

Die Auffassung vom Literaturunterricht in den beiden Methodiken ist im wesentlichen an Diltheys Konzept orientiert. Die «Begegnung mit dem dichterischen Sprachwerk» soll den Schülern zum «Erlebnis» und «Ereignis» werden, «Stimmung» vermitteln. «Versenkung» in die Kunst, von Benjamin als «Schule asozialen Verhaltens»[5] bezeichnet, wird schon in der ersten Gymnasialklasse geübt: «Jedes Kind steht nur dem Gedicht gegenüber, *horcht* in das Gedicht hinein und spricht, was es in sich hört» (Essen, S. 49. Hervorhebung durch E.).

Einfühlung in die Gestimmtheit des Dichters (als Beispiel Rilke!) ist noch auf der Oberstufe Aufgabe des Literaturunterrichts (Essen, S. 252). Immerhin sieht Essen diese Literaturauffassung in der jüngsten Auflage in bezug auf Gegenwartsliteratur als «problematisch» an (S. 253). Ulshöfer hat die ärgsten Stellen in der Neuauflage von U II gestrichen. In den älteren Auflagen war es Aufgabe des Lehrers, «die Schüler aus ihren Alltagsgedanken . . . [zu] lösen und in eine gehobene Stimmung» zu versetzen (4. Aufl., S. 141). Der «pontifikalen Linie» in der deutschen Lyrik entspricht eine «pontifikale Linie» im Literaturunterricht, die bei Ulshöfer auch in der neuesten Auflage folgerichtig in «kleinen Dichterfeiern» ihren Ausdruck findet (U II, S. 161).

Daß Essen die Literatur ausschließlich unter dem Aspekt ihrer Sprache und Gestalt behandelt wissen will, soll den Schülern die Erkenntnis der «Werte» erleichtern und ungestört deren «Verinnerlichung» ermöglichen. Dichtung muß dem Schüler als etwas von seiner eigenen konkreten Situation Losgelöstes erscheinen. Die Frage nach der «Daseinswahrheit», dem «Überpersönlichen», «zeitlos Gültigen» wird zur letzten und «eigentlichen» Frage erklärt: «Bei der Auswahl [von Lektüre für den Deutschunterricht] werden wir nicht so sehr nach den Inhalten oder den Zeitbedingtheiten der Werke zu fragen haben, als vielmehr danach, ob und wieweit sie in ihrer Gesamtgestalt Dichtung und Denken gültig repräsentieren» (S. 238). Eine über der historischen und konkreten Wirklichkeit liegende «allgemeine» Wirklichkeit soll Dichtung dem Schüler vermitteln. «Je größer der Dichter, um so mehr ist unser Erkennen ein Wiedererkennen von Wirklichkeit, die wir besitzen, ohne es zu wissen. So erkennen die Schüler, daß wahre Dichtung *unhistorisch* ist» (S. 265, Hervorhebung durch E.). Wird ein Werk weder nach Inhalten noch nach «Zeitbedingtheiten» befragt, so ist es nur konsequent, auch religionsphilosophische, zeitgeschichtliche oder soziologische Bezüge aus dem Literaturunterricht und dem Deutschunterricht insgesamt herauszuhalten. Nur die Philosophie («das denkende Aussagen») verweist Essen nicht aus dem Deutschunterricht, da sie so abstrakt verstanden wird, daß keine konkreten Inhalte von der «Betrachtung der Sprache» ablenken könnten.

Ulshöfer gelangt zu demselben didaktischen Ergebnis, nur tritt an die Stelle der «reinen Interpretation» (die er verwirft) das «Gestalten». Ganz im Sinn der Arbeitsschule von Kerschensteiner heißt es: «Der Weg zum Verstehen führt über das Tun» (U I, S. 68). Die Gestaltungsübungen sollen, nach Ulshöfer, bewirken, daß die Schüler im «tätigen Umgang» mit Texten sich einüben in das Erkennen von «Werten» und «Unwerten»: «Die eigene Leistung bringt sie zur

Erkenntnis des Rangunterschiedes und zur Einsicht in das Wesen eines abgerundeten sprachlichen Gebildes» (U I, S. 71). Dichtung, so erkennen die Schüler, ist für den Unerleuchteten unerreichbar, der Dichter wird zum Vorbild, dem man im Bewußtsein der eigenen Unfähigkeit nacheifert.

Eigene Gestaltungen der Schüler, die nicht der Einsicht in die «Größe» solcher Autoritäten dienen, sind Ulshöfer suspekt. Die Phantasie muß unter Kontrolle genommen werden, denn: «Die ungebundene Phantasie entartet» (U I, S. 42). Essen dagegen plädiert für die Beweglichkeit der Phantasie, die zur «inneren Gesundheit» des Kindes gehört, (S. 39) zum Beispiel durch eine schriftliche Übung: «Nun bin ich schon seit Freitag in Ausdenkia – Ein Brief an Frau Dr. E.» Wer aber glaubt, Erika Essen wolle durch solche Übungen etwa die Fähigkeit der Kinder zu utopischen Entwürfen, zu phantasievollem Planen fördern, sieht sich durch ihre eigene Begründung des «frei schaffenden Sprachgestaltens» enttäuscht: «Wenn es uns wichtig erscheint, durch die Spracherziehung die eigenen Schaffens- und Gestaltungskräfte des Kindes ins Ursprüngliche zurückzuleiten, die eigene Vorstellungswelt wieder lebenskräftig werden zu lassen, so möchten wir damit erstreben, daß der junge Mensch wieder zur eigenen Lebensmitte findet. Wir möchten die ‹Äußerung› zurückführen auf die wieder erstarkende Fähigkeit zur ‹Innerung›, zur Besinnung und zur Einkehr in den Reichtum der eigenen inneren Welt» (S. 40).

In verständliche Verlegenheit versetzt die an solchen Erziehungszielen orientierte Deutschdidaktik die zeitgenössische Literatur. Tunlichst ist diese für den Unterricht in der Unterstufe auch kaum vorgesehen, allenfalls Gedichte können empfohlen werden. Anders in der Mittelstufe. In den Neuauflagen von Ulshöfers einschlägigen Bänden rücken die Modernen stark in den Vordergrund. Texte von Binding, Hesse, Bergengruen, Hausmann und anderen wurden gestrichen und durch neue von Heym, Th. Mann, Böll, Brecht, Schnurre, Andres, Eich, Lenz und vielen anderen ersetzt. Selbst Hans-Magnus Enzensberger, Walter Höllerer, Ivan Goll und Paul Zech, sogar Walter Mehring, Johannes R. Becher und Peter Huchel finden ihren Platz in den Neuauflagen.

Nur ist es schwieriger geworden, an ihren Texten die alten Wertbestände zu demonstrieren. Wie sollen Autoren, die das propagierte Wertsystem nicht bestätigen, den Schülern vorgestellt werden? Die Vorschläge Ulshöfers benutzen die altbekannten Interpretationsschemata. Ulshöfer warnt die Deutschlehrer: «Auf eine Gefahr möchten wir bei der Arbeit mit der Kurzgeschichte aufmerksam machen: auf die *weltanschauliche Interpretation*. Diese führt zur Vergewaltigung des Textes. Aus der Erzählung ‹*Die unwürdige Greisin*› von Brecht zum Beispiel möchten wir kein Menschenbild ableiten, das in bewußtem Kontrast zum Christentum zu sehen ist, wenn diese Geschichte auch ihren Ursprung aus einer sozialistischen Ideologie nicht verleugnen kann» (U II, S. 116 f. Hervorhebung durch U.).

Widersprüche, die am sorgsam abgeschirmten «Sinngefüge» rütteln könnten, müssen also aus dieser Literatur entfernt werden. Am Beispiel der Brechtschen Erzählung vom «*Verwundeten Sokrates*» weist Ulshöfer den Weg aus solchem Dilemma.

In Brechts Erzählung verrät der Soldat Sokrates die Interessen der Herrschenden: als es zur Schlacht kommt, flieht er, gerät in ein Dornenfeld, brüllt und schlägt um sich aus Todesangst. Die Herrschenden wollen in ihm den Helden feiern, der die Perser zum Stehen brachte. Es folgt die Geschichte von der unheldenhaften Weigerung des Sokrates. Er kann nicht zum Areopag gehen. In seinem Fuß sitzt noch immer der Dorn, der ihn am Weiterlaufen gehindert hatte. Also in Verlegenheit, erzählt Sokrates den Hergang. Seine Freunde gehen mit dieser Kunde in die Stadt. – Ulshöfer zieht aus dieser für Sokrates blamablen Affäre seine eigenen Schlüsse. Indem er wohl die christliche Tugend der Aufrichtigkeit honorieren will, verkehrt er die Brechtsche Intention, nämlich menschliche Größe an ihren Folgen zu beurteilen, ins Gegenteil. Setzt doch Sokrates ohne Absicht und subjektives Verdienst, allein aus Verlegenheit, eine Erkenntnis in Umlauf, deren Folgen absehbar sind: er überführt den Heldenbedarf der Herrschenden und gibt ihn der Lächerlichkeit preis.

Die Koppelung von Heldenfiguren an Herrschaftsinteressen wird Ulshöfer kaum als «werthaltig» weiterempfehlen dürfen. Wo Brecht vor «Größe» warnen will, läßt Ulshöfer sie in «neuer Form» auferstehen: «Daß Brecht ... unser idealisiertes Bild von Sokrates zerstört – wie er überhaupt jede Idealisierung und Heroisierung großer Persönlichkeiten als trügerische Verzeichnung entlarven möchte – ist bedeutsam, daß es ihm aber gelingt, eine neue Form von Größe im Unscheinbaren, Niedrigen, Alltäglichen zu zeichnen, zeigt den produktiven Künstler. So auch im ‹*Verwundeten Sokrates*›» (a. a. O.).

Nimmt es Wunder, daß Ulshöfer in seinem abendländischen Rettungseifer nicht nur das Renommé des Sokrates als «große Persönlichkeit» wiederherstellt, sondern in der neuesten Auflage von U III selbst Brecht Eingang findet in die Galerie der «großen Männer» – unmittelbar neben Bismarck und Moltke?

Es bleibt festzuhalten: Ansätze zu einer Neuorientierung des Deutschunterrichts bei Ulshöfer und auch bei Essen finden sich nicht. Der Deutschunterricht, wie beide Methodiken ihn anbieten, perpetuiert den Charakter des Gymnasiums als Mittelklasseninstitution. D. h. die Unterschicht bleibt – entgegen dem grundgesetzlich verbrieften Recht auf «Chancengleichheit» sowie den Effektivitätsforderungen der Wirtschaft – von der «höheren Bildung» ausgeschlossen. Weniger, weil Ulshöfer und gewiß nicht Essen ihr diesen Zugang verwehren wollten, sondern weil die didaktischen Verfahren in dem Maße eine rationale Aneignung von Wissensstoff ausschließen, als sie diese an die Indoktrination der Mittelstandsideologie binden. Das Weltbild, in dessen Rahmen die Schüler allein zu erfolgversprechenden Leistungen kommen können, ist auf ein normatives Wertsystem fixiert, in dem die Mittelschicht ihre ökonomisch-soziale Verfügungslosigkeit kompensiert und das der Unterschicht mangels Umgang mit «höheren Werten» unzugänglich ist. Das bei Ulshöfer unverändert ständestaatliche Leitbild erscheint in demokratischem Gewand. Die Berufung auf einzelne Artikel des Grundgesetzes macht die Deutschdidaktik noch nicht demokratisch. Auslese und Internalisierung des Autoritätsprinzips sind die approbaten Mittel, die Ulshöfer gegen die Widersprüche in Bildungssystem und Gesellschaft praktiziert und empfiehlt. Essens Methode ist zweifellos «moderner», d. h. den Bedürfnissen der heutigen westdeutschen Gesellschaft angepaßter: Sie glaubt, durch formalisierte Haltungen von «Toleranz» und «Offenheit» jegliche Widersprüche verbalisierend ausgleichen zu können, und sieht nicht, daß das Ergebnis ihres Unterrichts das gleiche wie bei Ulshöfer ist – nur daß Ulshöfers schlecht verbrämte autoritäre Erziehungsmethoden den Schüler zum Widerspruch herausfordern, Essens freundliches «Offenlassen» dagegen Harmonie vortäuscht und Einsicht in die Notwendigkeit von Obstruktion gegen die Entleerung von demokratischen Inhalten eher verhindert.

1 Gemeint ist wohl vor allem der Aufsatz von Anneliese Schulze: «Der ritterliche Mensch. Zur Leitbildidee in Robert Ulshöfers ‹Methodik des Deutschunterrichts›» in: «Deutschunterricht», Berlin(-Ost), Jg. 14 (1961), S. 425–440. A. Schulze weist besonders auf Ulshöfers (von Flitner hergeleitete) ständestaatliche Vorstellungen und auf sein Elite-Ideal hin.
2 In: Soziologie der Schule. Kölner Zeitschrift für Soziologie und Sozialpsychologie, Sonderheft 4. Köln u. Opladen 1966.
3 In späteren Klassen gibt es dank der «Auslese» durch das Gymnasium (und den Deutschunterricht) keine so auffallenden Differenzen mehr.
4 Man vergleiche das Vorwort zur neuesten Auflage von U I (über «Texte aus dem Bereich der Technik») und die Aufsätze von Ulshöfer in den jüngsten Jahrgängen der Zeitschrift «Der Deutschunterricht».
5 Das Kunstwerk im Zeitalter seiner technischen Reproduzierbarkeit. Frankfurt 1963. S. 43.

Wendula Dahle
Neutrale Sprachbetrachtung?
– Zur Didaktik des Deutschunterrichts –

Die in den letzten Jahrzehnten erfolgten Untersuchungen zu dem Laut-, Wort- und Bildmaterial der Sprache, zu den ästhetischen Eigenarten der verschiedenen Gattungen und zu einigen grammatikalischen Fragen haben ohne Zweifel den Deutschunterricht bereichert und der impressionistischen Willkür im Umgang mit Dichtung etwas Einhalt geboten. Allerdings erscheint durch die immanente Textdeutung das Kunstwerk nicht mehr als komplexes Phänomen in seinen verschiedenen Bezügen, auch wird das Menschliche ästhetisiert und die historische Dimension aufgehoben. Diese für die bürgerliche Literaturwissenschaft, besonders für den New Criticism von Weimann kritisch aufgezeigte Entwicklung[1], die vielleicht erst jetzt und in den folgenden Jahren in der Schulgermanistik ihre volle Ausprägung erfahren wird, hat jedoch eine von Weimann als bedingt positiv verstandene Konsequenz nicht erkennen lassen: den Verzicht auf sogenannte lebenskundliche Erkenntnisse. Diese dringen gerade über die sprachbetrachtende Interpretation von Dichtwerken in den Deutschunterricht ein. Die Ursachen hierfür mögen einerseits in der Lehrerrolle des Deutschdidaktikers selbst liegen, in der er sich vor allem als Pädagoge, als Erzieher der Jugend, und nicht so sehr als Wissensvermittler begreift: zwar wählt er nach den Maßstäben der heutigen, einflußreichen Literaturkritiker und Literaturwissenschaftler seinen Stoff für die Schule aus, doch ist er selbst nie Kritiker; er kann auf die Reflexion und offene Rechtfertigung seiner Auswahlkriterien verzichten und als unkritischer Vermittler von Formen und Inhalten sein gesellschaftliches Bewußtsein in die Methode der Interpretation eingehen lassen. Bestärkt wird der Deutschlehrer in dieser Rolle durch die Erwartung der Eltern, Schüler und Kollegen, daß im Deutschunterricht die «Sache» nur ein Anlaß für die angestrebte «persönliche Aussprache» sein werde[2]. Andererseits mag es wissenschaftsgeschichtliche Gründe haben, daß besonders in der deutschen Höheren Schule das Korrektiv einer intensiven Textinterpretation für den induktiven Literaturunterricht nicht so wirksam werden konnte wie zunächst im New Criticism selbst: Wissenschaftliche Richtungen wie die strukturelle und generative Grammatik, die allgemeine Semantik und auch der New Criticism mit dem Prinzip des close reading haben in Deutschland durch die eigene nationale Entwicklung keine Tradition. Einige Ergebnisse und Methoden dieser Richtungen wurden importiert, als Ausweg aus dem nationalen Engagement der Literaturwissenschaft angeboten und als «Kunst der Interpretation» der subjektiven Willkür des Betrachters überantwortet sowie als Ergänzung zu einer allseits praktizierten metaphysischen spekulativen Sprachinhaltsinterpretation begrüßt. Als methodischer Ansatz zu einer Revision der tradierten Zielsetzungen des Deutschunterrichts wurden sie nicht genutzt.

In den letzten Jahrzehnten sind dem Deutschunterricht entsprechend der jeweiligen gesellschaftlichen und politischen Situation sehr unterschiedliche und zum Teil widersprechende pädagogische Ziele gesetzt worden. Bis heute läßt sich weder aus den Richtlinien der Länder zum Deutschunterricht noch aus Methodiken und Fachaufsätzen eine einheitliche Konzeption über Lehrziele, Lehrinhalte oder Unterrichtsmethoden ablesen. Eine systematische Inhaltsanalyse des Faches, die Aufschluß darüber geben könnte, ob die in den Lehrplänen und Methodiken vorgeschlagenen Veränderungen überhaupt schulpraktische Relevanz gewinnen konnten, steht noch aus[3]; sie wäre besonders wünschenswert, weil gerade der Deutschunterricht als an die «Persönlichkeit des Lehrers» gebundenes Fach verstanden wird[4], so daß stärker als bei anderen Schulfächern die jeweiligen «subjektiven Voraussetzungen»[5] Inhalt und Methode des Unterrichts bestimmen. Erika Essen, deren umfassende «Methodik des Deutschunterrichts» 1969 in der 8. überarbeiteten Auflage erschienen ist[6], wurde in den letzten Jahren zu der einflußreichsten Vertreterin einer sprachlich orientierten Richtung des Deutschunterrichts. Ihr Ziel ist es, den «fachlichen Dilettantismus» des Deutschlehrers durch die Anleitung zu einer «planvoll fortschreitenden Unterrichtsarbeit» zu überwinden[7].

Erika Essen demonstriert in ihrer «Methodik» an zahlreichen einzelnen Unterrichtsbeispielen eine Unterrichtspraxis, die durch das durchgehende Prinzip der «Sprachbetrachtung» die herkömmliche literatur- oder problemgeschichtliche Orientierung des Deutschunterrichts ablösen soll. Die Systematisierung, die die Autorin anstrebt, stellt den Versuch dar, die Grundformen für den muttersprachlichen Unterricht deskriptiv-verstehend herauszuarbeiten und diese im Hinblick auf die ihnen zugeordneten zwischenmenschlichen Beziehungen mit den jeweiligen Bildungszielen zu koordinieren[8]. In Anlehnung an das Bühlersche Funktionsmodell der Sprache[9] systematisiert Essen nach «sprachlichen Grundhaltungen», die sie als «Einstellungen und Verhaltensweisen» zur «sprachlichen Bewältigung der subjektiven und objektiven Wirklichkeit» versteht[10]. Die Herausbildung dieser «Grundhaltungen» im Deutschunterricht wird von ihr nicht nur als Prinzip der «Lebenshilfe», sondern auch als ein Ziel der «Menschenbildung» verstanden: «Haben wir es mit Sprache zu tun, so haben wir es zu tun mit dem Menschen, arbeiten wir an der Sprache eines Menschen, so rühren wir damit an den Kern seines Wesens und Handelns[11].»

Soziales Verhalten wird von ihr nach sprachlichen Normen typisiert, das Handeln des Menschen wird zum «Sprachhandeln», die «menschliche Gesellschaft» selbst findet ihre «Verwirklichung» in der Sprache: «In der Dichtung wiederholen sich die Grundformen des Sprachhandelns in Grundformen der Gestaltung: als Lyrik (Äußerung), Drama (Gespräch) und Epos (Darstellung)[12].»

Die Frage nach den *Konsequenzen* dieser Auffassung von «Sprachbetrachtung»[13] und «Sprachbildung» für die Entwicklung des Deutschunterrichts hat ihre aktuelle Bedeutung in der Diskussion um eine Neuorientierung des Deutschunterrichts; in dem Bemühen um einen emanzipativen, innovativen Unterricht und um die Förderung sprachlich benachteiligter Kinder aus sozial unterprivilegierten Schichten ist der «Sprachunterricht» in den Mittelpunkt des Interesses gerückt. Diese Diskussion hat noch kaum zur Kenntnis genommen, daß die von Essen und anderen Sprachdidaktikern aus der Weisgerber-Schule entwickelte Methode der «Sprachbetrachtung» weder einer Neuorientierung in der Bestimmung von Lerninhalten und Zielsetzungen dient noch zur kompensatorischen Spracherziehung einen Beitrag leisten kann, sondern diesen Bestrebungen faktisch entgegenwirkt.

Erste Konsequenz: Alte Inhalte erscheinen in einem neuen Gewand

Im Jahr 1956 erschien zugleich mit der 1. Auflage der Methodik von Erika Essen eine Arbeit von Heinrich Reitemeier, die sich als «Beitrag zur Didaktik und Methodik des Unterrichts in den Mittleren Schulen» verstand: «Erziehung durch Schrifttum»[14]. Der Autor forderte von dem «verantwortungsbewußten Erzieher» die «Wiederentdeckung der Bedeutung des gesprochenen und geschriebenen Wortes», um durch «Beeinflussung des ästhetischen Verhaltens» in «das sittliche Zentrum der Person» zu zielen[15]; er wollte, da es ein «verbindliches Bild der Dichtung» nicht mehr geben könne, und die «bisher gültigen Normen des individuellen und gesellschaftlichen Lebens» immer «fragwürdiger und verschwommener» geworden seien, neue Wege in der Erziehung einschlagen, die zu einer «innersprachlichen Bewußtheit» führen[16]. Damit versuchte Reitemeier, die Kontinuität eines auf die Vermittlung von überzeitlichen, abstrakten Werten des Menschseins gerichteten Deutschunterrichts durch die Verlagerung des Schwerpunktes von der Literatur- und Kulturkunde auf die Sprachbetrachtung zu bewahren. Dies geschah zu einem Zeitpunkt, als durch die zunehmende Kritik an traditionellen Lesebuchautoren wie Binding, Britting, Carossa, P. Ernst, Kolbenheyer, Schäfer, Weinheber eine Überprüfung des literarischen Kanons im Deutschunterricht erforderlich wurde. Durch den Kunstgriff, von der vorwiegend inhaltlichen Interpretation auf die Sprachbetrachtung auszuweichen, entzogen sich die Deutschdidaktiker der unbequemen Notwendigkeit, alte Weltbilder und Vorstellungsinhalte zu revidieren und auf die inhaltlichen Aussagen der Texte moderner oder zuvor «versäumter» Autoren einzugehen. Die Tatsache, daß die Protagonisten bürgerlicher Innerlichkeit und Geborgenheit allmählich aus den Anthologien und Lesebüchern von modernen Autoren verdrängt wurden[17], läßt daher keine Rückschlüsse auf eine Neuorientierung des Deutschunterrichts zu.

In diesem Sinne eindeutig ist eine Interpretationshilfe zu zwei Gedichten von B. Brecht und G. Kunert im Lehrerheft des Lesebuchs A 9. Zu dem Gedicht von Brecht «Die Lösung» werden folgende Hinweise gegeben:

«zwei Satzgefüge sehr verschiedener Struktur – Aussagesatz – rhetorischer Fragesatz – in drei Gliedern, breit – verfassungsrechtlichen Begriff benutzende Kernfrage der Satzreihe» usw.

Zu dem Gedicht «Laika» von Kunert heißt es:

«dicht verfugtes Satzgefüge – Sinnschritt des Hauptsatzes – Gliedsatz – schockierende, verhüllte Antithese – plakathaft angekündigt – sprachlich ungemein kompliziert – ironische Wiederholung – wie ein Fanfarenstoß klingender erster Teil» usw.

Andererseits wird in demselben Heft Eugen Gottlob Winklers Anekdote aus dem spanischen Bürgerkrieg nicht nur «sprachbetrachtend» bewältigt, sondern es wird ausdrücklich auf das «menschlich Gültige in der gelebten Wirklichkeit» und auf den Menschen, der «fähig sei, sich aus der Massenverflechtung zum eigenen Entschluß zu erheben» verwiesen. Dazu muß man wissen, daß die Geschichte von Winkler eindeutig die Partei Francos ergreift und die «Massenverflechtung» eine verschleiernde Umschreibung des revolutionären Kampfes der Arbeiter gegen Franco ist[18].

Die Flucht in die «Sprachbeschreibung» ist jedoch nicht nur eine Flucht vor der politischen und gesellschaftlichen Realität, sondern auch vor der oft zitierten «Sprachwirklichkeit», vor der «Sprache» als «Gestaltordnung»[19], denn nicht einmal «die Sprache» kann ja beim Wort genommen werden, wenn die Inhalte aus ihr entlassen worden sind[20]. Erst dieser Mechanismus der Realitätsentleerung schafft die Voraussetzung dafür, daß die zurückgebliebenen Sprachhülsen mit neuen ideologischen Sinndeutungen ausgefüllt werden können und sich so in das Herrschaftsmuster von «Stabilität, Sicherung und Ordnung»[21] einpassen lassen: «Im Sprechfeld des Deutschunterrichts möge der Schüler das Prinzip des beziehungsvollen, konstruktiven Zusammenwirkens erfahren und damit die geistige Grundeinstellung gewinnen sowohl zum Bildungsganzen der Schule – die er als ‹Sprechfeld› der Fächer verstehen lernen möge – als auch zur gegenwärtigen Lebensform der privaten und öffentlichen Wirklichkeit.»[22]

In der «methodischen Bildung» – «Bildung zum Gespräch», «zur Selbständigkeit», «zum freien Gestalten», «zur schriftlichen Arbeit»[23] – sollen die für diese «geistigen Grundeinstellungen» erforderlichen charakteristischen Tugenden erworben werden: «beherrschte Gesamthaltung» – «maßvolle Selbstbescheidung» – «Selbstdisziplin» – «sachliche Sauberkeit» – «saubere, ehrliche Formung» – «zuchtvolle Selbstkontrolle»[24].

Es handelt sich bei der Einbeziehung derartiger personal-ethisch orientierter Bildungsziele in die Sprachbetrachtung allerdings nicht nur darum, daß «philosophische» und «erkenntniskritische Lernziele» durch «moralische Forderungen veredelt» werden, wie H. G. Herrlitz meint[25], sondern diese Wertsetzungen sind das Ergebnis einer konsequenten didaktischen Umsetzung derjenigen Sprachtheorien, die von der Existenz einer autonomen «sprachlichen Zwischenwelt»[26] ausgehen; das sehr komplexe Verhältnis von Sprache – Denken – Verhalten wird in dieser Theorie dahingehend vereinfacht, daß in den verschiedenen Elementen der «Muttersprache» die «geistige Repräsentation der Welt» abzulesen sei, die den einzelnen als Angehörigen einer «Sprachgemeinschaft» in seinem Handeln und Denken determiniere[27]. Die Ausstattung des «Auslösefaktors Sprache» mit guten oder schlechten Wirkungsmöglichkeiten bleibt dem jeweiligen Engagement des Sprachinterpreten überlassen. Damit kann der sprachbetrachtende Ansatz der ihm von Erika Essen unterlegten Zielsetzung, «dem Subjektiven auch im Bereich des Sprachlichen Halt und Ordnung zu geben«[28], nicht gerecht werden.

> Zweite Konsequenz: «Selbstbetrachtung» wird zum Mittel
> der gesellschaftlichen Integration

Der sprachbetrachtende Unterricht hat sich jedoch nicht nur die Aufgabe gesetzt, individuelles Verhalten durch Sprachvermittlung zu beeinflussen, sondern er sieht sich auch als eine Instanz, durch die gesellschaftliche Sprachgewohnheiten tradiert werden können. Beispielhaft zeigt Bernhard Weisgerber in seiner «Sprachdidaktik», wie auf der Grundlage der Theorie von Leo Weisgerber – «innere Sprachform» als «gestaltendes Prinzip»[29] – die didaktische Umsetzung mit sozialpädagogischer Zielsetzung erfolgen kann. Er unterscheidet neun Hauptstufen der sprachlichen Entwicklung des Menschen – von den «Vorstufen des Verstehens» über die «Sprache der Mutter» zum «positiven Selbstverständnis zur Sprache» –, denen er jeweils pädagogische Intentionen und spezifische Aufgabenstellungen des Erziehers zuteilt: Von der «Geborgenheit des Kindes in der Liebe der Mutter» über das Einfügen «in die sprachliche Gemeinschaft der Heimat» zur «bewußten und bejahten Einordnung in die Sprachgemeinschaft[30].» Dieses Verfahren hat den Vorzug, daß die ideologische Grundentscheidung das «sprachliche Gewand» ablegen muß[31]. Man kann gegen B. Weisgerbers Sprachdidaktik einwenden, daß sie von ungeprüften Voraussetzungen ausgeht: Begriffe wie «Sprachgemeinschaft», «Heimat», «Wirklichkeit der Sprache»[32] werden nicht differenziert, die Geltung der Normen nicht überprüft. Doch für uns ist wichtiger, daß bei B. Weisgerber eindeutiger noch als bei Erika Essen die pädagogische Intention darauf gerichtet ist, den Schüler über die Vermittlung eines sprachlichen Ordnungsgefüges in die bestehenden Verhältnisse, die «Sprachgemeinschaft», einzuordnen; denn die Aufforderung von B. Weisgerber, daß die Schüler «bewußte Verantwortung für Sprache und Sprachgemeinschaft» zu übernehmen haben[33], bedeutet, daß diese das *sprachliche Selbstverständnis* des *Lehrers,* das nach Ansicht der sprachinhaltlich orientierten Didaktiker ja zugleich auch mehr als nur Sprachverständnis, nämlich auch Ausdruck des «Handelns», des «menschlichen Wesens», «Bewältigung des Daseins»[34] ist, reproduzieren und verinnerlichen sollen.

Ein Deutschunterricht mit dieser Sprachkonzeption gewinnt somit die Funktion, Abiturienten ganz speziell auf ihre künftige gesellschaftliche Stellung vorzubereiten: Die Schüler sollen am Ende der Schulzeit wissen, daß die Schule «eine Eröffnung von Räumen» ermöglicht hat, «die ihnen für ihr künftiges Leben zugänglich» sein werden[35]. Die «Realität» allerdings ist zugunsten des «Undeutbaren» und der «unbegreiflichen, im Wirklichen verborgenen Wahrheit»[36] aus diesen «Räumen» entlassen worden; Eingang soll nur die «eigene bedeutsame Wirklichkeit und Wirksamkeit» der Sprache selbst finden[37].

Folgt man der schichtenspezifischen Unterscheidung von Gesellschaftsauffassung und Rollenerwartungen, die Leo Kofler festgestellt hat, dann wird durch diese Verlegung der «Wirklichkeit» in die Sprache genau das vermittelt, was den humanistisch «Höher Gebildeten» vor der Klasse der vorrangig manuell Tätigen auszeichnet: Er kann sich von allen politischen Tagesfragen, die sein soziales Engagement herausfordern, auf sein inneres Menschentum zurückziehen. In der Dimension der Individualität gewinnt dieser «Gebildete» das Bewußtsein, daß er seine Persönlichkeit unabhängig von äußeren Einflüssen entwickeln kann. Die Probleme der Außenwelt werden als vulgäre, nicht «eigentliche» Probleme verdrängt, denn im Bereich der Innerlichkeit erfolgt die Bewährung; «wirkliche» Freiheit, die nur der «Gebildete» sich gesellschaftlich erlauben und ökonomisch ermöglichen kann, wird als eine schöpferisch-genießende vorgeführt, die schließlich zu einem sinnvollen und erfüllten Leben führen kann[38].

Da diese Werte und sozialen Einstellungen besonders durch das Fach Deutsch vermittelt werden – «persönliche Werthaltung», «geistige Grundhaltung», «Selbstbesinnung»[39] – entspricht die zentrale Stellung dieses Faches durchaus den realen Anforderungen unserer hierarchisch gegliederten Gesellschaft; faktisch äußert sich dieser Tatbestand darin, daß eine ungenügende Zensur im Fach Deutsch nur selten durch gute Leistungen in anderen Fächern ausgeglichen werden kann[40]. In der Ideologie des Faches, das sich begreift als «Mittelpunktfach», als das «umfassendste, schwierigste und reichste Fach», als «Kernfach unserer Schulbildung»[41], wird die Sonderstellung mit dem Rückgriff auf existentielle Wertvorstellungen begründet; wenn auch die Proklamierung einer Lebenshilfe als semantisch inopportun abgelehnt wird, die «Menschenbildung», der «Reifungsprozeß» soll auch heute noch vor allem im Deutschunterricht stattfinden: «Bildung des sprechenden Menschen durch Sprache zu Sprache erfaßt das menschliche Wesen in der Ganzheit.»[42]

Dritte Konsequenz: Die «Sprachbetrachtung» bewirkt ein verschärftes Ausleseverfahren

Das Bemühen, die Sprache der eigenen Statusgruppe der nachfolgenden Generation zu vermitteln und damit dem Jugendlichen sprachlich die «Bewältigung» der Wirklichkeit zu ermöglichen, verstärkt durch die Perpetuierung eines schichtenspezifischen Sprachbewußtseins die Auslesebarrieren gegenüber sozial unterprivilegierten Kindern. Das mögen «unbeabsichtigte Nebenwirkungen» der ganzheitlichen Sprachbetrachtung sein, denn daß es in der Sprachdidaktik auch die Möglichkeit einer kompensatorischen Erziehung geben könnte, wird von E. Essen, B. Weisgerber oder H. Helmers überhaupt nicht in Betracht gezogen[43]. Sie können im Gymnasium ja bereits mit Kindern einer Sprachschicht arbeiten, die nach dem Grad ihrer «sprachlichen Weltmeisterung»[44] ausgelesen worden sind. Es hängt mit ihrem pädagogischen Erfahrungskreis und ihrer eigenen Erziehung zusammen, daß sie die Vorstellung haben, «muttersprachliche Bildung» vollziehe sich «im Grunde uneinsehbar, gestalthaft, fließend»[45]. So wird «Sprache» gar nicht erst als Lehrgegenstand erkannt, und es kann nicht verwundern, daß in Deutschland Methoden, wie man Sprache lehren könnte, nicht entwickelt worden sind und Erkenntnisse der Soziolinguistik nur zögernd zur Kenntnis genommen wurden. Wenn man aber die Forderung nach Chancengleichheit nicht nur abstrakt als das Recht aller auf gleichen Zugang zu den höheren Bildungseinrichtungen versteht, sondern materiell als die gleiche Chance aller begreift, diese auch erfolgreich zu durchlaufen, dann müßten besonders im Deutschunterricht milieubedingte «Retardierungen» von Kindern aus ökonomisch, sozial und kulturell unterprivilegierten Schichten, die ja besonders die verbalen Fähigkeiten betreffen[46], ausgeglichen werden. Dies würde voraussetzen: Entwicklung von Strategien des Sprachgebrauchs für Problemlösungen, die für diese Schichten auch relevant sind – Erweiterung des Wortschatzes in verschiedenen Ebenen und Bereichen – Intensivierung der Kommunikation unter Schülern und Lehrern – strukturierte Unterweisung im Gebrauch syntaktischer Regeln, sofern diese für die kritische Bewältigung der eigenen Situation notwendig sind.

Der sprachbetrachtende Deutschunterricht verhindert jedoch geradezu den Ausgleich sprachlich bedingter Chancenungleichheit, da er von der Voraussetzung ausgeht, daß im Kinde «ursprünglich lebendige Sprachkräfte» vorhanden seien, die nur aktiviert zu werden brauchten[47]. Als Verstärkung der Auslesebarrieren wirkt dieser Unterricht dadurch, daß es für sprachlich nicht so weit entwickelte Kinder sehr viel schwieriger ist, «betrachtend» sprachliche Normen der Dichtung und auch der eigenen Sprache zu erkennen als ein eingepauktes Regelgebäude anzuwenden oder «lebenskundliche» Erkenntnisse in einer Art

unreflektierter Übernahme der erwarteten Wertskala aus den im Unterricht
gelesenen Texten zu gewinnen[48]. Es ist nicht zufällig und bildungspolitisch
bedeutsam, daß die Abwertung der traditionellen «Literaturkunde», die litera-
tur- oder auch problemgeschichtlich orientiert war, gerade zu dem Zeitpunkt
erfolgt, da sich das Gymnasium stärker als früher auch für Kinder ökonomisch, sozial und kulturell unterprivilegierter Schichten öffnen soll: «Nicht
ausreichende Leistungen im Fach Deutsch können nicht ausgeglichen werden,
wenn sie in mangelnder Beherrschung der deutschen Sprache in Wort und
Schrift ihre Ursache haben», sie werden jedoch nicht stärker ins Gewicht fallen
als in anderen Fächern, wenn es sich um schlechte Leistungen in «Literaturkunde» handelt[49]. Dieser Beschluß der 99. Kultusministerkonferenz in Hamburg 1964 wird von Erika Essen bezeichnenderweise nicht aus bildungspoliti-
schen Erwägungen kritisiert, sondern auf Grund ihrer Vorstellung von der
Einheitlichkeit des Faches, da es keine «Note im Fach Deutsch» geben könne,
«die nicht die sprachlichen Grundleistungen als Grundlage für die Einstufung
der Leistung zum Ausgangspunkt nehmen müßte»[50].

Verstärkt elitär wirkt der sprachlich orientierte Deutschunterricht dann,
wenn er versucht, die «Wirklichkeit» in das dichterische Wort, mithin in einen
Bereich stark idealtypisch genormter Formen, zu verlegen: Nicht die «Realität» bedeutet «Lebenswirklichkeit», sondern dieses Prädikat darf nur die
«Wirklichkeit der Sprache» beanspruchen[51]. Damit erfolgt durch den Deutschunterricht eine idealtypische Überhöhung der sprachlichen Artikulations- und
Rezeptionsfähigkeiten der Eigengruppe, die allen anderen sprachlichen Äußerungsmöglichkeiten, die z. B. stärker expressiven, konkret-deskriptiven Charakter tragen mögen, den «Wirklichkeitsbezug» streitig macht; eine Sprachbarriere wird aufgerichtet, die zugleich signifikant für die Selbsteinschätzung der
verschiedenen Gruppen ist, so daß Angehörige kulturell unterprivilegierter
Schichten nicht nur ökonomisch und sozial ihre Abhängigkeit zu akzeptieren,
sondern in verstärktem Maße auch noch die sprachliche Bewältigung ihrer
Situation als minderwertig und «unwirklich» einzustufen haben. Zum «Ereig-
nishaften der Dichtung»[52] werden diese Schichten durch den sprachbetrachtenden Unterricht nur schwerlich den Weg finden.

Es soll in diesem Zusammenhang nicht für die Wiedereinführung des
traditionellen, lebenskundlich orientierten Literaturkundeunterrichts plädiert,
sondern nur darauf hingewiesen werden, daß die «sprachbetrachtende» Richtung der Deutschdidaktik die Abhängigkeit der Entwicklung sprachlicher
Fähigkeiten von sozialen Faktoren nicht berücksichtigt. Es ist durchaus
anerkannt, daß die Ausbildung sprachlicher Symbolorganisation die Grundlage dafür ist, die syntaktischen Organisationsprinzipien für das Erkennen
gesetzmäßiger Zusammenhänge verfügbar zu machen, und daß das Sprachvermögen als ein Instrument der Kommunikation einer dauernden Differenzierung bedarf. Bei der Entwicklung von Methoden für die intensive Vermittlung

von Sprache als Lehrgegenstand in kompensatorischer Funktion wäre die Forderung an die Deutschlehrer zu erheben, das «Gewissen der Höheren Schule zu sein»[53], damit sie beginnen, die elitäre Norm ihrer bildungsbürgerlichen Vorstellungen und Sprachstile zu reflektieren.

Vierte Konsequenz: Soziolinguistische Fragestellungen sind in den sprachbetrachtenden Unterricht integrierbar, ohne diesen selbst in Frage zu stellen

Die Rezeption soziolinguistischer Fragestellung durch die traditionelle Deutschdidaktik stellt eine Entwicklung dar, die etwa vor zwei Jahren begann und noch nicht abgeschlossen ist[54]. Sie ist für die weitere Diskussion deshalb von so großer Bedeutung, da zum ersten Mal in der Geschichte des Deutschunterrichts die gesellschaftlichen Bedingungen des Lernens von «Sprache» analysiert werden. Dennoch kann man z. Zt. die Tendenz in der Fachdidaktik beobachten, daß die Ergebnisse der Soziolinguistik berücksichtigt werden, ohne den sprachbetrachtenden Ansatz in seinen hier aufgezeigten Konsequenzen, die im Grunde den Intentionen soziolinguistischer Untersuchungen widersprechen müßten, zu revidieren.

Die Gründe hierfür sollen nur kurz skizziert werden: Die Propagierung eines Mittelschichts-Codes stellt eine starke Selbstbestätigung der Lehrer dar, die seit jeher ihre eigene gehobene Umgangssprache zur Norm erklärt haben. Da die inhaltliche Analyse der verschiedenen Codes weitgehend vernachlässigt wurde, können die formalen Kriterien des Elaborierten Codes als Lernziel propagiert werden. Das kann schließlich dazu führen, daß tatsächlich starke schichtenspezifische Unterschiede in der Sprache ausgeglichen erscheinen, obwohl die ökonomischen und sozialen Verhältnisse nicht verändert worden sind.

Eine scheinbare Nivellierung der Klassengegensätze wird erreicht, zugleich werden mittelschichtsspezifische Wertvorstellungen wie Ruhe, Ordnung, Sauberkeit, Würde und Eigentum noch stärker als vorher mit dieser Sprache auch den Kindern sozial unterprivilegierter Schichten vermittelt. Das Ergebnis könnte eine «Sprachgemeinschaft» sein, die in einem wichtigen Teilbereich, eben in dem der *Sprache*, keine Klassenantagonismen mehr erkennen läßt und auch kein Instrumentarium mehr besitzt, diese überhaupt wahrzunehmen, denn die Sprache ist zugleich Produkt und Agens in dem jeweiligen sozialen und ökonomischen Zusammenhang. Dieser Gefahr kann nur begegnet werden, wenn die Spracherziehung neue pragmatisch-politische Zielsetzungen erhält, indem vor allem auch die Inhalte reflektiert und neu konzipiert werden.

Neutrale Sprachbetrachtung? Die vier verschiedenen Konsequenzen der Neuorientierung im Deutschunterricht beweisen, daß die von den hier zitierten Autoren propagierte sprachbetrachtende Methode weder «neutral» zu nennen ist noch aus der «subjektiven Deutelei» hinausführt. Sie übt eindeutig eine herrschaftsstabilisierende Wirkung aus und steht damit nicht im Widerspruch zu der traditionellen Rolle des Deutschunterrichts. Die Geschichte des

Deutschunterrichts ist noch nicht geschrieben, doch die vielen verstreut erschienenen kritischen Arbeiten lassen folgende generelle Aussage zu: Im Selbstverständnis der Deutschlehrer erscheinen diese sich selbst als in pädagogischer Verantwortung frei Handelnde, aufgeschlossen und kritisch den Bestrebungen der Zeit gegenüber. Alle offiziellen Lehrpläne, alle Lehrbücher zum Deutschunterricht, alle bisher erschienenen Didaktiken und Methodiken beweisen jedoch die konservierende Funktion des Deutschunterrichts: Er folgt dem jeweils erreichten Zustand der Gesellschaft nach, bestätigt denselben affirmativ und propagiert ihn zusätzlich als Zukunft für die Schüler.

Doch dadurch, daß sprachliche Phänomene in der jüngsten Forschung eindeutig auf gesellschaftliche Verhältnisse zurückgeführt worden sind, rücken – von der Deutschdidaktik selbst unbeabsichtigt – die ökonomisch-sozialen Bedingungen des Lernens in den Vordergrund. Wenn diese für die unteren Schichten derart sind, daß sie zu so starken Deprivationen führen, daß die Chancengleichheit nicht mehr gewährleistet ist, so kann die Forderung nur lauten, daß die Produktionsverhältnisse geändert werden müssen. Ein partielles Ziel in der gegenwärtigen Situation für den Sprachunterricht wird damit vorgegeben: Die Möglichkeiten zur Verbalisierung der subjektiven Probleme im Sprachunterricht müssen derart ausgenutzt werden, daß die Schüler die Subjektivität als objektiv bedingt erkennen können. Die sprachliche Kommunikationsfähigkeit in Gruppen ist in bezug auf eine adäquate Problemlösung im gesellschaftlich relevanten Zusammenhang hin zu schulen. Die notwendige sprachliche Differenzierung muß vor allem von einer inhaltlichen Differenzierung ausgehen, so daß dann die trügerische Neutralität des derzeitigen Sprachunterrichts abgelöst wird durch einen Unterricht, der Partei ergreift.

1 Robert Weimann, New Criticism und bürgerliche Literaturwissenschaft. Geschichte und Kritik neuerer Strömungen I und II. In: ZAA, 8. Jg. 1960, S. 29–74 und S. 141–170.

2 Auf dieses Abhängigkeitsverhältnis weist H. Ivo ausdrücklich hin. In: Hubert Ivo, Entwurf einer Systematik grundlegender didaktischer Fragen des Deutschunterrichts. In: Die deutsche Schule 1965, S. 468.

3 Vgl. Hubert Ivo, Gymnasialer Deutschunterricht und politische Bildung. In: Gesellschaft–Staat–Erziehung 1966/4, S. 335. (Wiederabdruck in Ivo, Kritischer Deutschunterricht, Frankfurt 1969, S. 66–81.)

4 Vgl. Ivo, Gymnasialer Deutschunterricht. – Ein extremes Beispiel: «Ein Lehrer mit eigenen Gedanken, Liebesfähigkeit, Lebenserfahrung, Selbständigkeit des Urteils, beseelt von dem Trieb, geistiges Leben zu wecken – braucht keine Methodik des Deutschunterrichts, er trägt sie in sich»; Robert Ulshöfer, Methodik des Deutschunterrichts 1, Stuttgart o. J. (1963), S. 2.

5 Erika Essen, Zur Neuordnung des Deutschunterrichts auf der Oberstufe. Heidelberg 1965, S. 38.

6 Heidelberg; 1. Aufl. 1956. Es wird nach der 6. Aufl. (1968) zitiert.
7 Essen, Neuordnung, S. 38 u. S. 42. –
  Vgl. ferner die Arbeiten v. Essen:
  Bildung durch Muttersprache und Schrifttum. Von Comenius zu Hildebrand. In:
  Wolfgang Scheibe (Hrsg.), Die Pädagogik im XX. Jahrhundert. Stuttgart 1960,
  S. 159–169.
  «Deutschunterricht»: In der Höheren Schule. In: H.-H. Groothoff/M. Stallmann
  (Hrsg.), Pädagogisches Lexikon, Stuttgart 1961, Sp. 166–169.
  Beurteilung von Leistungen im Deutschunterricht. In: Der Deutschunterricht
  1964/1, S. 34–51.
  Die Aussagegehalte im Satz. In: Wirkendes Wort, Sammelband IV, Düsseldorf
  1962, S. 53–67.
8 Essen, Methodik, S. 11.
9 Vgl. K. Bühler, Sprachtheorie. Die Darstellungsfunktion der Sprache. Jena 1934.
10 Methodik, S. 301.
11 Methodik, S. 11.
12 Methodik, S. 11.
13 Für das Fach Deutsch ist die Bevorzugung «einheimischer Begriffe» charakteristisch, um die «Eigenständigkeit» oder auch «Eigenart» des Faches zu signalisieren.
  Vgl. dazu die Kritik von Theodor Sander, Rez. zu H. Helmers, Didaktik der
  deutschen Sprache. In: Päd. Rundschau 1968/7, S. 383. Der Begriff «Sprachbetrachtung» wird heute auch in Anspruch genommen für die Methoden der
  werkimmanten Interpretation im Rahmen der Schule, für den funktionalen Grammatikunterricht, der an die Stelle des normativen tritt, und für das Prinzip «formae
  loquunter», nach dem in gattungsspezifischen Formen auch fundamentale Möglichkeiten des Menschseins gedeutet werden.
14 Frankfurt/Berlin/Bonn. (= Erziehung und Unterricht in den Mittleren Schulen,
  Heft 2).
15 S. 11.
16 S. 8–14.
17 Vgl. dazu alternative 45, «Moderne Literatur in deutschen Lesebüchern».
  Man vergleiche auch die Lesebücher für die Mittelstufe Wort und Sinn (4)
  (Schöningh) 1966, Begegnungen (4) (Schroedel) 1966, Lesebuch A 9 (Klett) 1967, in
  denen neben den traditionellen «Lesebuchautoren» auch folgende Autoren mit oft
  mehreren Textproben vertreten sind:
  I. Bachmann, E. Barlach, B. Brecht, G. Büchner, A. Döblin, G. Eich, M. Frisch,
  F. Fühmann, H. Heine, P. Huchel, U. Johnson, F. Kafka, G. Kunert, R. Luxem-
  burg, R. Musil, J. Roth, W. Schnurre, A. Seghers. Vgl. oben S. 41 ff. u. 51 ff.
18 Lehrerheft zum Lesebuch A 9, 1967, S. 45 und S. 14. Vgl. auch Dahle, Wir
  Deutschlehrer.
19 Essen, Methodik, S. 306.
20 Vgl. dazu Ausführungen zu den jeweiligen Unterrichtsprinzipien:
  Leo Weisgerber: «. . . alles Mühen um ein Kennenlernen von Tatsachen und
  Verfahrensweisen» hat zurückzustehen vor «dem Arbeiten an einer Daseinsgrund-
  lage des Menschen». «. . . hier geht es nicht um Kenntnisse als solche, sondern um
  das Wecken und Steigern von Kräften . . .» (Das Ziel und die Aufgaben des
  muttersprachlichen Unterrichts. In: A. Beinlich, Hdb. d. Deutschunterrichts, Emsdetten 1963, S. 27.) E. Essen: «Damit ergibt sich eine Wendung von den Inhalten zu
  den Arbeitsweisen des Faches.» (Neuordnung, S. 4.) E. Essen: «. . . nicht die
  sachliche Wirklichkeit der Dinge und Geschehnisse ist in Sprache zu fassen,
  sondern deren Verwandlung in eine geistige Welt der Vorstellungen und bezie-

hungsvollen Vorstellungsordnungen.» (Beurteilung v. Leistungen, S. 41.) Paul Nentwig: «Wahre Dichtung ist zweckfrei.» (Dichtung im Unterricht, Braunschweig 1960, S. 159.)

21 Vgl. Richtlinien für den Unterricht an den Gymnasien des Landes Niedersachsen: Allgem. Richtlinien und Richtlinien f. d. Deutschunterricht. Hannover, 1965, S. 22. In diesem Zusammenhang bezogen auf die «starke innere und äußere Unruhe» in der Pubertät.

Besonders für den Deutschunterricht sind die Projektionen kulturpessimistischer Vorstellungen entweder auf ein bestimmtes Stadium jugendpsychologischer Entwicklung oder auf bestimmte gesellschaftliche Verhältnisse – «unaufhebbare Spannungen und Gegensätze», «durchaus nicht gewisse Zukunft» (Richtl. Nieders., S. 11) – charakteristisch, da sich aus ihnen die Rechtfertigung von Ordnungsvorstellungen und der Anspruch auf «Lebens-» oder «Bildungshilfe» ableiten läßt. Vgl. auch Leo Weisgerber: «. . . um ein Gegengewicht zu schaffen gegen die erschreckliche Gefahr der Verwahrlosung und des Zerfalls, die über Gebilden wie den modernen Hochsprachen fast zwangsläufig schwebt.» (Die fruchtbaren Augenblicke in der Spracherziehung. In: Wirk. Wort IV, Düsseldorf 1962, S. 17.)

22 Essen, Methodik, S. 281.

23 Essen, Methodik, S. 280, 284, 289, 300.

24 Essen, Methodik, S. 281, 282, 288, 292, 302.

25 Vom politischen Sinn einer modernen Aufsatzrhetorik. In: Gesellschaft–Staat–Erziehung 1966/4, S. 322.

26 Vgl. dazu bes. Bernhard Weisgerber, Beiträge zur Neubegründung der Sprachdidaktik. Weinheim 1964, Kap.: «Die ‹sprachliche Zwischenwelt› und das ‹Weltbild der Sprache›», S. 129 ff.

27 B. Weisgerber, S. 131.

28 Essen, Neuordnung, S. 14.

29 B. Weisgerber bezieht sich hier auf Leo Weisgerber, Gründzüge der inhaltbezogenen Grammatik, Düsseldorf 1962, S. 17. Sprachdidaktik, S. 139.

30 B. Weisgerber, Sprachdidaktik: Schematische Übersicht: Stufen der Sprachbildung, S. 240–250.

31 Vgl. ähnlich H. Ivos Kritik an Bollnow, Entwurf einer Systematik, S. 463, Anm. 57.

32 Schema, S. 240–250.

33 B. Weisgerber, Schema, S. 250.

34 E. Essen, Methodik, S. 11 u. 12.

35 E. Essen, Methodik, S. 272.

36 E. Essen, Methodik, S. 272. Hier zeigt sich die Nähe des sprachbetrachtenden DU zu dem ehemals vornehmlich inhaltsbezogenen DU. – Vgl. auch Lotte Müller, Der Deutschunterricht. Bad Heilbronn OBB, 1967, S. 9, und Karl Müller, Bildungsziel und Bildungsauftrag des Deutschunterrichts der Höheren Schule. In: Der Deutschunterricht 1960/1, S. 14 f.

37 Karl-Ernst Jeismann, Der thematische Deutschunterricht und das Lesebuch. Didaktische Grundfragen der Lesebucharbeit auf der Unter- und Mittelstufe. In: Der Deutschunterricht 1966/4, S. 31.

38 Vgl. dazu Leo Kofler, Zur Theorie der modernen Literatur. Der Avantgardismus in soziologischer Sicht. Neuwied/Berlin 1962, S. 194 ff.

39 Richtl. Nieders., S. 24 u. S. 20.

40 In der preußischen Reifeprüfungsordnung von 1893 wird ein Ausgleich mangelhafter Leistungen im Deutschen nicht gestattet; dieses Verbot wird 1901 rückgängig gemacht. Bei dieser Regelung bleibt es in der Neufassung 1926–1928. Erst in einem Beschluß der Kultusministerkonferenz von 1956 wird die Regelung von 1893 für

alle Bundesländer wieder verbindlich bis zu der Neuregelung von 1964, die unterscheidet zwischen Leistungen in der Sprachbeherrschung und in Literaturkunde. Nur die ersteren können, wenn sie mangelhaft sind, durch kein anderes Fach ausgeglichen werden.

41 Robert Ulshöfer, Methodik des Deutschunterrichts 1, Stuttgart o. J. (1963), 1. Kap., 1. Satz, S. 1. E. Essen, Die Aussagegehalte im Satz, S. 53.

42 E. Essen, Deutschunterricht. Sp. 166.

43 Eine Auslese auf der Grundlage inhaltsbezogener Sprachbetrachtung propagiert z. B. ausdrücklich Gymnasialprofessor Dr. Hans Meinel in seinem Aufsatz: «Der Satz als Sinneinheit»: In den Übungen mit Konjunktionalsätzen sieht er die Aufgabe, dem Tertianer «in der Sprache ein Spiegelbild von dem zu geben, was sich so vielfältig im wirklichen Leben abspielt», und er fährt fort: «Das Fach Deutsch wird, wenn Übungen solcher Art regelmäßig durchgeführt werden, außerdem zu einem echten Leistungsfach. Es wird nicht nur das formale Können der Jugendlichen zuverlässig gefördert, es werden auch manche Schüler, an den Maßstäben dieser Übungen gemessen, noch rechtzeitig ausgeschieden.» (!) In: Der Deutschunterricht 1961/3, S. 25.

44 H. Helmers, Didaktik der deutschen Sprache, Stuttgart 1966, S. 28: «Die außerordentlich hohen zeitlichen Unterschiede, die sich beim individuellen Erreichen gewisser Grundfunktionen sprachlicher Weltmeisterung zeigen, verlangen auf der II. Bildungsstufe eine starke unterrichtliche Differenzierung. Das wird auch durch die Auslese der Grundschüler nach dem 4. Schuljahr angestrebt.»

45 Helmers, S. 12.

46 Vgl. Ulrich Oevermann, Soziale Schichtung und Begabung. In: Z. f. Päd., 6. Beih. 1966, S. 166–186.

47 E. Essen, Methodik, S. 11.

48 Vgl. dazu auch Jutta Schöler, Der Deutschunterricht an der Gesamtoberschule FF (Falkenhagener Feld, Berlin): «In wesentlichen Teilen des Deutschunterrichts geht es weniger um die Erarbeitung richtiger stilistischer, grammatischer und orthographischer Formen als um die . . . Klärung von Erzählungen, Gedichten, Ganzschriften, Ausarbeitung und Aufführung von Spielszenen, kleinen Hörspielen. In diesem Bereich machen sich Unterschiede in der sprachlichen ‹Ausstattung› der Schüler kaum negativ bemerkbar.» In: Berliner Lehrerzeitung 1968/8, S. 11.

49 Zit. nach E. Essen, Neuordnung, S. 136/137.

50 Neuordnung, S. 137.

51 Jeismann, S. 32, und vgl. auch W. Keller, Zum Wesen dichterischer Form, in: Der Deutschunterricht 1965/3, S. 44.

52 E. Essen, Methodik, S. 272.

53 Karl Müller in: Der Deutschunterricht Jg. 12 (1960), H. 1, S. 19., zum Zitat vgl. auch Beitrag von Rolf Gutte, S. 205 ff. Auch Werner Ingendahl vertritt elitär nur die Norm der Eigengruppe, wenn er als Aufgabe die «Vermittlung eines Sprachgewissens» angibt. W. I., Welche Aufgaben des muttersprachlichen Unterrichts lassen sich programmieren? In: Der Deutschunterricht 1970/3, S. 60.

54 Vgl. dazu ausführlicher W. Dahle, Zur Rezeption soziolinguistischer Fragestellungen. In: Diskussion Deutsch 1970/2.

Gertrud Bienko und Heinz Ide
Aus der Hochburg des «ritterlichen Menschen»

v. Ulshöfer

Fin de siècle und décadence, der Nihilismus als europäisches Problem – das war die Moderne zu Beginn dieses Jahrhunderts und stellte die entscheidenden Themen. Die großen Geister gingen sie groß an, die kleinen klein; die kleinen Geister schnitzten Figuren, die sie für groß hielten, und von Dwinger über Binding zu Bergengruen wurden Soldaten daraus, Hauptleute, Rittmeister (letzte, versteht sich) und schwadronsweise Reiter (ebenfalls letzte). Aristokraten in plebejischer Zeit, gentlemen die einen, die zum Begräbnis Eduards VII. nach London wallfahrten, so bei Binding, andere ehemalige Mauretanier, nun zum Gegenpart der Automatenwelt gläserner Bienen geläutert, so bei Jünger, dem Schöpfer solch «ritterlicher Menschen», der immerhin Format hat. Ernst Jüngers Gesamtwerk betreut der Klett Verlag.

Klett-Autor Robert Ulshöfer klagt, er sei mißverstanden worden mit seinem pädagogischen Leitbild des «ritterlichen Menschen».[1] Wir disputieren darüber nicht, wir stellen fest: Ulshöfers Generation wurde in ihrer Jugend mit diesen literarisierten letzten Reitern, letzten Rittern, letzten Rittmeistern und ihren infanteristischen Hauptmann-Pendants sowie Kapitänleutnants in Ufa-Filmen mit Ritterlichkeit from top to toe auf Hunderten von Buchseiten und Tausenden von Filmmetern indoktriniert. Ulshöfer weiß selbstredend, daß, wer aus seiner Generation vom Leitbild des ritterlichen Menschen hört, auf Anhieb orientiert ist. Er brauchte da gar keine Mißverständnisse zu fürchten; wir verstehen ganz gut, wir haben auch gleich Binding im Ohr oder Hans Grimm, wenn Ulshöfer erläutert, er meine die Ideale des gentleman und der Fairneß, und wir begreifen, auf welche «Idealbildung»[2] das auf deutschem Boden hinauslaufen muß. Lassen wir England beiseite, für Deutschland wird damit ein eindeutig elitärer, d. h. reaktionärer «sozialpädagogischer Bildungsbegriff»[3] als demokratisch ausgegeben. Zum Überfluß versichert Ulshöfer, er verzichte lediglich auf den Begriff, keineswegs auf die Sache, ja, er wolle «das Gemeinte» sogar «noch ausführlicher begründen».[4] Damit man auch unmißverständlich versteht, daß es sich bei den Korrekturen der Überarbeitung lediglich um taktische Bewegungen handelt, läßt er uns wissen: «Die Grundlagen des Werkes, von Anfang an aus dem Grundsatz der muttersprachlichen Bildung und Erziehung abgeleitet, wurden nicht angetastet, sondern lediglich gegen Mißverständnisse besser abgeschirmt.»[5] So trabt er also weiter «in die Weite, das Fähnlein weht im Wind».

Englands Typ des gentleman, Englands Fairneß und Englands Demokratie geben das geheime Vorbild ab auch für die Geschichtsbücher des Klett Verlags. Auch da spielt der «ritterliche Mensch» in zahlreichen Varianten seine ideologische Rolle. Mit deutlichem Elitebewußtsein des Großbürgertums spricht der «Grundriß der Geschichte» Kurzfassung B, Bd. II von der Gefahr der «Entseelung und Entmenschlichung», die von der Masse und Vermassung droht, und «daß das Problem Masse und Elite vielleicht das schwierigste der heutigen Daseinsstruktur ist, denn auch der demokratische Rechtsstaat braucht Eliten: irgendeine Form der vorbildlichen Existenz».[6] Zur Beachtung: Die Verfasser sprechen nicht von qualifiziertesten Männern und Frauen in durch Tüchtigkeit erworbener herausragender Stellung, sondern sie reden vom gentleman, einer «Form der vorbildlichen Existenz»!

Der Abschnitt seiner Methodik, in dem Ulshöfer sich besonders bloßstellte, der folglich vor allem zu den «Mißverständnissen» beitrug, denen er sich ausgesetzt sah, war das zweite Kapitel im zweiten Mittelstufenband. Die Kapitelüberschrift lautete: «Idealbildung und Erziehung zur Wirklichkeit. Das Leitbild des ritterlichen Menschen.» In der «4., erheblich veränderten Auflage» wurde dieses «entscheidende 2. Kapitel ... neu gefaßt»[7] und erhielt die Überschrift «Die anthropologischen und gesellschaftlichen Grundlagen des Deutschunterrichts und sein Auftrag im Zeitalter der Demokratie». Um über die anthropologischen Auffasssungen und diesen vermeintlichen Erziehungsauftrag der Demokratie einen ersten Überblick zu gewinnen, stellen wir die von Ulshöfer als werthaltig bejahten und für die Erziehung für maßgeblich gehaltenen Eigenschaften und Verhaltensweisen zusammen:

Haltung – Dienstbereitschaft – Ehrgefühl – Mut – Ausdauer – Wagemut – Tapferkeit – Heldentum – Entschlußkraft – Wille – Wille zur Tat – Tatkraft – Rückgrat haben – Entschlußfreudigkeit – Verantwortungsbewußtsein – Einsicht – Wille zur Bewährung – Wille, sich zu erproben – Mannhaftigkeit – Mannesehre – große Gesinnung – Selbstachtung.

Besonders häufig treten der Sache wie dem Wort nach die Grundforderungen jeder autoritär-repressiven Erziehung auf: Zucht – Selbstzucht – Selbstüberwindung – Selbstbeherrschung – Selbsterziehung – Selbstbildung – Selbstkritik – Ordnungsbewußtsein – Pflichtgefühl – Willensschulung – Konzentration – Pünktlichkeit – Gepflegtheit – Frühaufstehen – Diszipliniertheit.

Symptomatisch für die anthropologische Bildungsvorstellung Ulshöfers ist die Beschreibung der Plastik von F. Klimsch «Der schauende Mann»: «Der Körper eines jungen Mannes, schlank, sehnig, kraftvoll, ausgewogen, steht aufgerichtet vor uns. Seine rechte Hand hält er über dem Kopf angewinkelt, fast als ob ihn die Sonne blende oder ihn ein unfaßbarer Anblick überwältige.

Die Hand des linken, herunterhängenden Arms faßt das Manteltuch fest und lässig zugleich. Seine Augen sind geschlossen, sein Gesicht staunend, fragend, weit geöffnet, von innen beseelt. Ergriffenheit spricht aus dem Gesicht.» Diese enthusiastische Beschreibung muß fatale Erinnerungen wachrufen.[8]

Als Unwerte führt Ulshöfer auf: Feigheit – «niedere Instinkte der Grausamkeit, der Habsucht, der Geschlechtsgier» – «der Mensch ohne Einsicht und Rückgrat» – Rausch – Ekstase – Sentimentalität – Phantastik – falscher Ehrgeiz – Besitzgeist – Erotik – Daseinsekel – Flucht in eine Traumwelt – Unbekümmertheit – Lässigkeit – Trägheit – Gleichgültigkeit – Arbeitsscheu – Kleinlichkeit – Ängstlichkeit – bloße Rationalität – «Herrschaft der letzten Bank».

Im Sinne solcher «Wertbildung und der Gewissensbildung neben dem Prinzip der intellektuellen Schulung» sei «die Schule der Demokratie» «Erziehungsschule».[9] Gibt es ein verräterischeres Vokabular als dieses, mit dem Ulshöfer sein «Gemeintes», «das Leitbild des ritterlichen (adeligen) Menschen» gegen «Mißverständnisse» nicht nur «besser abgeschirmt», sondern «ausführlicher begründet» hat? Lassen wir Hitlers berüchtigtes HJ-Leitbild als mögliche Quelle neuer Mißverständnisse ruhig aus dem Spiel: Auch ohne diese letzte Stufe der Zersetzung ist die Ahnenreihe der hier als demokratisch deklarierten Werte und Unwerte unmißverständlich. Es handelt sich um die Werteskala des bürgerlichen Nationalismus, die zu Ulshöfers Jugendzeit von Ufa-Filmen und in der Presse des Scherlverlages propagiert wurde, die von einem Organ wie dem Wochenblatt «Fridericus» nicht trefflicher hätte aufgestellt werden können. Es ist das Wertbewußtsein, das nichtnationalsozialistische Bünde wie Deutsche Freischar, Jungdeutscher Orden, Jungstahlhelm mit sich herumtrugen, die es aus dem Denken des Kaiserreichs und auch vom Wandervogel übernahmen, und denen es seinerseits aus «Deutschlands falschen Träumen» (H. Heigert) seit der Urburschenschaft zugewachsen war.

Ulshöfer würde sich durch diese Traditionsreihe so wenig bloßgestellt fühlen, wie er die Verwendung des Begriffs vom «ritterlichen (adeligen) Menschen» als decouvrierend empfinden kann. Für ihn handelt es sich der Sache nach um «allgemein menschliches Wertbewußtsein»[10], dessen Substanz davon unangetastet blieb, daß es zu Zeiten mißbraucht wurde. Übrigens hat keine Adelsschicht jemals ihre Normen für «allgemein menschlich» ausgegeben. Das ist spezifisch bürgerliche Ideologie und eine vorzüglich wirksame, seinerzeit zur Durchsetzung der bürgerlichen Herrschaft, heute zu ihrer Behauptung. Wie jede Aristokratie, so dachte auch der Gentleman nicht daran, jeden als seinesgleichen zu betrachten, und Fairneß war die Haltung, die diese Elite nur von ihresgleichen erwartete. Wer den Gentleman zum vorbildlichen Demokraten und Fairneß zum beispielhaft demokratischen Verhalten stempeln will, übersieht erstens, daß der Gentleman im wirtschaftlichen Konkurrenzkampf zwangsläufig aufhört, Gentleman zu sein, sich also nur noch außerhalb der

Sphäre, in welcher der «Ernst des Lebens» regiert, als Gentleman gerieren kann, in dieser Schizophrenie aber substanziell umkommt. Er übersieht zweitens, daß fair play gleiche Chancen für alle nur darum fordern kann, weil gleiche Ausgangssituationen vorausgesetzt sind, was unter gentlemen in der Tat der Fall ist, nicht aber außerhalb der Kaste in einer Gesellschaft mit kraß unterschiedlichen Einkommens- und Besitzverhältnissen.

Ob Ulshöfer vom Ritter oder vom Gentleman spricht, macht keinen grundsätzlichen Unterschied; das durch den einen wie durch den anderen Begriff markierte Erziehungsideal ist nicht demokratisch, sondern elitär, d. h. den Interessen einer herrschenden Schicht dienend. Indem er die realen Gegebenheiten der durch die Eigentumsverhältnisse bedingten faktischen Ungleichheit ignoriert, bildet er bei den Schülern ein Bewußtsein, das die Wirklichkeit nicht trifft, d. h. er vermittelt Ideologie.

Ulshöfer nannte seine Wendung vom «ritterlichen (adeligen) Menschen» eine «mißverständliche Formulierung».[11] Um zu zeigen, daß sie dies nicht war, analysieren wir Ulshöfers Korrektur. Die diesbezüglichen Sätze im Vorwort lauten:

«Das entscheidende 2. Kapitel ist neugefaßt. Auf der Suche nach einem unserer demokratischen Erziehung gemäßen sozialpädagogischen Bildungsbegriff haben wir 1957 den Begriff der Ritterlichkeit (fairness) und das Leitbild des ritterlichen, sozialtätigen, helfenden Menschen (gentleman) eingeführt, wobei selbstverständlich weder an Feudalismus noch an Militarismus noch überhaupt an irgendwelche restaurative Tendenzen gedacht wurde (wie jedem aufmerksamen Leser von vornherein klar sein mußte). Bemerkenswerterweise ist der Begriff aber von gewissen Kritikern in genau dieser Richtung mißverstanden worden. Das zeigt erneut, wie sehr ganze Begriffsgruppen heute noch belastet sind, weil sie einmal mißbraucht worden sind. Wir verzichten deshalb auf diesen Begriff, freilich nur, um das Gemeinte, den sozialpädagogischen Bezug des Bildungsbegriffs, aus dem Grundgesetz und den Länderverfassungen sowie aus dem Grundsatz der muttersprachlichen Bildung noch ausführlicher zu begründen.»

Fairneß ist ein Verhalten, das nur im Wettstreit Platz hat. Fairneß zum demokratischen Verhaltensmuster par excellence erklären, heißt Demokratie als Lebensform der unaufhörlichen innerstaatlichen Auseinandersetzung auffassen. Das ist in der Tat das vielfach ausdrücklich formulierte Demokratieverständnis Ulshöfers wie der Klett-Geschichtswerke, und es entspricht auch völlig den Erfordernissen der kapitalistischen Wirtschaft. Unter diesem Gesichtspunkt voll zweckentsprechend, ist Fairneß als «sozialpädagogischer Bildungsbegriff» aus zwei Gründen ideologisch. Fairneß kann es nur unter Gleichen, und zwar unter nicht nur theoretisch, sondern praktisch, d. h. sozial Gleichen geben; in der bürgerlichen Gesellschaft also nur jeweils dort, wo unter bestimmten Bedingungen die ökonomischen Faktoren ausgeschaltet sind, vor allem im Sport. Darum war Fairneß, wo sie als generelle Norm der Beziehungen im Miteinander eine Rolle spielte, ein Gesetz des Handelns, das auf eine führende Schicht sozial Gleicher begrenzt war. Die Vorstellung, der englische Grundherr hätte von seinen Bauern in ihrem Verhalten zu ihm Fairneß erwartet, ist grotesk. Der christliche Ritter kämpfte gegen Heiden und Bauern unfair. In Kolonialkriegen galt und gilt Fairneß nicht, moderne Kriege schließen Fairneß überhaupt aus, der wirtschaftliche Konkurrenzkampf ebenfalls. Klassenkämpfe wurden zu keiner Zeit fair ausgetragen; auch das Bürgertum führte seinen Klassenkampf nicht fair. Erziehung zu fair play im Sinne Ulshöfers ist heute nicht Erziehung zur Demokratie, sondern zur Weltfremdheit.

Der zweite Grund, weshalb dieses Bildungsziel ideologisch ist, ist der, daß es den sozial Schwachen in eine Position drängt, von der aus er seine Interessen nicht wirksam vertreten kann, solange der wirtschaftlich Starke aus der Situation seiner wirtschaftlichen Stärke heraus agiert. Den sozial Unterlegenen zur Fairneß verpflichten, heißt, im Interesse des wirtschaftlich Starken erziehen. Insofern hat die Erziehung zu weltfremdem Denken in der Tat eine echte Funktion in der bürgerlichen Gesellschaft, nämlich die, den potentiellen Gegner durch ein ideologisiertes Bewußtsein fundamental lahmzulegen.

Wie außerordentlich die bürgerliche Gesellschaft auf Ideologien angewiesen ist und Ideologiekritik fürchten muß, zeigt sich nicht zuletzt in dem auch von Ulshöfer und den in Frage stehenden Geschichtsbüchern intensiv betriebenen Versuch, den Ideologiebegriff seines ursprünglichen und eigentlichen Charakters zu entkleiden und durch dauernde falsche Verwendung einen unwissenschaftlichen Ideologiebegriff bei der Massse der Ungeschulten durchzusetzen. Dieses pervertierte Verständnis des Begriffs erlaubt seine Anwendung nur auf Weltanschauungen wie die nationalsozialistische oder dogmatisch erstarrte Systeme wie den offiziellen Diamat. Es erlaubt gleichzeitig, sich selbst für ideologiefrei zu erklären und der Ideologiekritik entgegenzuwirken. Sie könnte politisch gefährlich werden, denn nur aristokratische Herrschaftssysteme bekennen sich offen zu ihrer Macht, bürgerliche nennen sich «Volksherrschaften», denn laut bürgerlicher Ideologie kam in ihnen «das Allgemeinmenschliche» zur Regierung. Herrschende bürgerliche Eliten bekennen sich nicht als Herrschende, sondern bezeichnen sich als «führende Schicht» und sorgen für das plebiszitäre Mandat. Die Sicherung ihrer Herrschaft verlangt eine Erziehung, die als grundlegende Einsicht diese vermittelt: «Auch die Demokratie braucht eine Elite!»

Damit der demokratische «ritterliche (adelige) Mensch» «sozialtätig, helfend» sich bewähren kann, muß es Habenichtse und Hilfsbedürftige geben und muß er selbst ein Besitzender sein. Ulshöfers «sozialpädagogischer Bildungsbegriff» setzt die krasse ökonomische Ungleichheit, d. h. die Klassengesellschaft voraus. Wenn es heute, wo die abstrakte bürgerliche und rechtliche Gleichheit verwirklicht ist, irgend inhaltlichen Sinn haben soll, Demokratie zu einem Ziel zu erklären, für das man kämpfen sollte, dann kann es sich nur um die Erringung der sozialen Gleichheit handeln. Ulshöfers stillschweigende Voraussetzung eines gesellschaftlichen Zustandes, der nach wie vor in ausreichendem Maße Hilfsbedürftige produzieren wird, an denen sich sozialtätige gentlemen in ihrer Elitezugehörigkeit betätigen und bestätigen können, ist empörend inhuman und radikal antidemokratisch.

Daß Ulshöfer subjektiv sich dessen nicht bewußt ist, auch «weder an Feudalismus noch an Militarismus noch überhaupt an irgendwelche restaurativen Tendenzen» dachte, darf man ihm glauben. Nur decken sich in zahlreichen Fällen subjektives Meinen und objektives Bewirken nicht. Objektiv betreibt Ulshöfer reine Restauration; sein Leitbild des fairen gentleman ist klar an Gestern orientiert; das von uns zitierte Vokabular, das den Begriff mit Inhalt füllt, entstammt noch dem Vorgestern. Doch Ulshöfer denkt, daß «dem aufmerksamen Leser» das Gegenteil «von vornherein klar sein mußte».

Der interessanteste Satz dieser Rechtfertigung ist aber dieser: Es zeige sich erneut, «wie sehr ganze Begriffsgruppen *heute noch* (Hervorhebung durch die Verfasser) belastet sind, weil sie *einmal* (Hervorhebung durch die Verfasser) mißbraucht worden sind». Für Ulshöfer sind jene Begriffe und ihre Inhalte als solche nicht in Frage gestellt, sie wurden nur «einmal» mißbraucht – im 3. Reich, will er doch wohl sagen. Also vom deutschnationalen Bürgertum, der Hugenbergpresse, den Wehrverbänden nicht? Auch von Fememördern nicht? Oder, wenn da schon, so jedenfalls von der Weltkrieg I-Propaganda noch nicht? Oder dann doch in Kaiserreden noch nicht? Bei den Alldeutschen und im Flottenverein noch nicht? In der Sprache des kaiserlichen Untertanen, bei Sedan-, Bismarck- und Schillerfeiern auch noch nicht? Wie weit zurück sollen die rhetorischen Fragen gestellt werden? Ein Jahrhundert seit der Reichsgründung genügt, Ulshöfers «einmal» in seinem zeitlichen Umfang zu konturieren. Und Ulshöfer meint, diese Begriffe seien nach so einmaligem Mißbrauch nur neu zu putzen, und schon würden sie im alten Glanz erstrahlen; nur «heute noch» seien sie belastet. Von daher läßt sich auch verstehen, warum er noch heutzutage altfränkische Begriffe wie «Mannesehre», ohne mit der Wimper zu zucken, über die Lippen bringt.

Die zweite Richtung, in die unser Interesse durch diesen Satz der Rechtfertigung gelenkt wird, ist die auf Ulshöfers Verständnis der ganzen bedeutenden modernen Literatur. Man muß annehmen, daß er Musils Hauptwerk «Der Mann ohne Eigenschaften» las; aber kann er es verstanden haben? Die zentrale Problematik des Werte- und Wirklichkeitszerfalls und die Widerspiegelung dieser Realität in den Werken der großen modernen Autoren muß ihm als intellektueller Seiltanz erscheinen, als Spuk, den man im Namen R. Schneiders, M. Hausmanns und G. v. Le Forts überwindet, um danach wieder wie Ludwig Jahn sprechen zu dürfen. Nur von daher kann verständlich werden, was eigentlich unbegreiflich ist, daß Ulshöfer, ehe er an die bessere Absicherung ging, «ein Beispiel einer vorbildlichen Haltung im Krieg» an Flex' «Der Wanderer zwischen beiden Welten» geben mochte und sicher war, das in der Jugendbewegung berühmte Leitwort des Buches, «rein bleiben und reif werden», besitze «auch heute noch zündende Kraft».[12]

Wie stark elitäre Vorstellungen Ulshöfer geradezu in Fleisch und Blut übergingen, bekundet seine Anmerkung zum Begriff der Ritterlichkeit im Vorwort zur 2. Auflage: «Gewiß ist der Ausdruck nicht volkstümlich.» Damit bekennt er sich ausdrücklich zu einer Haltung, die sich schon durch das Beiwort, das sie sich selbst zulegt, betont von dem absetzt, was dem «Volk» geläufig ist. Er will nicht Demokraten erziehen, sondern der Demokratie seiner Vorstellung eine Führungselite heranbilden. In der ersten Fassung von Bd. 2 seiner Mittelstufenmethodik führt er (es wird da auf Schritt und Tritt «geführt») die Schüler zu der «Erkenntnis», das Drama sei «für geistig anspruchsvolle Menschen», der Film hingegen sei «technisierte und teure Kunst auch für die gaffende und denkträge Masse».[13] Nun besann sich unsere Demokratie zwar recht spät darauf, daß eine demokratische Schule keine Standesschule sein dürfe, aber als Ulshöfer solches den Referendaren und Deutschlehrern empfahl, besuchten schon zahlreiche Kinder der Unter- und unteren Mittelschicht das Gymnasium. Offenbar lag der pädagogische Gedanke, welch menschliches Unheil er anrichte, wenn er auf diese Weise den Kindern zu verstehen gab, ihre Eltern gehörten zur «gaffenden und denkträgen Masse», weil sie nicht ins Theater gingen, unserem Methodiker völlig fern.

In der 4. Auflage schirmte er sich gegen «Mißverständnisse» wie die obigen ab: Das Drama sei «anregend und kurzweilig für den Zuschauer», während der Film als «technisierte und teure Kunst für die Gesamtheit der Bevölkerung» gilt.[14] Abgeschirmt ist das in der Tat, aber schlecht. Man kann sich kaum verlegener und nichtssagender verbessern als mit dieser Charakterisierung der Wirkung des Theaters; daß der Film die Kunst «für die Gesamtheit der Bevölkerung» sei, impliziert immer noch den Gegensatz zur «geistig anspruchsvollen» Minderheit; und dadurch, daß die abfällige Wendung von der «technisierten Kunst» im Unterschied zur «schweren Kunst» «für Schauspieler und Dramatiker» erhalten bleibt, beläßt Ulshöfer es bei der falschen Wertung der Technik, die ein Ingredienz des elitären Denkens ist. Wir finden die Mißachtung des Technischen in Publikationen für den Deutschunterricht auf Schritt und Tritt.

Bei all dem hält sich Ulshöfer für unideologisch und weltanschauungsfrei, auch dann noch, wenn er seine programmatische Forderung, «den Deutschunterricht gegen jede ideologisch-weltanschauliche Zielsetzung immun zu machen»[15] an Brechts «Die unwürdige Greisin» praktiziert: «Auf eine Gefahr möchten wir bei der Arbeit mit der Kurzgeschichte aufmerksam machen: auf die *weltanschauliche Interpretation* (kursive Schrift im Text). Diese führt zur

Vergewaltigung des Textes. Aus der Erzählung «Die unwürdige Greisin» von Brecht z. B. möchten wir kein Menschenbild ableiten, das in bewußtem Kontrast zum Christentum zu sehen ist, wenn diese Geschichte auch ihren Ursprung aus einer sozialistischen Ideologie nicht verleugnen kann.»[16] «Die unwürdige Greisin» ist keine Kurzgeschichte, sondern eine Kalendergeschichte. Kalendergeschichten sind per definitionem «moralische» Geschichten. Aber Ulshöfer möchte nicht, was er müßte, wollte er Brecht verstehen, wie Brecht verstanden sein will. So bringt er lieber das sacrificium intellectus, als zu versäumen,«den Deutschunterricht (d.h. die Schüler! die Verf.) gegen jede (? die Verf.) ideologisch-weltanschauliche Zielsetzung immun zu machen». Und er glaubt vielleicht selbst, das habe mit Ideologie nichts zu schaffen.

Damit gab er ein Beispiel: Das Lesebuch des Klett Verlags «Lesebuch A 6» bringt Kästners Geschichte «Die kleine Ida», vorzüglich geeignet, schon mit Quintanern «kritische Theorie» zu betreiben. Doch das Lehrerheft winkt ab: es rät zu rein formalistischer Behandlung und hat zum Inhalt nur die Warnung parat: «Man hüte sich, vom Text weg in allzu moralische Überlegungen zu geraten.»[17] Dabei könnte es sich gar nicht um moralische Überlegungen handeln, sondern nur um kritische. Aber dies ist beispielhafte «moderne» Literaturpädagogik, die mittelbar um so entschiedener weltanschaulich ist, je lauter sie es verleugnet und mit Ulshöfer vorgibt, «personaler Deutschunterricht» zu sein, «der sich gegen jede Form der Ideologisierung wendet».[18]

Ohne hinlängliche Erklärung darüber, was zu solcher Unterscheidung berechtigt[18a], bezeichnet Ulshöfer seine eigene Auffassung und von ihm bejahte Anschauungen zumeist als «Weltbild», auch als «Weltverständnis» und da, wo es sich um ganz besondere vorgebliche «Tiefe» handelt, als «Weltschau»; ein Denken, das er ablehnt, hingegen bezeichnet er als «Weltanschauung» oder «Ideologie». Die gleiche Behandlung der Begriffe «Weltanschauung» und «Ideologie» finden wir in den Geschichtsbüchern. Noch das neueste Werk des Klett Verlags, «Menschen in ihrer Zeit» Bd. 1–4, teilt «Ideologie» und «Weltanschauung» nur den «totalitären Systemen» zu, als welche im besten Stil des Kalten Krieges Nationalsozialismus und Kommunismus zusammengerührt werden, und dies ebenfalls in einem ausdrücklichen Bewußtsein eigener Ideologiefreiheit.

Das Weltbild, das dieses Geschichtswerk entwickelt, kommt in den Grundzügen überein mit dem von Ulshöfer. Es gibt vor, das auf Antike und Christentum gründende und dem Menschen einzig gemäße zu sein; es ist tatsächlich dualistisch-antagonistisch und hält sozialdarwinistisch den Kampf ums Dasein der Menschen wie aller anderen Wesen für natur- und gottgegeben. Es ist nicht eben friedlich mit seiner geradezu ehrfürchtigen Bejahung von Spannungen und Ausscheidungskämpfen. Natürlich gilt dann die geheime Bewunderung dem Starken, der sich durchzusetzen weiß. Im Grunde machen immer noch Männer die Geschichte, und der daran gewöhnte Schüler wird, dahin geht doch wohl die Spekulation, nicht fragen, ob nicht der Mann Hitler kapitalkräftige Geldgeber hatte, ob nicht Franco der letzte Rettungsanker der spanischen Kirche, des Großgrundbesitzes und der Industrie war, ob zur Erklärung der Mussolini-Diktatur der u. a. eingeflochtene Grund: «Die Besitzenden fürchteten den sozialen Umsturz wie in Rußland»[19] nicht ein klassisches Beispiel für Untertreibung sei. Über den Imperialismus als Konsequenz der Entwicklung des Kapitalismus nicht orientiert[20], wird der Schüler nach dem Interesse der Wirtschaft, und nicht nur der deutschen, am und im Nationalsozialismus so wenig fragen, wie er sich nach dem Schicksal der großen Wehrwirtschaftsführer in der Bundesrepublik erkundigen wird. Wie bei Ulshöfer werden Kampf und Macht bejaht, nur wird hier wie da die sittliche Rechtfertigung verlangt, wie sie beispielhaft dem Ritter das Kreuz verlieh: «Durch Schwertsegen und Ritterweihe wurde ihr oft rauher und auch blutiger Beruf geheiligt.»[21]

Eine ganz ungesegnete Macht ist natürlich die UdSSR. Wie der Antikommunismus auch im Deutschunterricht gepflegt wird, das bedarf einer gesonderten Studie. Für die Fächer Geschichte und Sozialkunde liegen solche ja bereits vor. Das Wesentliche sei nur kurz angedeutet, nämlich die Methode, den Hauptkampf – die Verwerfung des Inhaltlichen, d. i. des sozialistischen Wirtschaftssystems, und entsprechend die Verklärung des Kapitalismus – zugleich zu verschleiern und zu intensivieren durch die Vermischung mit dem Formalen, mit dem Herrschaftssystem, dem «Totalitarismus», unter Gleichsetzung «des» Regimes in Rot und Braun. Dieser Trick ist für Ulshöfer so selbstverständlich wie für «Menschen in ihrer Zeit». Dieses formal wohl modernste derzeitige Geschichtswerk steht in der Schärfe, in der es den Kalten Krieg führt, hinter seinen Vorgängern nicht zurück. Die allgemeine Charakterisierung des Sowjetsystems als einer totalitären Diktatur schließt es wie folgt ab: «Weil wir ein solches Regime ablehnen, tun wir alles, um unseren Staat davor zu schützen.»[22]

Das Weltbild dieses Geschichtsbuchs ist das der Macht- und sogenannten Realpolitik und einer Demokratie, die sich als Wettkampf der Meinungen und Interessen versteht. Pluralismus, Problem- und Konfliktreichtum in unserer modernen Demokratie werden betont, ja gerade durch sie wird die Demokratie als natürlich gerechtfertigt. So heißt es von L. Erhardts «sozialer Marktwirtschaft»: «Sie schuf einen Spielraum, in dem sich die Phantasie und Tatkraft der Unternehmer und der Leistungswille und die Fähigkeiten der Arbeitnehmer treffen und auseinandersetzen konnten.»[23] Der Spannungsreichtum dieser Gesellschaftsordnung läßt die Institutionen zur Sicherung der Rechtsgleichheit nur um so tragfähiger erscheinen. Freie Wirtschaft und Rechtsgleichheit machen uns zu freien Menschen, während «in der Zentralverwaltungswirtschaft keine politische Freiheit für den einzelnen möglich»[24] ist. Die Demokratie lebt von den Tugenden der Offenheit, Risikofreudigkeit, Initiative und Dynamik. Vom Edlen, der das Talent zu Reichtum und Macht hat, wird erwartet, daß er nicht an Besitz und Wohlleben hängt, sondern der «Sache» dient, die allen «hilft».

Dergleichen dynamische, wagemutige, dabei sozialtätige Erfolgsmenschen mit dem Sinn auch für Adel und Innerlichkeit zu erziehen, schwebt Ulshöfer vor. Seine Anthropologie beruht wie die der Geschichtsbücher auf der Voraussetzung, daß das menschliche Leben unter extremen Spannungen steht und immer stehen muß. Diese Spannungen sind nicht eine Folge der Inkongruenz von menschlicher Natur und gesellschaftlicher Wirklichkeit, sondern liegen unaufhebbar im «menschlichen Wesen». Dieser Spannungen muß der Mensch Herr werden, und dazu bedarf er der unbedingten, nicht aus der menschlichen Natur selbst erklärbaren Normen, die ihm Gesetz werden. Das wiederum läßt eine andere als eine im Grundzug autoritäre Erziehung widersinnig erscheinen, es macht Religiosität notwendig, es erlaubt die Scheidung zwischen den Wertvollen, die sich dem Gesetz unterstellen, und den Wertlosen, zwischen Elite und Masse, es ermöglicht die Forderung, der Mensch müsse sich «einer Sache» widmen, wobei die «Sache», von welcher seit der Jugendbewegung in allen «Bewegungen» unablässig die Rede geht, durchaus undefiniert bleibt, also allen Auswechslungen offen ist. Es ist so eine Sache um «die Sache», «um» die man jeweils «weiß», um eine Lieblingswendung von Ulshöfer aufzugreifen. Darf man eine Forderung wie die Ulshöfersche «Bereitschaft zum Dienst um einer Sache willen»[25] noch so abstrakt aufstellen, nachdem das von den Nazis viel zitierte Fichtewort «Deutsch sein, heißt eine Sache um ihrer selbst willen tun» nach Auschwitz führte?

Für die pädagogische Konzeption folgert aus diesen Voraussetzungen, der Schüler bedürfe der «Idealbildung» einerseits, der «Erziehung zur Wirklichkeit» andererseits.[26] Anders ausgedrückt, denn «dichterisch wohnet der Mensch»: «Zwischen Abstraktion und Konkretion, zwischen dem Sinn und den Sinnen fliegt das Weberschiffchen des Deutschunterrichts hin und her.»[27] Solch Unterricht nennt sich «personal» und «muß sich ... dauernd bemühen, die aktiven und kontemplativen Kräfte in jeder Unterrichtsstunde in Bewegung zu setzen.»[28] Entsprechend wird der Geschichtsunterricht, wie in «Menschen in ihrer Zeit» Bd. 2 nachzulesen ist, die inneren und äußeren Spannungen der Menschen herausarbeiten, aber nie das Vorbild des miles christianus in Gefahr bringen dürfen. Also werden die Pogrome der Kreuzfahrer in den rheinischen Städten nicht verschwiegen, aber ausschließlich als charakterliches Versagen und menschliche Schwäche dargestellt; so fällt über die wirtschaftlichen Gründe, die zu den Kreuzzügen führten, kein Wort, denn dann könnte das subjektive Bewußtsein der Kreuzfahrer als manipuliert erscheinen und das Problem der Ideologie zur Sprache kommen. Die Verschleierungsfunktion von «Ideen» bleibt den Schülern durchaus unbekannt. Die Lehre von den Spannungen, denen der Mensch unterworfen sei, die aber andererseits zu fruchtbarer Dynamik befähigten, wenn der einzelne durch «straffe Charakter- und Gemeinschaftserziehung»[29] gebildet werde, sich «einer Sache» unterstelle und der Allgemeinheit verpflichte, rechtfertigt die kapitalistische Wirtschaft als der menschlichen Natur entsprechend. Das gelingt um so besser, als der Schüler nicht lernt, die Funktion des Überbaus im Gesamtzusammenhang einer gesellschaftlichen Wirklichkeit zu erkennen.

Das Geschichtswerk bereitet das Verständnis für die Besitzenden als die Sozialtätigen frühzeitig vor und übt die Anerkennung ihrer Führerrolle bei der Behandlung des mittelalterlichen Städtewesens ein, wenn die «kühn-rücksichtslosen Fernhändler», die «wagemutigen» patrizischen Kaufleute, die «Unternehmungsgeist» besaßen, abgehoben werden von den «nur auf Sicherheit bedachten» Zunfthandwerkern, wenn der Wohlstand aller als abhängig vom Wagemut der Führenden eingeprägt wird. Die Kontrastierung beider Gruppen, der Kaufleute und der Handwerker, wird unter der Überschrift vorgenommen: «Wer nicht wagt, der nicht gewinnt»[30], und ebenda heißt es mit Nachdruck: «Der Wohlstand und wirtschaftliche Erfolg einer Stadt hing aber von den führenden Kaufmannsfamilien ab.»

Für die Neuzeit wird entsprechend das freie Unternehmertum gegen den Sozialismus ausgespielt, der im Kommunismus mit dem «Griff in die Seele» durch das verführerische Versprechen sozialer Sicherheit «Menschen im Programm» versklave.[31] In Variationen geht es dabei immer unterschwellig (frei nach Th. Storm) um hie den Freien, dort den Knecht. «Wer Sicherheiten will, muß Freiheiten opfern»[32], lautet eine politische Grundeinsicht des Werks, die nachdrücklich eingeschärft wird, so am Beispiel des Hörigen, den Stadtluft frei machte: «Wieder mußte er seine Sicherheit mit Opfern an Freiheit erkaufen.»[33]

Entsprechend gehört zu Ulshöfers «anthropologischen Grundbegriffen» die Erkenntnis: «Die Sicherung der körperlichen Existenz wird durch den Verzicht auf persönliche Freiheit erkauft.»[34] Wer Sicherheit will, und das ist die berüchtigte Masse, muß seine Freiheiten in der vertikal geordneten politischen Schichtung in die Ein- und Unterordnung einbringen, während die Führenden, durch «Idealbildung» geformt, die Grenze ihrer Freiheit im Dienst an der «Sache», im sittlichen Gebot und der Verpflichtung zur «Sozialtätigkeit» finden. «Sagt jetzt, kann man elitärer sein?»[34a] (Frei nach Brecht.)

Das für die so vorgestellte Gesellschaft erforderliche Denken übt Ulshöfers «Idealbildung» für Führende und Geführte ein in «Aufgabenkreisen» wie «Das Wagnis des Lebens», «Führung und Jüngerschaft» (in der Neufassung fallengelassen), «Dienst und Dienemut» (in der Überarbeitung aus dem Wandervogelstil übersetzt: Dienst und Verantwortung) und «Willensschulung». Mittlerweile muß die erwünschte Bewußtseinsbildung auf differenzierteren Wegen erfolgen. Ulshöfer beruft sich bezüglich seiner letzten Bemühungen um die «Schaffung eines demokratischen Unterrichtsstils durch kooperative Planung» auf Wünsche der «Bundesvereinigung der Deutschen Arbeitgeberverbände». «Mit den herkömmlichen Methoden gymnasialer Bildung» könnten die von ihnen geforderte «Denk- und Formulierungsfähigkeit, die Teamfähigkeit und die Sozialtugenden» nicht mehr erreicht werden. Die Arbeitgeberverbände empfehlen «Methoden der Arbeitsgemeinschaft, des dialogischen Klassenunterrichts, des Plan- und Rollenspiels, der Diskussionsübung, der Gruppenarbeit.»[35] Die Sorge, sehen wir, gilt nicht dem demokratischen Bewußtsein, sondern der Effizienz des Unterrichts; Ulshöfer empfiehlt sich den Arbeitgeberverbänden für die technokratische Reform des Deutschunterrichts.

Wo im Grunde irrationale Herrschaftssysteme gerechtfertigt werden, entwickelt man den Sinn für Morphologie und Organisches, plädiert man für den «geschichtsmorphologisch-evolutionären» gegen den «unorganisch-revolutionären Prozeß»[36] und weiß sich darin mit Goethe einig; da muß Rationalität in Grenzen gehalten werden, da darf der Sinn für oberste regierende Instanzen, für Schicksal und Mythos nicht erlöschen.

Diese Aufgabe übernimmt vornehmlich der Deutschunterricht, im Pubertätsalter mit Hilfe der Ballade, bei den älteren Schülern durch die Dramenbehandlung. Daß Ulshöfer seine Überlegungen zur Behandlung der Ballade an eine Definition B. v. Münchhausens anknüpft, ist zwar kein «Scherz», könnte aber zu «Satire, Ironie» und zum Nachdenken über «tiefere Bedeutung» veranlassen. Der Schüler soll «die Wirklichkeit des Irrationalen», «die Gewalten des Dämonischen», «das Unergründliche» und «das Hintergründige» erfahren, das nicht etwa «in die Tageshelle der Vernunft gezerrt» werden darf, sondern das man «als unfaßbar im Dämmer stehen lassen» muß, von wo aus «das irrationale Geschehen aus der Wirklichkeit des Irrationalen zu deuten» ist. Mit dieser Theorie der Ballade steht Ulshöfer bei Münchhausen, der Strauß und Torney und der Miegel, bei den Epigonen also, nicht aber bei der klassischen Ballade, die gegen das Unheimliche abgrenzt oder es zu humanisieren unternimmt, ganz gewiß es aber nicht als «Gewalten des Dämonischen ... unfaßbar im Dämmer stehenlassen» will. Es hat wohl «tiefere Bedeutung», daß Ulshöfer von der Schillerballade (als zu lang) abrät, daß er die sozialkritische Ballade nicht anrührt und über die moderne Ballade seit Wedekind kein Wort verliert. Das alles hat viel zu viel mit humanisierender «Tageshelle der Vernunft» zu tun und erlaubt nicht, «die Angst als Realität» «existentiell zu erfahren».

Wer mit Dämonen zu wirtschaften hat, steckt insofern in einer Klemme, als er nichts von ihnen weiß, weil es da nichts zu wissen gibt, andererseits aber von einer «Wirklichkeit des Irrationalen», von der Realität des Nichtrealen zu wissen vorgeben muß, denn Demut, Unterordnung und die «männliche Tugend» des Gehorsams werden nirgends wirksamer eingeübt als im verehrungsvollen Verharren vor dem «Unsagbaren», dem «Hintergründigen» und «Unergründlichen».

Da das «Wissen von» fehlt, hilft das «Wissen um». Weil Ulshöfer auffällig viel «um» etwas weiß, sei die Herkunft dieser wissensfernen Art von Wissen kurz beleuchtet. Das «Wissen um» lebte in der Jugendbewegung, charakteristisch für ihren antirationalistischen Charakter, überkam von der Jugendbewegung auf «Die Bewegung» des Nationalsozialismus und selbstverständlich auf die bündische Jugend der zwanziger und dreißiger Jahre; es gehörte zur Sprache von «Kreisen» wie denen um Möller van den Bruck und Hans Schwarz, den «Bund deutscher Osten» und den zahlreichen nationalrevolutionären Gruppen in der Weimarer Republik. Man «wußte» da «um» das Reich, «um» die jungen Völker, «um» den Osten, «um» den «preußischen Stil», «um» «Preußentum und Sozialismus», «um» den «deutschen Sozialismus», «um» die deutsche Revolution, «um» deutschen Gottglauben (im «Tannenbergbund» der Ludendorffs) und nicht zuletzt «um» den «Mythos des 19. Jahrhunderts» mit H. St. Chamberlain und danach «um» den des 20. Jahrhunderts mit Alfred Rosenberg.

Während das «Wissen um» einen gewissen elitär-snobistischen Charakter behielt, landete ein anderer zentraler Ausdruck aller dem Bürgertum entsprungenen «Bewegungen» im 3. Reich vollends in der Gosse: «die Schau» ein Wort, das Ulshöfer noch ohne Zögern verwendet. Die Gelegenheit muß freilich eine gewisse Weihestimmung bieten. Sie findet sich, wo er «die weckende Kraft», die von Mythen, Sagen und Legenden ausgehe, bespricht und den nur von Rationalisten bestrittenen[38], in ihnen «verborgenen, für alle Zeiten gültigen ... Wahrheitsgehalt dem Kind ... faßbar zu machen»[39] sich müht, wo er «eine mythisch-symbolische Vorstellungswelt im Kinde aufbauen»[40] will, denn «auch unsere großen Dichter und Maler waren Mythenseher.»[41] Da liest man denn von «tiefer Weltschau»[42], als sei diese Wendung nicht aufs schlimmste kompromittiert, und zwar nicht nur das Wort, sondern das mit ihm Angesprochene. Da taucht die »religiös-mythische Schau»[43] auf. Zweimal allerdings «sicherte» er «ab»: Forderte die erste Auflage: «außermenschliche Kräfte, religiöse Vorgänge sollen in ihrer Ursprünglichkeit als gewaltige, weltbewegende Erscheinungen geschaut werden»[44], so ersetzte die überarbeitete 4. Auflage das «geschaut» durch «erkannt». Die zweite rein verbale, bloß taktische Konzession findet sich in dem Schlußsatz des Kapitels: «Wir brauchen den Verstand und appellieren an den Verstand der Kinder, aber wir wenden uns darüber hinaus an das Vermögen der Kinder zur Schau, zur sinnlichen Vergegenwärtigung eines rational nicht faßbaren Vorgangs ...»[45] In der überarbeiteten Fassung fehlt allein das Wort «Schau».[46] Wir erinnern uns: Er gebe nur Begriffe preis, nicht «das Gemeinte». Erwartet Ulshöfer, wir glaubten ihm, er hätte etwas preisgegeben oder als unhaltbar eingesehen, wenn die überarbeitete Fassung die folgende Überzeugung nicht mehr vorträgt?: «Um Sagen zu behandeln, ist es nicht erforderlich, daß der Lehrer sich zum positiven Christentum bekennt; aber er muß eine religiöse Natur sein oder wenigstens die religiösen Kräfte im Menschen als grundlegend anerkennen. Kann er das nicht, so sollte er keine Sagen behandeln.»[47]

Man mag fragen, warum am Aufbau mythischer Sehweisen und an der Dämonologie vor allem der Ballade des 19. Jahrhunderts und darüber hinaus bis zu A. Miegel so viel gelegen sei. Es gibt viele Antworten; als Schlaglicht auf einen ganzen Komplex sei diese gegeben: Die Frage der Schüler im Geschichtsunterricht nach den Gründen für Inquisition und Hexenwahn läßt sich mythisiert beantworten: «Die Macht der Finsternis» sei unbesiegt geblieben.[48] An solche «Mächte» gewöhnt, werden sie die Frage nach rational verstehbaren Gründen unterlassen und sich mit der Beschreibung des Phänomens begnügen.

Die Theorie von der «Macht der Finsternis» feiert im Geschichtsbuch geradezu Triumphe bei der Erklärung eines anderen «Phänomens», des Nationalsozialismus. Im Arbeitsteil wird zunächst unter der Überschrift «Der Griff in die Seele» ausführlich auf Dostojewskis Großinquisitor-Legende rekurriert, um die dämonische Verführungsmacht des totalitären Staates mythisch begreifbar zu machen. «In seiner Erzählung hat Dostojewski die totalitäre Herrschaft gedeutet, längst ehe Stalin oder Hitler versucht hatten, sie tatsächlich zu errichten.»[49] Dann folgt eine umfangreiche Arbeitsaufgabe, die die Dostojewski-Erzählung aufs Hakenkreuz aktualisiert, darauf ein Kapitel über «die technischen Mittel» der Verführung, ein weiteres über die nach der Verführung «verordnete ‹Weltanschauung›» und ein abschließendes «Die Schlange im Gras . . .», das unter so kräftiger Titelbeschwörung des biblischen Mythos warnt, sich neuerlich von der «Macht der Finsternis» verführen zu lassen, denn: «Die Schlange lauert im Gras.»[50]

Die Sache ist wichtig; $8^1/_2$ Seiten wurden darauf verwendet, Hitler und die NS-Führung zu dämonisieren. Wie im Darstellungsteil bleibt die Wehrmacht fleckenfrei, die Kirchen erscheinen als Opfer, und die Wirtschaft wird nur in der allgemeinen Form der durch die Wirtschaftskrise hervorgerufenen Not ins Spiel gebracht. Welche Antwort ergibt sich damit auf die Frage der Schüler: Wie war das möglich?: Es ist im Grunde die alte mythische Geschichte von Adams und Evas Verführung durch «die Macht der Finsternis», die Schlange im Gras! Wie jene ersten Sünder, so sind auch heute die Verführten schuld. Darum warnen die Autoren heute nach der Katastrophe des Gestern vor einem möglichen Morgen, das käme, wenn wir der «Sucht» nach dem erlägen, was ihnen als eine «einfache, bequeme ‹Weltanschauung›»[51] erscheint, und sie meinen damit den Marxismus: «Die Schlange lauert im Gras.» – Auch Brecht warnte: «Der Schoß ist fruchtbar noch, aus dem das kroch.» Aber er meinte nichts Mythisches, sondern konkrete wirtschaftliche Interessen, von denen «Menschen in ihrer Zeit» beharrlich schweigen.

Wem sich das Problem der faschistischen Machtergreifung wie diesen Geschichtsbuchautoren vor allem als das der Verführbarkeit der Massen darstellt, für den gilt in der Tat «das Problem Masse und Elite» als «vielleicht das schwierigste der heutigen Daseinsstruktur».[52] Um dieser Problematik Herr zu werden, muß man dann wohl die Masse sowohl intellektuell schulen, wozu der technische Fortschritt und das Interesse der Wirtschaft sowieso zwingen, als auch sie bewußtseinsmäßig in den Griff bekommen, doch so, daß in allen das subjektive Gefühl, frei zu sein, erhalten, ja verstärkt wird. Das stellt der «demokratischen Erziehungsschule» (Ulshöfer: «Die Schule der Demokratie ist Erziehungsschule, keine Weltanschauungsschule») ihre Aufgaben, nämlich sachliche Effizienz bei gleichzeitiger zweckdienlicher Bewußtseinsbildung und scheinbar freiem, faktisch jedoch autoritärem Unterrichtsstil.

Das pädagogische und methodische Problem läßt sich etwa in die Frage fassen, «wie im jungen Menschen ... falsche Vorstellungen ohne geistigen Zwang berichtigt werden können».[53] Eine solche falsche Vorstellung wäre z. B. die, daß Klassen das Ergebnis von ökonomischen Bedingungen und Herrschaftsverhältnissen wären. Zur richtigen Vorstellung führt eine Diskussion mit folgendem Ergebnis: «Die Unterscheidung von selbständiger und unselbständiger Arbeit darf nicht zur Klasseneinteilung führen.»[54] Damit ist dann für ein Verständnis der Begriffe «Klasse», «Klassengesellschaft» und «Klassenkampf» gesorgt, das mit dem von Marx nichts mehr zu tun hat; sondern die Entstehung von Klassen ist zu einem Problem korrigierbarer Einstellungen gemacht. Die Frage, ob es heute noch Klassen und Klassenkampf gebe, eine den heutigen Schülern sehr naheliegende Frage, wäre in Anlehnung an ein kaiserliches Vorbild etwa so zu beantworten: Wir kennen keine Klassen mehr, wir kennen nur noch Konsumenten.

Als eine Frage der subjektiven «inneren Einstellung», nicht der objektiven Arbeits- und Lebensbedingungen muß folgerichtig auch die Zufriedenheit am Arbeitsplatz erscheinen. Wer überzeugt wurde, daß «nicht die Arbeit, sondern die Gesinnung, mit der eine Arbeit verrichtet wird»[55], über ihren Wert entscheidet, wird, falls er mit seinen Arbeitsbedingungen unzufrieden ist, die Schuld bei sich selbst suchen müssen, statt den «Arbeitsfrieden» zu stören oder gar anzufangen, über den Widerspruch zwischen den Produktivkräften und den Produktionsverhältnissen nachzudenken. Vollends ideal wäre es natürlich, der Arbeiter wäre zu bewegen, mit Luther im Chor zu sprechen: «Die Magd, welche die Stube fegt, verrichtet Gottesdienst.»[56] Für den Schüler gilt jedenfalls zwecks nachdrücklicher Einprägung der kategorische Befehl: «Beispiele sind vorzubringen.»[57] Gesinnungsmäßig derart gestärkt, wird der Schüler später, wenn er auf das Lied des Straßensängers im «Galilei» stößt («Wer wär nicht auch mal gern sein eigener Herr und Meister?»), bloße Literatur wahrnehmen, nicht aber eine Aufforderung zur Demokratisierung der Institutionen in der eigenen Gesellschaft.

Ulshöfer will zum Gespräch erziehen, denn «die Schule der Demokratie im 20. Jahrhundert ... steht vor der Notwendigkeit, den selbständig urteilenden Bürger heranzubilden, der die Freiheit des Denkens bejaht und verteidigt.»[58] Er skizziert Unterrichtsbeispiele von Rundgesprächen und Streitgesprächen. Sein erstes Rundgesprächsthema «Warum sind die Lehrer Gegner des Abschreibens, warum tun die Schüler es doch; und ist das Abschreiben wirklich verwerflich?» gibt zunächst die Lehrermeinung als eine generelle aller Lehrer, damit auch die des Unterrichtenden bekannt. Damit ist der Frage der Charakter einer echten Frage genommen, denn der Schüler weiß nicht nur seit eh und je, daß es sich auszahlt, die Lehrermeinung zu vertreten; darüber hinaus teilt ihm die moralisch wertende Vokabel «verwerflich» mit, welch Lehrerurteil er sich auf den Hals zieht, wenn ... Schon das Thema stellt dem Schüler unmißverständlich vor, welch Resultat der Lehrer – bei aller Bejahung der Freiheit des Denkens! – vom Schüler erwartet, den er durch derlei Gespräche zum «selbständig urteilenden Bürger» heranbilden will. Ulshöfer ist weit davon entfernt zu sehen, daß er zur Lüge, zur Heuchelei und zum Untertanengeist erzieht; er hält den auf die Schüler ausgeübten Zwang, «sich eingangs in den Standpunkt des Lehrers einzuleben», für eine unumgängliche Voraussetzung dafür, «daß eine sachlich wertende Stellungnahme» möglich wird. Der Schüler hat also, sich einlebend, die moralische Disqualifizierung seines Verhaltens selbst zu vollziehen und zu verinnerlichen: er begehe geistigen Diebstahl, sei faul, verderbe seinen Charakter. Dagegen kommt, was als Pennälerstandpunkt dagegengestellt wird, von vornherein nicht an, auch im Bewußtsein der Schüler selbst nicht, denn sie lernten nicht, konkret kritisch zu denken, sondern nur abstrakt moralisch. Schwierigkeitslos geht es also im 3. und 4. Abschnitt mit vollen Segeln in die Moralität: Abschreiben als Zeichen von Schwäche und als Unsitte. Den Schluß suggeriert der Lehrer der «demokratischen Erziehungsschule» den «selbständig denkenden» Schülern mit Leichtigkeit: «Wir wollen uns zu dem Standpunkt englischer und amerikanischer Schüler bekennen, welche das Abschreiben als unter ihrer Würde ansehen.»

Wahrlich, ein Philiosph mit dem Hammer! Welcher seiner Mittelstufenschüler könnte sich bei soviel Erziehung zur Freiheit schon das freie «Bekenntnis» (um im Jargon zu bleiben) zur Würdelosigkeit leisten! Die Schule seiner Vorstellung, sagt Ulshöfer, sei keine Weltanschauungsschule. Sollten wir um Worte streiten? Jedoch: Warum müssen seine Schüler auch bei dieser Gelegenheit «bekennen»? Bei diesem Wort wollen wir in der Tat ums (verräterische) Wort streiten! Haben Bekenntnisse keine (weltanschaulichen!) Inhalte? Und um noch einmal den Blick auf die Tradition gewisser Worte und Denkschemata zu lenken: Nicht erst vom Hohen Meißner an waren alle diese Bekenntnisse irrational.

Ulshöfer erklärt, er habe nicht moralisiert, denn er habe mit Begriffen gearbeitet, die die Schüler anerkannten, und er hält das ernsthaft nicht für einen Trick, sondern für ein Argument. Auch der Teufel arbeitet am erfolgreichsten, so sagt man, wenn er Begriffe einsetzt, die der Fromme anerkennt. Ulshöfer spricht auch ungeniert von Nötigung, die Thema und Behandlung ausübten, hält aber von dem gerade mit diesen Mitteln der Nötigung erreichten Ergebnis her die Übung für gerechtfertigt. Und wahrscheinlich glaubt er auch, er habe mit den Schülern frei diskutiert. «Demokratische Erziehungsschule»! – Erziehungsschule, in der Tat, aber nicht demokratisch, sondern massiv autoritär!

Der Methodiker hält sein mit sanfter Gewalt durchgesetztes, der «freien» Diskussion vorbestimmtes Resultat für objektiv richtig und damit den ganzen Vorgang für Erziehung zur Wahrheit. Nun ja, er konnte sich ein ernsthaftes Schülerargument nicht einmal vorstellen. Es sei ihm nachgereicht! Ein Schüler möge vortragen: Herr Ulshöfer irre, wenn er die Frage des Abschreibens zu einer solchen des Charakters mache. Zwar unterstelle er, der Schüler, gern, daß Herr Ulshöfer schon als Schüler sich durch Charakter ausgezeichnet und nicht abgeschrieben habe, vielleicht es auch gar nicht nötig gehabt habe, aber er könne nicht glauben, daß ein Verhalten, das seit alters so unausrottbar sei, daß auch Lehrer, solange sie noch als Schüler zur Schule gingen, mogelten, eine Folge entweder des Sündenfalls oder des verdorbenen Charakters fast aller Jugendlichen sei. Er schlage vor zu untersuchen, ob es nicht vom Schulsystem erzwungen werde. Er vermute, daß die Schule schon immer so strukturiert war und so auch unter dem demokratischen Firmenschild geblieben sei, daß ihre Schüler, die ja doch gesunden Selbsterhaltungstrieb hätten, abschreiben müßten. Er wolle zugeben, daß das den Charakter schädigen könne, aber er halte eine Schule, die den Charakter verderbe und ihn nur verbal durch Gesinnungsübungen wieder aufrichten wolle, für um so dringlicher der Reform bedürftig. Es gebe ja noch sehr viel mehr Gründe, die Schule der Charakterschädigung anzuklagen. Auch in der Demokratie erziehe die Schule durch ihre vielfachen Pressionen zur opportunistischen Anpassung und zum Sich-ducken, u. a. durch Themenstellungen, bei denen der Opponent, wenn auch nur mittelbar, so doch unmißverständlich, als faul, charakterlich minderwertig, als Junge ohne Ehrgefühl und ohne Sinn für fair play hingestellt werde. Allerdings, der Schüler könne theoretisch seine Meinung frei sagen, hingegen: «Die Verhältnisse, gestatten sie's?»

Ulshöfer versteht sich auf repressive Themen zur Übung demokratischer Diskussionsformen: «Was der Schüler an der Schule und was die Schule beim Schüler anders wünscht» bestätigt vor dem Diskussionsbeginn die Schule als die maßgebende Autorität, zählt in der vorgeschlagenen Durchführung Schülerwünsche auf, die verdeckte Lehrerwünsche sind[59], und endet siegreich: «Schluß: Wir wollen einen Versuch machen.»[60] Das dritte Thema, «Warum ich den Streber nicht schätze», wird vor allem benutzt, den Fleißigen von dem Verdacht zu befreien, ein Streber zu sein. Das vierte Thema ist ein Musterbeispiel für repressiven Unterricht: «Warum wir keine Schundliteratur lesen.»[61] Damit sich ja keine unvorbelastete Diskussion entwickelt, wählen «wir» schon eine repressive Situation, nämlich die Woche zur Bekämpfung von Kitsch und Schund, und zudem laden «wir» «nach Möglichkeit ... Personen des öffentlichen Lebens ein». Was «wir» dann als Kriterien für Schund und Schmutz finden und wie «wir» sie beurteilen, das hat es in sich. Wir Schüler der

Mittelstufe gestehen tiefüberzeugt, daß Spannung nur durch äußeres Geschehen, Tier- und Verbrecherjagden etwa, uns mit Abscheu erfüllt, daß wir Landschaftsschilderungen lieben und nach «Betrachtungen über Musik, über Religion» und dergleichen dürsten. Wir wollen keinen superman, wir wollen den Helden, der gelegentlich verzweifelt, einsam ist, Gewissensbisse hat, der zwischen Recht und Unrecht steht, kurz, der das hehre, von unseren Lehrern geliebte Per-aspera-ad-astra-Schema verkörpert. Vor allem suchen wir, bis wir es finden, das «gute Buch», weil es «Wörter und Wendungen» bringt, «die der Durchschnittsleser nicht oder selten verwendet», denn damit üben wir den Hohen Stil ein, weisen uns vor uns selbst und vor anderen als Gebildete aus und trainieren elitäres Bewußtsein. Daß auch in Heldensage und Märchen «der Held ... der beste Schütze, stärkste, klügste und hilfreichste Mensch (ist), sogar als Strauchritter und Rädelsführer noch uneigennützig und ein Helfer der Unterdrückten», bedenken wir nicht, so wenig wir auf den Gedanken kommen, daß die Sehnsucht der Masse nach uneigennützigen Helden und Herren, nach «Helfern der Unterdrückten» gesellschaftliche Zustände widerspiegeln, die solcher Retter dringend bedürfen. Zum Schluß geloben «wir» uns noch, nie so tief zu sinken, daß wir Kriminalromane lesen – wie Adenauer.

«Wir» sind aber auch politisch. «Wir» diskutieren zwar nicht gerade eine Frage, die die Schüler wirklich bewegt, z. B. die der Kriegsdienstverweigerung, denn selbstredend «bekennen» wir, dem Geiste treu, in dem wir gebildet wurden: «Die Verteidigung des Vaterlandes muß Ehrensache des ganzen Volkes sein», «Die Verteidigung der Demokratie ist Pflicht jedes Staatsbürgers.» «Der Wehrdienst ist ein wertvolles Erziehungsmittel: Zucht, Gehorsam, körperliche Ertüchtigung, Gemeinschaftsleben aller Stände.» Diskutierten wir über Kriegsdienstverweigerung, dann wäre ja, wenn auch vorerst nur theoretisch, das Militär grundsätzlich fragwürdig gemacht. Man wehre den Anfängen, und «wir» empfinden schon wieder gesunden Widerwillen bei gewissen Versen von Kästner («Kennst du das Land, wo die Kanonen blühn?») und Tucholsky («Wir haben noch die alten Bürokraten – die alten Richter und die Traditions-Soldaten ... – Das ist ein Glück. – Wir kehren langsam zur Natur zurück.») So heißt denn das Problem, das allein «wir» zu diskutieren bereit sind: «Volksheer oder Berufsheer.»[62]

«Auch die Demokratie braucht eine Führungsschicht, die von der Gesamtheit anerkannt wird. Die Unterschiede unter den Menschen dürfen nicht verschwinden. Das Volk braucht geistige Führer.»   Robert Ulshöfer

1 Robert Ulshöfer: Methodik des Deutschunterrichts, Bd. 1–3 wird zitiert wie folgt: Unterstufe, 4. überarbeitete und erweiterte Auflage Stuttgart 1963: I – Mittelstufe I, 7. durchgesehene Auflage Stuttgart 1968: II – Mittelstufe II, 4. erheblich veränderte Auflage Stuttgart 1966: III. Wird die erste Auflage Stuttgart 1952 (Mittelstufe I), 1957 (Mittelstufe II), 1963 (Unterstufe), zitiert, so wird zwischen der römischen Ziffer und der Seitenangabe eingefügt: 1. Auflage.

2 III, S. VII.

3 ebenda. – 4 ebenda. – 5 II, S. VIII. – 6 S. 197.

7 III, S. VII.

8 III, S. 67. In entsprechender Weise werden «gemeinsam erarbeitete Schilderungen» angefertigt von einem Engel am Gerichtspfeiler des Straßburger Münsters, dem Bamberger Reiter, vom Diskuswerfer. In ihnen geht es durchweg nicht um einen kognitiven Prozeß, indem z. B. unter Betonung der historischen Distanz Merkmale festgestellt werden, sondern mit suggestiven Mitteln wird ein spätidealistisches, religiösweltanschauliches Weltbild indoktriniert. Z. B. wird zum Engel nicht gefragt: Welche religiöse Verkündung drückt er aus? Welche Überzeugung des Künstlers und seiner Zeit bekundet die Figur? Vielmehr suggeriert Ulshöfer: «Dieser Mensch lebt nicht aus sich selbst; sein Glück ist es, Bote zu sein. Durch den leicht geöffneten Mund spricht eine Stimme, der sich kein Mensch entziehen kann» (III, S. 67). Den letzten Satz würden viele Deutschlehrer ihren Schülern als Phraseologie nicht durchgehen lassen.

9 «Die Schule der Demokratie ist Erziehungsschule, keine Weltanschauungsschule» (III, S. 56). Dieser Proklamation einer Erziehungsschule mit Ulshöferschen Inhalten zur Schule der Demokratie ist hart entgegenzusetzen: Demokratisch darf sich die Schule erst nennen, wenn sie zu einer Schule wurde, die rationale Erkenntnisprozesse in Gang setzt.

Ulshöfers Meinung von der Weltanschauungsfreiheit seines eigenen Wirkens kommt durch eine sachlich unhaltbare Definition von «Weltanschauung» zustande. Er läßt den Begriff allein auf Nationalsozialismus und Marxismus anwendbar sein.

Um diese Definition des Begriffs auf die Beine stellen zu können, muß Ulshöfer sein Wissen darüber verdrängen, daß «Weltanschauung» ein zentraler Begriff z. B. auch für den Expressionismus war wie für andere bürgerliche Erneuerungsbestrebungen im ersten Drittel des 20. Jahrhunderts. Zweitens hält er seine «Erziehungsschule», so massiv sie bestimmte Vorstellungen indoktriniert, für weltanschauungsfrei, mit der Begründung, bei diesen Inhalten handele es sich um überzeitlich gültige «sittliche Grundbegriffe» (vgl. III, S. 51).

Ulshöfer versichert freilich, er verstehe die Erziehungsschule als einen formalen Begriff: «Die Einsicht in den Zusammenhang von Sachlichkeit, Wahrhaftigkeit und Redlichkeit kann eine bestimmte Verhaltens- und Arbeitsweise auslösen und sollte zu einer Maxime des Handelns führen: Zur Haltung des kritisch-prüfenden, um strenge Sachlichkeit und Wahrhaftigkeit bemühten Menschen. In solchem – und nur in solchem – formalen Sinne ist der Deutschunterricht ein Fach der Erziehung» (III, S. 57, Anm.).

Die mangelnde Stringenz seiner Begriffe ermöglicht es Ulshöfer, solche an zahlreichen Stellen feststellbare innere Widersprüchlichkeit sowie den eklatanten Widerspruch zwischen dem verbal Bekundeten und dem faktisch Vollzogenen zu verschleiern, resp. sich selbst zu täuschen. Faktisch ist seine Erziehung alles andere als formal. Schon die ausdrücklich religiöse, besser: religiös-weltanschauliche Komponente seines Denkens läßt das nicht zu. Weil er seine Erziehung zu zeitgebundenen Wertvorstellungen für objektiv-sachlich erachtet, «Wahrhaftigkeit» für ihn ein metaphysischer Begriff ist und er sich über den dialektischen Charakter des für ihn abstrakt-objektiven Begriffs «Rechtlichkeit» nicht klar ist, kann er das alles unter den Begriff «formale Bildung» subsumieren. Daß das nur im Zirkel eines ganz bestimmten Denkens mit seinen dafür zugeschnittenen Prämissen gültig ist, also von Vorurteilen abhängt, entgeht ihm so völlig, daß er die Einübung solchen Denkens noch als Erziehung zum «kritisch-prüfenden, um strenge Sachlichkeit und Wahrhaftigkeit bemühten Menschen» bezeichnen kann.

Die mangelnde begriffliche Klarheit ist z. B. eklatant in folgender Frage: «Wie ist das Verhältnis von individueller Freiheit und objektiv-gültiger, gesellschaftlicher Norm?» Daß gesellschaftliche Normen sich im historischen Prozeß wandeln, dürfte Ulshöfer bekannt sein; wie nur kann er sie dann «objektiv-gültig» nennen? Die Erklärung ist allein in der bürgerlichen Ideologie zu suchen, die von Anfang an ihre Normen als objektiv gültig, als allgemein menschlich und ewig behauptet hat. Doch das ändert nichts an der begrifflichen Unzulässigkeit des Satzes. Als charakteristisch idealistisches Denken wäre der Satz noch durchgegangen, hätte Ulshöfer formuliert: Welches ist das Verhältnis von individueller Freiheit zu objektiv-gültigen Normen einerseits und zu gesellschaftlichen Normen andererseits?

10 III, S. 60.

11 III, S. VII.

12 III, 1. Auflage, S. 57.

13 III, 1. Auflage, S. 218.

14 III, S. 224. Die Wendung von der «denkträgen Masse» war alles andere als ein lapsus linguae. Er spricht auch weiterhin von der «breiten Masse» (III, S. 64) und ihrem «pervertierten Heldenideal», «wie er als Filmschauspieler, Fußballspieler, Kriminalist, Weltreisender oder Sportler» in Illustrierten erscheine oder, wie Schlagersänger, «durch Reklame zum Idol erhoben» werde. Der Deutschunterricht hat vor diesem Hintergrund die Aufgabe, «höheres Wertbewußtsein» zu entwickeln.

Aus Ulshöfers Vorstellung von zu Idolen pervertierten Idealen, denen die Mehrzahl dauernd und auch die Gymnasialjugend phasenbedingt anhängt, und von höherem Wertbewußtsein, das nur wenigen zugänglich ist, folgert notwendig die Einteilung der Menschen in Elite und «denkträge Masse». Die Voraussetzung für die Erziehung zu Höherem ist für Ulshöfer sogar – man sollte es nicht für möglich halten, aber er sagt es buchstäblich (III, S. 58) – eine Berufung. Nur dieser Berufene wird in fünf Stufen bis zur obersten, wo er «dem Transzendenten geöffnet, seinem Gewissen verantwortlich ist», durch Erziehung gebildet. In diesen Berufenen erblickt Ulshöfer die Führungselite, zu der als Alternative die «Herrschaft der letzten Bank» (III, S. 91) droht.

Ulshöfers Menschenbild, aufgebaut auf dem Begriff – auch Guardinis – der «Person» und dem «Selbst» als säkularisierter Seele-Vorstellung, unterscheidet, wie seine pyramidenförmige zeichnerische Darstellung auf S. 58 optisch klarmacht, zwischen Unten und Oben, zwischen Wertloserem-Anfänglichem und Wertvollerem-Aufgestiegenem, ist also grundlegend hierarchisch, und zwar metaphysisch orientiert. Wer keinen Sinn für – nicht definierte und nicht stringent greifbar gemachte, sondern nur ideologisch postulierte – «geistige Ordnungen» und «Einsicht» in solche hat, wer sich nicht für die abstrakt gestellte «Frage nach dem Sinn des Daseins» «öffnet», sondern eine Frage nach einem unbedingt Gültigen» vegetiert, wer nicht weiß, was ein «Anruf des Selbst» ist, wer also kein «personales Sein» (S. 59) besitzt, wer bei all dem von verschwommener Begrifflichkeit und «Jargon der Eigentlichkeit» redet, hat keine Aussicht, in die Region von Ulshöfers höheren Menschen aufzusteigen.

Die alte Unterscheidung zwischen geistiger Minderheit und führungsbedürftiger denkträger Masse liegt der folgenden Übungsfrage für Streitgespräche zugrunde:

«Weshalb zieht der Film die breite Masse stärker an als das Theater?» und ebenfalls dem zur Debatte gestellten Antrag: Die Klasse wolle beschließen, den Besuch von Spielfilmen zugunsten der Kulturfilme einzuschränken und sich für stärkeren Besuch des Theaters einzusetzen. Das können Schüler, die Ulshöfersche Höhere-Menschen-Wertmaßstäbe gewohnt sind, gar nicht frei diskutieren; sie stehen von vornherein unter Pression.

Für Ulshöfer ist der Mensch nicht primär gesellschaftlich definiert, was sich bei seinem epigonal idealistischen Denken fast von selbst versteht, sondern er ist immer «ein Wesen, das ...» Z. B. ist er ein Wesen, das «Problembewußtsein» hat, dem die «Fragehaltung» eingeboren ist, aber nicht im Sinne von Brechts «Lob des Zweifels», sondern zwecks Gottsuche.

15 III, S. VIII.

16 II, S. 116. Man sollte solchen Satz, der nichts sagt, nicht schreiben, denn weder gibt er zu erkennen, wie Ulshöfer die Geschichte versteht, noch begründet er die in ihm angedeutete Weigerung. Hans Mayer mokierte sich einmal über «das beliebte westdeutsche Gesellschaftsspiel», den Dichter Brecht vom Marxisten Brecht zu trennen. Ulshöfers auf Brecht bezogene Warnung vor «weltanschaulicher Interpretation» ist eine besonders schöne Belegstelle für Mayers Anmerkung. Zu welcher «Vergewaltigung des Textes» gerade die Befolgung seines Rats führt, läßt sich an jeder Ulshöfer-Äußerung über einen Brecht-Text demonstrieren, am schlagendsten am Beispiel seiner Auslegung von «Die Ausnahme und die Regel».

17 S. 17 f. – 18 III, S. VIII.

18a Man spreche von einem Weltbild der Physik und Biologie, also von einer «erkenntnistheoretisch bestimmte(n) Art von Weltbetrachtung und Weltbefragung», hingegen «von der ‹Weltanschauung› des Marxismus, des Nationalsozialismus, womit zugleich eine Hierarchie der für den einzelnen verpflichtend gesetzten Werte und Dogmen gegeben ist» (III, S. 56). Für den NS wollen wir das gelten lassen, zumal er selbst intensiv mit der Vokabel ‹Weltanschauung› arbeitete und auf oberste Werte verpflichtete wie jedes, auch das pervertierteste idealistische Denken. Ulshöfer möge sich erinnern, daß seine Gesinnungsschule zur Produktion ritterlicher Menschen dauernd auf Werte verpflichten will, also weltanschaulich ist. Marx hingegen analysiere die bürgerliche Gesellschaft. Marxismus ist also grundlegend zu bestimmen als eine Methode zur Gesellschaftsanalyse; ihr hervorragendes Mittel ist das dialektische Denken. Im Unterschied zu allen idealistischen Wertsetzungen, natürlich auch denen von Ulshöfer, die Gläubige und Bekenner verlangen, sind alle marxistischen Resultate rational diskutierbar. Grundsätzlich gilt das auch noch vom Bolschewismus, der sich unter sehr besonderen historischen Bedingungen entwickelte mit höchst konkreten Sachzwängen, was natürlich seinen Niederschlag im Überbau fand. Ulshöfers Vulgärvorstellung vom Marxismus gelangt nicht über die Vorstellungen hinaus, welche fünfzig Jahre antikommunistische Propaganda für (um mit Ulshöfer zu sprechen) «die denkträge breite Masse» zubereiteten.

Relevant in unserem Zusammenhang ist Ulshöfers nicht begründete, darum auch nicht ernsthaft diskutierbare Meinung, seine von Irrationalismen durchsetzte Betrachtungsweise sei analog dem naturwissenschaftlichen Weltbild objektiv erkenntnistheoretischer Natur. Wie soll man das diskutieren? Man kann das nur als Kuriosum festhalten.

19 «Menschen in ihrer Zeit» Bd. 4, S. 63.

20 vgl. «Menschen in ihrer Zeit» Bd. 4, S. 7.

21 «Menschen in ihrer Zeit» Bd. 2, S. 27.

22 «Menschen in ihrer Zeit» Bd. 4, S. 193.

23 ebenda, S. 218. – 24 ebenda, S. 216. – 25 III, S. 58. – 26 III, S. VII. – 27 III, S. V.

28 III, S. VIII. Ulshöfers ganze Anthropologie, damit seine Bildungsvorstellungen und
damit seine Methodik fielen in sich zusammen, wollte er die tradierte Vorstellung
preisgeben, daß erst die kontemplative Verinnerlichung realer Zwänge den Menschen «wesentlich» mache, und wollte er statt dessen den rational aufklärerischen
kognitiven Prozeß zulassen. Müßte er dann doch konkret von «Gesellschaft»
sprechen und sich vernebelnde Wendungen wie die vom «Gemeinschaftsleben aller
Stände» (III, S. 95) verbieten; er müßte Fakten in Rechnung stellen, statt von einer
mystischen «Berufung» «des» Menschen zur Mitwirkung an einer nicht weniger
mystischen «Ordnung der Welt» zu predigen (III, S. 61). Hier stützt Ulshöfer sein
elitäres Denken durch die vorgebliche Berufung durch eine nicht genannte, also
wohl nicht benennbare, also wohl inexistente berufende Instanz metaphysisch ab.
Ein solches Ordnungsdenken ist nicht gesellschaftlich und nicht politisch, sondern
metaphysisch. Es ist infolgedessen von vielen Genauigkeiten und von vielem
Konkreten entlassen in die Sphäre falscher Erhabenheit, in der man z. B. verkünden
darf, daß «zur Ordnung der Welt beiträgt» nur der, der «an die Sinnhaftigkeit der
Welt und ... die Tragik des Daseins» glaubt (III, S. 66). Da läßt sich denn auch
unter Mißachtung jeder Erfahrung behaupten, vorbildhaft für den Jugendlichen sei
«immer» (!) der Mensch, der an Sinn und Tragik des Daseins glaube (III, S. 65f.).
29 II, 1. Auflage, S. 61.
30 «Menschen in ihrer Zeit» Bd. 2, S. 167.
31 «Menschen in ihrer Zeit» Bd. 4, S. 186 f.
32 «Menschen in ihrer Zeit» Bd. 2, S. 163.
33 «Menschen in ihrer Zeit» Bd. 2, S. 165.
34 III, S. 71.

34a Ulshöfer würde den Vorwurf, er denke elitär, mit dem Hinweis auf Stellen in
seiner «Methodik», die die grundsätzliche Gleichwertigkeit von körperlicher und
geistiger Arbeit betonen (so III, S. 95 f.), für entkräftet halten. In der Tat will er den
Wert körperlicher Schwerarbeit «ins rechte Licht gerückt» sehen und dem Fließbandarbeiter Achtung zollen, vor allem nach der menschlichen Qualität, nicht nach
der Art der Tätigkeit fragen. Im Grunde geht es um den «menschlichen Wert», den
er jedem zuerkennt, der «Tüchtigkeit und Verantwortungsfreude» an den Tag legt.
Nur ändert das für ihn nichts daran, daß «die Unterschiede zwischen den
Menschen ... nicht verschwinden (dürfen). Das Volk braucht geistige Führer.»
Das ist nichts anderes als die alte Melodie, neu gepfiffen: «Vor Gott sind wir alle
gleich», die der strengsten mittelalterlichen Hierarchie selbstverständlich war, jeder
Feudalherr anerkannte menschliche Qualitäten bei Bürgern und Bauern; der
kaiserliche Offizier konnte «seine Leute» für «prächtige Kerle» halten, der patriarchalische Gutsherr Ostelbiens fühlte sich seinen Instleuten menschlich verbunden;
nur berührte das alles nicht den «Herrenstandpunkt» der Herren, die alle felsenfest
davon überzeugt waren: «Die Unterschiede unter den Menschen dürfen nicht
verschwinden.» Sie alle würden Ulshöfer beipflichten: «Jeder Staat braucht eine
geistige Führungsschicht, welche aus freien Stücken Verantwortung übernimmt.»
Was es klarzumachen gilt, ist dies: Wo immer man von der Notwendigkeit von
Führungs*schichten* überzeugt ist, herrscht elitäres Denken.
35 «Der Deutschunterricht» 6/69, S. 7.
36 III, S. 49.

Durch den pejorativ gemeinten Zusatz «unorganisch» ist der «revolutionäre
Prozeß» verurteilt; es bedarf einer weiteren Beweisführung so wenig, wie ein Christ
sie verlangt, wenn etwas als teuflisch bezeichnet wird. Die Kategorien «organisch»
und «unorganisch» sind Ingredienzien ständischen Denkens, wie Ottmar Spann es
lehrte und der Austrofaschismus politisch vertrat.

37 III, S. 183. – 38 I, S. 282. – 39 I, S. 279. – 40 I, S. 291. – 41 I, S. 281, – 42 ebenda. – 43 I, S. 290. – 44 I, 1. Auflage, S. 284. – 45 I, 1. Auflage, S. 306. – 46 I, S. 312. – 47 I, 1. Auflage, S. 385.

48 «Menschen in ihrer Zeit» Bd. 2, S. 95.

49 «Menschen in ihrer Zeit» Bd. 4, S. 187.

50 «Menschen in ihrer Zeit» Bd. 4, S. 194.

51 «Menschen in ihrer Zeit» Bd. 4, S. 194.

52 Grundriß der Geschichte Bd. 2, S. 197.

53 III, S. 63. – 54 III, S. 96.

55 ebenda. «Der Fließbandarbeiter verdient die Achtung derer, die eine vielseitige Arbeit haben» (III, S. 96), schreibt Ulshöfer und dünkt sich sozial; er ist aber, obwohl Methodiker für «Idealbildung» und «Erziehung zur Wirklichkeit», nur weltfremd. Wollte er diese Reverenz einem Fließbandarbeiter persönlich erweisen, es möchte für ihn einen peinlichen Ausgang nehmen. Schön wäre es freilich, ein Arbeiter fragte ihn, was den Herrn seine Achtung eigentlich koste. Er könnte hinzufügen, das hätten sie gern, daß jemand durch «noble Gesinnung» sich freikaufe von dem schlechten Gewissen, das er haben sollte, solange er nichts tue, um dazu beizutragen, daß der Arbeiter als Arbeitender wieder Mensch werden könne. Der Herr könne zumindest systemkonform der IG Metall Beitrag zahlen.

56 III, S. 96.

57 ebenda. Man wünschte doch sehr, ein Fließbandarbeiter lüde Ulshöfer und seine Schüler zu ausreichend langen Exerzitien in seiner Art von Gottesdienst ein. Zu empfehlen wäre eine anschließende theoretische Aufarbeitung der Erfahrungen mit Gewerkschaftsfunktionären und modernen Theologen unter dem Thema «Fließbandarbeit als Gottesdienst». Mit Sicherheit würden die Theologen die Formel als blasphemisch bezeichnen, und die Gewerkschaftler würden schon die rechten Worte finden für Ulshöfers Aufmunterung an den Industriearbeiter, er möge seine Arbeit nur im rechten Geiste verrichten, dann sei er ein wertvoller Mensch und nützliches Mitglied der Gesellschaft.

58 III, S. 83 f.

59 «I. Was der Schüler anders wünscht:

a) Gebäude, Klassenzimmer, Wandschmuck, Aufenthalt (Leseraum, Zeitschriftenzimmer),

b) Freiheit und Ordnung; – Beseitigung des Zwanges, des Mißtrauens, der Kontrolle,

c) Anleitung zur selbständigen Arbeitsweise in Arbeitsgemeinschaften; Benutzung der Bibliothek,

d) Pflege des Gemeinschaftslebens innerhalb der Klasse und Schule.»

60 Das heißt nichts anderes, als daß an die Stelle des klaren Befehls die suggestive Bitte tritt. Hinter beiden aber steht die Strafandrohung, offen im einen Fall, verdeckt im anderen. Dergleichen als Demokratisierung ausgeben, heißt Demokratie als neues Mittel zur Durchsetzung resp. Behauptung der alten Herrschaftsansprüche einüben, und zwar ihre Handhabung die künftige Elite schon auf der Schule lehren, die «breite Masse» sie schon da gewohnt werden lassen.

61 III, S. 92. – 62 III, S. 95.

Hans Joachim Grünwaldt
Didaktik des Deutschunterrichts in der Wandlung

Der Deutschunterricht beginnt sich zu wandeln. Zumindest wird die Anfechtbarkeit der bisher ihn prägenden Theorien offenkundig. Der Zwang zum Umdenken, der dadurch entstanden ist, hat aber inzwischen nur mancherlei fruchtbare oder anregende Neuansätze hervorgebracht[1], jedoch noch keine geschlossene neue Konzeption.

Vielleicht mag sie manchem als überflüssig erscheinen. Doch der Deutschlehrer ist ständig in Gefahr, seinen Schülern ein buntes Programm zu bieten: heute die sorgfältige werkimmanente Interpretation von Goethes «Meeresstille», morgen die Umwandlung des «Schimmelreiters» in ein Hörspiel und übermorgen die Diskussion sexueller Probleme anhand von Wedekinds «Frühlings Erwachen». Wieviel eher als sonst schon muß er dieser Gefahr des Vielerlei erliegen, wenn die Leitlinien, an denen er bisher seinen Unterricht auszurichten versuchte, kritisiert werden, ohne daß man ihm gleichzeitig neue, bessere anbietet. Wer seinen Unterricht nicht an einem (und sei es auch noch so allgemeinen) Ziel orientiert, wird kaum bemerkenswerte Erfolge erzielen können. Wer seine Schüler heute durch literarische Inhalte autoritär prägen und morgen zu einer kritischen Haltung gegenüber der Literatur anleiten will, wird erfolglos bleiben. Er arbeitet sich selbst entgegen, denn er versucht zur gleichen Zeit in entgegengesetzte Richtungen zu gehen.

I.

Dem Deutschunterricht muß also ein allgemeines Ziel gesetzt werden, soll er nicht zum ziellosen Unterrichtsbetrieb entarten. Gegen die augenblicklich üblichen Zielsetzungen lassen sich jedoch schwerwiegende Einwände vor allem politischer Art erheben. Gegen Ulshöfers Konzeption für den Deutschunterricht z.B. kann man mit Recht einwenden[2], daß sie durch und durch autoritär ist und deshalb nur verwendet werden kann, wenn man unselbständige, den gesellschaftlichen Verhältnissen sich anpassende Menschen heranzüchten will. Der Deutschunterricht ist für Ulshöfer «das Fach der Erziehung schlechthin».[3] Die Beschäftigung mit Literatur, die Aufsatzlehre, die Sprechübung, die Sprachkunde, alles versucht Ulshöfer «in den Dienst der personalen Bildung» zu stellen.[4] Er geht dabei von der Vorstellung aus, Sprache entstehe «aus der unmittelbaren Begegnung oder Auseinandersetzung des Menschen mit a) einem Du, sei dieses ein Tier, Mensch oder Gott, b) einem Sinngebilde, sei dieses Gebilde eine Gemeinschaftsordnung, ein Spracherzeugnis oder ein anderes Kulturwerk, c) einer Lebenserscheinung, sei diese Erscheinung ein Naturereignis (Tod; Frühling) oder ein Schicksalsschlag (Krankheit)»[5], und zwar sei das Sprechen nicht irgendeine Tätigkeit, sondern «ein Schöpfungsvorgang, welcher die ganze Seele ergreift»[6], sie prägt und verändert. Wer Einfluß auf das Sprechen des Menschen ausübe, nehme deshalb gleichzeitig Einfluß auf sein Wesen. Wer also das Wesen eines Menschen prägen wolle, müsse sein Sprechen beeinflussen.

Die Aufsatzübung hat deshalb für Ulshöfer nicht vorrangig den Zweck, Schülern sprachliche Operationsmodelle verfügbar zu machen, d. h. Schüler zu befähigen, Sprache zweckentsprechend und wirkungsvoll zu gebrauchen. Vielmehr soll sie vor allem einen Beitrag zur Formung der Schüler leisten. Auf der Unterstufe werden z. B. «die beiden Grundformen des (subjektiven) Erlebnisaufsatzes und des (objektiven) Sachaufsatzes, in denen zwei menschliche Grundhaltungen ihren Niederschlag finden . . . gleichberechtigt und sich ergänzend» nebeneinandergestellt.[7] Denn «Unbekümmertheit, Frische, Natürlichkeit, Urwüchsigkeit, sorgloser Plauderton herrschen im ersten; Strenge, Genauigkeit, Sachrichtigkeit, Nachprüfbarkeit, Kürze im zweiten. Zu beiden wollen die Schüler ermuntert werden», d. h. Entkrampfung und Zügelung junger Menschen sind für Ulshöfer Ziele pädagogischer Bemühungen; durch die Einübung der Formen des Erlebnis- bzw. des Sachaufsatzes können sie nach seiner Meinung erreicht werden.

In gleicher Weise stellt er die Literaturbetrachtung in den Dienst der «Bildung», also der autoritären Prägung. Er geht dabei von Diltheys Begriff des Verstehens aus, wonach «Verstehen» heißt, «den Symbolcharakter des Leiblichen und Irdischen entdecken».[8] Verstehen ist für Ulshöfer also etwas Aktives, ein Gestaltungsvorgang wie das Sprechen. Und deshalb prägt nach seiner Meinung das Verstehen genauso wie das Sprechen: Es bildet nämlich den «symbolischen Sinn»[9] des Menschen aus. Dieser «symbolische Sinn» ist aber nicht nur ein Organ zum Verstehen von Kunst. Er ist nach Ulshöfer vielmehr «die Keimzelle für die geistige Entwicklung des Menschen».[10] Denn: «Die menschliche Seele organisiert sich in ihrer natürlichen Entwicklung nach dem in ihr keimhaft angelegten Sinngefüge.» Die «Entwicklung des Sinngefüges der Seele» aber geschieht «in den einzelnen Akten des Welterfassens und Gestaltens»[11], also auch beim Verstehen von Kunst. Allerdings meint Ulshöfer: «Auch die Familie, die Gemeinde, der Staat, die Kirche sind symbolische Gebilde; und sie besitzen einen weit stärkeren Wirklichkeitsgehalt und eine stärkere Prägekraft als die Kunst.» Und «die lebendigen, in stetigem Wandel begriffenen geistigen Organismen als Sinnganzheiten zu erfassen, ist für den heranwachsenden Menschen wichtiger als Buch- und Kunstbetrachtung».[12] Aber Kunstbetrachtung ist nach Ulshöfer ein guter Weg, das Verstehen zu lernen und zu üben und damit den symbolischen Sinn zu entwickeln. Dies aber sei wichtig, denn «ohne die Fähigkeit zum Verstehen gäbe es keine Zuversicht und keinen Glauben, weder an einen Menschen noch an das Leben noch an Gott». Und: «Ohne Vertrauen gäbe es keine Treue, keine Gemeinschaft – weder eine politische noch eine soziale oder religiöse. Das Verstehen ist die Grundlage unseres Menschseins. Wir sind gebildet, wir besitzen Wertgefühl und Geschmack, eigenen Stil und Haltung in dem Maße, wie wir in uns das Organ des Verstehens von Sinnganzheiten entfaltet haben. Ohne die Fähigkeit des Verstehens gäbe es kein Wissen um höhere Werte, um das Unvergängliche, das Ewige, um die Sinnhaftigkeit des Daseins . . .» Kurz: «Der symbolische Sinn ist die Keimzelle unseres geistig kontemplativen oder reproduktiven Seins, der Urgrund und Mutterboden unseres religiösen und ästhetischen, unseres sozialen und politischen Verhaltens. Durch den symbolischen Sinn erfaßt der Mensch den Wertmittelpunkt der objektiven Gestalt und die in ihr angelegte Wertordnung . . . Durch ihn wird er Person.»[13]

Es ist Ulshöfer vorgeworfen worden, daß er (zumindest in der 1. Auflage seiner Methodiken für den Mittelstufenunterricht) den «ritterlichen Menschen» zum Bildungsziel des rechten Deutschunterrichts erklärt habe.[14] Aber weniger die Tatsache, daß er ein antidemokratisches Elite-Ideal den Schülern einzuprägen empfiehlt, ist zu kritisieren. Zu kritisieren ist vielmehr vor allem, daß er überhaupt Vorbilder «in die Bildschicht der Seele» einsenken will, damit sie «dort unverloren als Kapitel für das spätere Leben» «ruhen»[15], ja, daß er darüber hinaus empfiehlt, Schüler zu lehren, alles (auch und vor allem soziale Gebilde, wie «die Familie, die Gemeinde, der Staat»[16]) verstehend hinzunehmen, in allem einen Sinn zu entdecken. Mit solchen Methoden werden Untertanen herangezüchtet, die auch noch die schlechteste Politik als vorherbestimmtes Schicksal interpretieren, weil sie «aus dem Äußeren das Innere, aus dem Teil das Ganze, aus dem wandelbaren Erscheinungsbild das Bleibende, aus dem Gegenwärtigen das Dauernde» erschließen.[17]

II.

Die politischen Gefahren, die in der Praktizierung von Erika Essens Konzeption für den Deutschunterricht liegen, sind anderer Art. Sie sind auch, wie ihre Kritiker[18] mit Recht feststellen, weniger offenkundig.[19] Während Ulshöfers Theorie in der semifaschistischen konservativen Ideologie der «Inneren Emigration» wurzelt, die, als sie nach dem Zweiten Weltkrieg die Rechtfertigung für die Wiederaufrichtung der Herrschaft des Großbürgertums lieferte, schon längst nicht mehr dem Stand der ökonomischen und gesellschaftlichen Entwicklung entsprach, wurde Essens Konzeption beeinflußt von der Ideologie vieler deutscher Intellektueller der Nachkriegszeit, die zum Beispiel die «antiideologische» formalistische Literatur der fünfziger und frühen sechziger Jahre prägte und die noch längst nicht allgemein als falsch erkannt worden ist.

Auf den ersten Blick scheinen Ulshöfers und Essens Konzeption allerdings nicht unähnlich zu sein. Der oberflächliche Eindruck trügt jedoch. Er kann entstehen, weil Erika Essen ihre Konzeption erst in den Überlegungen «Zur Neuordnung des Deutschunterrichts auf der Oberstufe»[20] klar herausgearbeitet hat, während in ihrer Methodik noch viele nicht nur verbale Zugeständnisse an die Erziehungsideologie Ulshöfers zu finden sind.[21] Ulshöfer hat jedoch den Unterschied zwischen den beiden Konzeptionen von Anfang an erkannt und gegen Essens Neuansatz unter dem Vorwurf polemisiert, er verführe die Jugend zum Ästhetizismus[22], worauf sich Erika Essen dann ihrerseits deutlicher als bisher von Ulshöfers Erziehungsideologie distanzierte.[23]

III.

Der Unterschied zwischen den Konzeptionen muß so hervorgehoben werden, weil er in den bisher vorliegenden Auseinandersetzungen mit der Didaktik des Deutschunterrichts manchmal etwas bagatellisiert wurde.[24] Er ist in Wirklichkeit beträchtlich.[25] Während Ulshöfer den Deutschunterricht in den Dienst der Verinnerlichung einer autoritäten Ideologie stellt, versucht Erika Essen ihn zu entideologisieren und zu versachlichen. Aber in ihrem Bemühen um Entideologisierung und Versachlichung des Deutschunterrichts befreit sie ihn zwar von der Aufgabe der Verinnerlichung einer nationalistischen, elitären oder pseudodemokratischen Ideologie[26], macht ihn jedoch dadurch neutral, und das heißt: allen verfügbar. Sie geht dabei von dem Bühlerschen Sprachmodell aus, in dem Äußerung, Gespräch und Darstellung als die drei «Grundformen des Sprachhandelns» unterschieden werden und schlägt vor, den Deutschunterricht nach diesen «Grundformen des Sprachhandelns»[27] (also nicht nach den Erwartungen und Bedürfnissen der Kinder) zu gliedern. Es gibt folglich in ihrer Methodik kein Kapitel «Aufsatzlehre» o. ä., sondern es finden sich verstreut über die Kapitel «Äußerung», «Gespräch» und «Darstellung» neben Anregungen für die *Analyse* von Texten, die der Struktur nach in das jeweilige Kapitel gehören, Hinweise für die *Anfertigung* solcher Texte, andererseits aber z. B. Ausführungen über die Besprechung lyrischer Gedichte sowohl in dem Kapitel «Äußerung» als auch in den Kapiteln «Darstellung» und «Gespräch».

Diese Äußerlichkeiten zeigen schon, daß es Erika Essen um die Sache und die «von ihr ausgehenden Zwänge» geht und nicht um Zwecke, denen diese Sache dienen könnte. Es ist deshalb nur konsequent, wenn sie nicht nur das sachgebundene sprachliche Darstellen und das Erörtern zu üben empfiehlt, sondern außer dem Gespräch auch das «formgebundene Gestalten und Komponieren», also das Dichten. Zwar gibt es derartige Empfehlungen auch bei Ulshöfer. Aber bei Ulshöfer sollen die Schüler «nicht zu Künstlern gebildet» werden[28], sondern sie sollen nachgestaltend Sinnhaltiges aufnehmen. Die dichterische Sprachgestaltung dient Ulshöfer also zur Umgehung der rationalen Textanalyse, gegen die er in der ersten Auflage von Bd. 2 sogar als «dem gesunden Empfinden und Streben des Jugendlichen» widerstrebend polemisiert.[28] Nach Essen dagegen soll die «Sprachgestaltung und Komposition nach Formaufgaben» dazu dienen, daß «der Schüler sprachliche Erscheinungen erfassen und in ihren Form- und Gestaltkräften zur Darstellung äußerer und innerer Wirklichkeit anzusetzen» lernt.[29] Da ihr selbst diese lebensferne, nur aus dem Sachzusammenhang sich ergebende Begründung offenbar nicht zu genügen scheint, fügt sie dann allerdings noch moralisierend hinzu: «In diesen Versuchen (mit der Sprachgestaltung[30]) kommt es darauf an, dem Schüler die Sprache als Gestalt und damit als klärende und ordnende Wirkung der Form in Erfahrung zu bringen.»[29] Aber auch in der Formulierung dieser etwas künstlichen Rechtfertigung klingt durch, daß der Schüler, wenn er die Sprache kennenlernen soll, sich unbedingt auch in der für den Durchschnittsmenschen zwar bedeutungslosen, die Sprache aber wesentlich kennzeichnenden Möglichkeit ihrer künstlerischen Verwendung üben sollte, daß er dichten lernen soll, weil man mit der Sprache auch dichten kann.

Es geht also Essen fast ausschließlich um die Sache Sprache, um diese aber in sehr formalisierter Gestalt. Sprache soll nicht als Inhalt interessieren, sondern als Form. Folglich sollen nach ihrer Meinung die Schüler Sätze nur als inhaltsleere Satzfiguren sehen lernen, an denen das Wesentliche die Satzmelodie ist[31] und die mit beliebigem Inhalt zu füllen sind.[32] Sie sollen auch bei Betrachtung von Fabeln z. B. nicht vor allem den Sinn der jeweiligen Fabel finden lernen, sondern herausarbeiten, «worin die Eigenart dieser Darstellungsform besteht und was sie (verallgemeinernd betrachtet![30]) darstellen will» (eine Lehre nämlich[33]). Sie sollen einen philosophischen Text «auf seinen Charakter als Aussage hin» untersuchen[34] (Ergebnis der Analyse eines Jaspers-Textes: «Bewußtsein versteht sich hier als menschliches Bewußtsein überpersönlich und überzeitlich», usw.[35]). Sie sollen auch «über Wesen und Wirkung von Zeitung, Rundfunk, Fernsehen, Reklame» nur «einmal grundsätzlich (!) nachdenken», und zwar «unter dem Gesichtspunkt des Gesprächs» (!).[36] Das Allgemeine, ewig Gültige soll also Gegenstand ihres Interesses sein. «Auf konkrete gesellschaftliche Zusammenhänge verweisende Fragen ... bleiben (wie Nanne Büning[37] schon festgestellt hat) ausgeklammert.» Darin muß man (mit Dahle[38]) «nicht nur eine Flucht vor der politischen und gesellschaftlichen Realität, sondern auch vor der oft zitierten ‹Sprachwirklichkeit›» erblicken. Wenn man (wie Erika Essen vorschlägt) bei der Auswahl der «Sprachwerke», die im Unterricht betrachtet werden sollen (und also auch bei deren Betrachtung), «nicht so sehr nach den Inhalten (!) oder Zeitbedingtheiten der Werke» fragen soll als vielmehr danach, «ob und wieweit sie in ihrer Gesamtgestalt Dichtung und Denken gültig repräsentieren»[39], nimmt man den einzelnen Dichtungen bzw.

philosophischen Werken ihre Konkretheit und beraubt sie damit aller Wirkungsmöglichkeiten. Sie werden zu Objekten abstrakter, ewig gültiger Erkenntnis formalisiert, die den Schülern in ihrer konkreten Situation, nichts bedeutet.[40]

IV.

Eine Folge der von Essen propagierten Sachorientiertheit des Deutschunterrichts ist also ein sinn-, weil nutzloser Sprachformalismus, der politisch gefährlich ist, weil er für alle beliebigen Inhalte verfügbar gemacht werden kann und außerdem von der Beschäftigung mit der Wirklichkeit ablenkt, da diese als «unwesentlich» diffamiert wird. Eine andere Folge ist das unkritische Hinnehmen der Sache Sprache. Weil mit deren Übermittlung (außer der gleichzeitigen Einübung einiger für den Umgang mit Sprache für erforderlich gehaltenen Tugenden[41]) nichts bezweckt wird als deren Übermittlung, dringt Essen darauf, daß nur die Sache selbst, und zwar so vollständig und so rein wie möglich, übermittelt wird. Deshalb fordert sie dichterische Übungen in der Schule, deshalb möchte sie Betrachtung von Dichtung als abstrakte, von allem Inhaltlichen absehende Sprachbetrachtung verstanden wissen, deshalb gibt es bei ihr kaum die Forderung nach kritischer Distanz gegenüber der Sprache und sprachlichen Konkretionen. Die Sprache ist ihr «eine Welt von Zeichen, mit denen wir Wirkliches andeuten».[42] Und die «Andeutung» (d. h. die Darstellung) eines einzelnen Ereignisses z. B. umgrenzt nach ihrer Meinung «nicht dieses ganz bestimmte Ereignis, als ob es für sich im leeren Raum bestünde, sie weist . . . (den darüber ‹Nachsinnenden›[43]) vielmehr über sich hinaus auf Wirklichkeit, die sich ihm – je intensiver er der Andeutung nachsinnt – zu immer weiteren Ausblicken und Durchblicken auftut».[44] In dieser Auffassung von Sprache wird der potentiell sprachkritische Grundgedanke Leo Weisgerbers, daß Sprache eine geistige Zeichenwelt darstelle, die Realität und ihre Vermittlung durch Sprache also streng voneinander zu unterscheiden sind[45], verwässert und der mögliche Ansatzpunkt für eine grundsätzliche Sprachkritik, die Differenz zwischen Sprache und Wirklichkeit nämlich, mißbraucht als Gelegenheit für mystische Phantasiererei, die verschleiert, daß der Sprache als einem kultur- und sozialgeschichtlich geprägten menschlichen Instrument gegenüber statt Vertrauen kritische Distanz angemessen ist.

Das gleiche gilt für Essens Auffassung von Dichtung. Es kommt nicht primär darauf an, «daß der Jugendliche das Kunstwerk begreifen lernt als Ansprache, der er selbst entsprechen muß», daß er «begreift, indem er auf sich wirken läßt».[46] Solch passives Hinnehmen von Dichtung übersieht, daß man der in einer Dichtung formulierten Weltanschauung nicht ungeprüft trauen kann, weil sie standpunktbezogen ist, weil sie wesentlich mitgeprägt wurde von den gesellschaftlichen Verhältnissen, in denen der Autor lebte. Ihre unveränderte gläubige Übernahme bedeutet unter Umständen, daß man das Pulver, das einen einschläfern soll, freiwillig einnimmt, daß man freiwillig Gedankenfesseln anlegt, von denen man sich später nur schwer wieder befreien kann.

V.

Die Aufforderung zum passiven Hinnehmen von Sprache in allen ihren Erscheinungsformen, zur Objektivität ihr gegenüber, erschwert es selbstverständlich, sie in Besitz zu nehmen, sie zu beherrschen. Erika Essen hält die Beherrschung der Sprache als Instrument, mit dem man z.B. auf andere einwirken kann, aber auch nicht für ein vorrangiges Ziel des Deutschunterrichts. «Wahrhaftigkeit der Aussage ist der Grundsatz aller Spracherziehung», nicht die Wirksamkeit, dekretiert sie.[47] Für die Hauptform des partnerbezogenen Sprechens hält sie deshalb das Gespräch und nicht die Debatte, nicht die Rede. Rede und Debatte (oder «Diskussion», wie sie diese Sprachform nennt) verbannt sie sogar aus dem Deutschunterricht, und zwar mit der Begründung: «Ihre Übung fügt sich besser in den Sozialkunde- als in den Deutschunterricht, da die Stoffe des Deutschunterrichts das Gespräch, nicht die Diskussion verlangen.»[48] Diese Verdrängung des rhetorischen Trainings aus dem Deutschunterricht zugunsten von Gesprächsübungen ist sehr fragwürdig. Im Gespräch dient nämlich der Sprechende der Sache, über die gesprochen wird, und der Gesprächsgemeinschaft, die darüber spricht. Das Sprachhandeln wird im Gespräch also von Anpassung an die besprochene Sache und die Gesprächspartner bestimmt. Der Teilnehmer eines Gesprächs macht sich nicht die Sprache dienstbar, um mit ihrer Hilfe geistig zu dominieren, er unterwirft sich der besprochene Sache. «Bildung zum Gespräch», d.h. «Bildung zur partnerbezogenen und situationsoffenen Mitwirkung am Sprechfeld einer Arbeitsgemeinschaft», die Essen statt aktivierendem rhetorischem Training fordert[49], bedeutet folglich ausschließlich Einübung der sprachlichen Anpassung. Der Deutschunterricht arbeitet also durch solcher Art Umgang mit Sprache der Ausbildung von Anpassungsmechanismen vor, trainiert die Untertanen von morgen.

Man kann einwenden, Essens Konzeption der «Bildung zum Gespräch» sei als ein Beitrag zur Demokratisierung der deutschen Gesellschaft gemeint. Der Schüler solle dadurch (wie Essen ausdrücklich sagt[50]) das «konstruktive Zusammenwirken» erlernen und «den Wert der geistigen Vielgestaltigkeit erkennen», damit er, wie es «den geistigen Bedürfnissen unserer Zeit entspricht», in der Lage ist, «die Offenheit ... der Ansichten zu bewahren». Nanne Büning hat mit Recht auf die Problematik einer solchen Erziehung zur «Offenheit» hingewiesen.[51] Sie führt dazu, daß Standpunkte nicht profiliert und Konflikte nicht ausgetragen, sondern harmonisiert, und das heißt unterdrückt werden.

Sie bewirkt außerdem, daß an die Stelle des gemeinsamen Bemühens um konkrete rationale Erkenntnisse ein irrationaler Erkenntnisskeptizismus tritt.

Zu Gesprächen über sprachliche Phänomene sagt Essen beispielsweise: «Wichtig ist nicht, daß ein greifbares Ergebnis herauskommt, wir möchten sogar ausdrücklich davor warnen, ein solches festzulegen. Wichtig ist, daß mit der Vertiefung in die Sprache, mit der wachsenden Aufmerksamkeit für das Sprachliche bisher Selbstverständliches und Unbeachtetes *fraglich* wird, so daß das *Nachdenken* in Bewegung kommt und Durchblicke sich eröffnen. Dabei soll dem Schüler bewußt werden, daß er nicht zu befriedigenden Schlüssen gelangen kann.»[52] Der Schüler kann tatsächlich nicht durch uneingeschränkte Offenheit der Sache gegenüber zu befriedigenden Erkenntnissen gelangen. Sachlichkeit, Objektivität, Offenheit führen am Ende nämlich ins Nebulöse, schlagen um in extremen Subjektismus. Wer eine Sache insgesamt und überhaupt erkennen will, wird gar nichts über sie sagen können, weil jede sprachliche Konkretion, ja die Sprache insgesamt durch Subjektivität gekennzeichnet sind. Objektivismus muß die Sprache (wie die moderne Dichtung beweist) zwangläufig zerstören. Absolute Sachorientiertheit führt also am Ende nicht zur Beherrschung der Sache, sondern zu deren Verlust.

VI.

Ich fasse zusammen: Gegen die zur Zeit einflußreichsten didaktischen Entwürfe für den Deutschunterricht sind aus politischen Gründen mancherlei Einwände zu erheben. Ulshöfers Konzeption der Erziehung und Bildung durch Sprache und Literatur ist autoritär. Mit Ulshöfers Konzept erzieht man Untertanen, die im Sinne einer bestimmten, sei es halbfaschistischen, sei es «demokratischen» Ideologie programmiert sind, und nicht innerlich freie, zu selbständigem, kritischem Urteilen fähige Menschen, die die Sprache beherrschen, sich aber nicht von Sprache beherrschen lassen.

Dagegen ist der sachorientierte Deutschunterricht Erika Essens ein Fortschritt in Richtung auf die Demokratisierung der Schule. Essens Konzeption gibt (hier bin ich anderer Meinung als Wendula Dahle[53]) eine erste Antwort auf die Frage, wie man die Leistungsbeurteilung im Deutschunterricht objektivieren[54] und damit den Schüler etwas mehr aus der Abhängigkeit von seinem Deutschlehrer befreien kann. Doch Essens Vorhaben, ausschließlich Sprache und Sprachliches zum Gegenstand des Deutschunterrichts zu machen, ist nicht unbedenklich. Die Beschäftigung mit einer von allen Inhalten und Zwecken möglichst befreiten Sprache führt zu lebensfernem Formalismus, ist l'art pour l'art. Wenn man dabei in seinem Bemühen um Sachlichkeit so weit geht, jegliche Subjektivität möglichst auszuschalten, wird man die Sache, um die man sich bemüht, nicht in den Griff bekommen, weil ja jeder sprachliche Zugriff als subjektiv zu denunzieren ist. Dafür trainiert die Einübung dieser Art von Sachlichkeit und Objektivität Anpassung jeglicher Art. Das ist in Verbindung mit der betonten ideologischen Neutralität dieser Konzeption politisch besonders bedenklich. Ein Mensch, der sich anzupassen gelernt hat, wird, wenn er ideologisch nicht besonders festgelegt ist, sich den jeweils herrschenden Verhältnissen anpassen. Insofern hat der «sachorientierte» Deutschunterricht affirmative Wirkungen. Er kann, da nicht irgendwie ideologisch gebunden, darüber hinaus (worauf besonders W. Dahle hingewiesen hat[55]) von allen möglichen Ideologien mißbraucht werden. Er kann folglich, wie es derzeit häufig geschieht, in einem reaktionären Sinne praktiziert werden, wenn er auch nicht notwendig reaktionär sein muß.

VII.

Die bisher die Praxis des Deutschlehrers beherrschenden didaktischen Theorien haben also bedenkliche politische Konsequenzen und müßten durch eine bessere ersetzt werden. Leider gibt es jedoch eine solche erst in Ansätzen.

Was vor allem Hubert Ivo unter dem Titel «Kritischer Deutschunterricht» vorgelegt hat[56], sind «Anmerkungen zu Problemen»[57], «Grundprobleme der Aufgabenzuweisung für den gymnasialen Deutschunterricht»[58], «grundlegende didaktische Fragen»[59]. Er gibt aber nur nebenbei und sehr vorsichtig Antworten, er bietet höchstens für Teilprobleme Lösungen an. Eine zusammenhängende, den Deutschunterricht auf ein allgemeines Ziel ausrichtende Neukonzeption entwickelt er nicht.

Ivo fordert den «kritischen Deutschunterricht». Was will er mit diesem Begriff bezeichnen? «Kritischer Deutschunterricht», schreibt Ivo im Vorwort zu seiner Aufsatzsammlung[60], «kann nur heißen, Schülern durch das Medium der Beschäftigung mit Sprache und Literatur zu helfen, sich selbst im Handlungszusammenhang gesellschaftlicher Vermittlungsprozesse zu verstehen.» Dieses Selbstverständnis sei aber «nur zu gewinnen, wenn die Ausbildung und Förderung sprachlicher und ästhetischer Sensibilität als eine Form gesteigerter Wahrnehmungsfähigkeit auf die kulturelle und gesellschaftliche Wirklichkeit der Gegenwart bezogen ist». In diesen Formulierungen wird unter «kritischem Deutschunterricht» ein gesellschafts- und gegenwartsbezogener Deutschunterricht verstanden. Ivo sagt jedoch nirgends, warum der Deutschunterricht gesellschafts- und gegenwartsbezogen sein soll. Er sagt nicht, warum eigentlich die Schüler sich nicht nur mit Literatur beschäftigen sollen, sondern auch noch mit den Bedingungen, unter denen sie entstand; warum sie sich denn nicht vorwiegend mit der Literatur der Vergangenheit, sondern vielmehr mit der der Gegenwart auseinandersetzen sollen. Er erklärt auch nicht, warum die Schüler sich überhaupt mit Literatur beschäftigen sollen, warum sie «zur Teilnahme am literarischen Leben»[61] befähigt werden sollen oder ihre «ästhetische Sensibilität» ausgebildet werden muß, anstatt daß sie lernen, erfolgreich am Wirtschaftsleben teilzunehmen oder Kinder richtig zu erziehen.

Ivo ist nämlich der Meinung, daß die Frage, «ob und wie ... Sprache und Literatur in den verschiedenen Bildungsstufen vertreten sein sollen», nur beantwortet werden kann, wenn man weiß, «welche Rolle, welche Bedeutung diesen Inhalten (des Deutschunterrichts[62]) in unserer gegenwärtigen Kultur und – soweit sich Tendenzen schon erkennen lassen – in einer zukünftigen zugesprochen werden kann».[63] «Aus dem Stellenwert des literarischen Lebens in der Gesamtkultur» müsse z. B. «auf den Stellenwert des Lernziels ‹Befähigung zur Teilnahme am literarischen Leben› innerhalb der Lernzielhierarchie geschlossen» werden.[64] Ivo ist sich zwar darüber im klaren, «daß eine so umfassende Frage wie die nach der Bedeutung der Sprache und Literatur in unserer Kultur nicht von einem Einzelnen beantwortet werden kann.»[65] Seinem Aufsatz «Entwurf einer Systematik grundlegender didaktischer Fragen des Deutschunterrichts» aus dem Jahre 1965 ist zu entnehmen, daß durch koordinierte wissenschaftliche Bemühungen eine Antwort gefunden werden kann, aus der sich die Lernziele für den Deutschunterricht entwickeln lassen. Im Aufsatz «Grundprobleme der Aufgabenzuweisung für den gymnasialen Deutschunterricht» (1966) spricht er allerdings auch von «Aufgabenzuweisung», diskutiert dann aber nur, wer vielleicht welche Aufgaben dem Deutschunterricht zuweisen könnte, sagt jedoch nicht klar, welche konkreten Ziele dem Deutschunterricht heute nach seiner Meinung gesetzt werden sollten.

Diese Zurückhaltung entsteht offensichtlich dadurch, daß Ivo Skrupel hat, zu sagen, welche Aufgaben der Deutschunterricht an den Schulen der Bundesrepublik und vielleicht auch anderswo haben soll. Doch diese Skrupel sind falsch. Selbstverständlich entscheidet darüber, welchen Zielen der Deutschunterricht dienen soll, d. h., welche Ideologie ihm zugrunde gelegt werden soll, nicht ein einzelner, sondern «die Gesellschaft», also all diejenigen, die die Meinung in der Gesellschaft beeinflussen. Aber damit dies geschehen kann, müssen ideologische Konzeptionen vorgelegt werden, über die man entscheiden kann. Wer also mit einer Neukonzeption hervortritt, wird nicht angesehen als jemand, der eine ideologische Didaktur errichten, sondern als jemand, der freiwillig seine theoretischen Fähigkeiten in den Dienst der Gesellschaft stellen will. Auch wenn sein Denkmodell verworfen wird, wird es als Beweis der Kooperationsbereitschaft anerkannt werden.

VIII.

Im folgenden soll versucht werden, über Ivos Ansätze hinaus ein solches Denkmodell für eine Neukonzeption des Deutschunterrichts zu skizzieren.

Lernziele können nicht gefunden werden, indem man allein das, was gelernt werden soll, analysiert. Die Frage nach der Auswahl des zu Lernenden fordert sofort die Frage nach den Auswahlprinzipien heraus. Solche Auswahlprinzipien findet man aber nicht in der Sache selbst, sie müssen aus allgemeineren Zielsetzungen abgeleitet werden, und diese allgemeineren Zielsetzungen sind letztlich subjektiv, standpunktbezogen. Sie sind nur richtig für den, der auch dort steht, wo der sich befindet, der sie als Ziele proklamiert.

Es gibt nun aber sicherlich Standpunkte, die von sehr vielen eingenommen werden. Ein solcher ist wohl auch der, daß (wie Adorno es formuliert) «die Forderung, daß Auschwitz nicht noch einmal sei, ... die allererste an Erziehung» ist[66], und daß «die einzig wahrhafte Kraft gegen das Prinzip von Auschwitz ... Autonomie ..., die Kraft zur Reflexion, zur Selbstbestimmung, zum Nicht-Mitmachen» wäre.[67] Diese Überzeugung kann deshalb zum Ausgangspunkt für eine Neukonzeption des Deutschunterrichts genommen werden.

«Für das Allerwichtigste gegenüber der Gefahr einer Wiederholung halte ich», erläutert Adorno seine Ansicht, «der blinden Vormacht aller Kollektive entgegenzuarbeiten, den Widerstand gegen sie dadurch zu steigern, daß man das Problem der Kollektivierung ins Licht rückt.»[68] Einem Deutschunterricht, der mit dazu beitragen soll, daß «Auschwitz nicht noch einmal» zum gleichen Zweck gebaut wird, muß also Unterrichtung über die Problematik von Kollektiven und Kollektivgebilden und Erziehung zum Widerstand dagegen als allgemeine Ziele gesetzt werden. Auf die Gegenstände angewendet, mit denen der Deutschunterricht sich vor allem beschäftigt, heißt das: Dem Deutschunterricht muß heute die Aufgabe gestellt werden, Wissen über die Macht der Kollektivgebilde Sprache und Literatur zu vermitteln und zum kritischen Widerstand gegen deren Herrschaftsansprüche zu erziehen.

Die Sprache (und auch die Literatur) sind nämlich nicht zuletzt Herrschaftsinstrumente. Mit der Sprache macht sich der einzelne Sprecher die Umwelt verfügbar. Er ordnet sie, soweit es ihm möglich ist, nach seinen Bedürfnissen, um mit ihr etwas anfangen zu können. Er versucht sie sprachlich zu fassen, um sie real in den Griff zu bekommen. Mit Sprache versucht der einzelne Sprecher aber auch denjenigen, mit dem er spricht (wenn er ihn nicht gerade an der Herrschaft über Sachen oder Menschen solidarisch teilhaben lassen will), zu unterwerfen, indem er ihn die Welt mit seinen Augen sehen läßt. Selbst wenn Sprache nur Ausdruck ist, dient sie Beherrschungsabsichten. Sie wird dann nämlich zum Zweck der Selbstbeherrschung gebraucht. Goethe z. B. überwand bekanntlich seinen Schmerz über die Enttäuschung, die Charlotte Buff ihm bereitete, durch dessen Darstellung im «Werther»; er wurde davon nicht überwunden, weil er fähig war zu sagen, was er litt.

Sprache ist aber nicht nur Herrschaftsinstrument des einzelnen Sprechers. Sie ist auch Instrument der Herrschaft des Sprachkollektivs über die einzelnen Sprecher, die gezwungen sind, sich beim Gebrauch der Sprache deren Regel- und Begriffssystem anzupassen. «Längst ist bemerkt worden, daß man angesichts der Rede von dem Menschen, der seine Muttersprache beherrscht, den Spieß eigentlich umkehren und von dem Menschen reden sollte, der von seiner Muttersprache beherrscht wird», sagt selbst Leo Weisgerber[69], der Erfinder der Muttersprache-Ideologie. «Erlernen der Muttersprache: das schließt in sich Forderung und Bestreben, sich dem Bestand der Muttersprache anzugleichen, ihn so getreu wie möglich im eigenen Bewußtsein zu wiederholen; und das besagt, angesichts des Grundverhältnisses zwischen bestehender Sprache und neu hinzukommenden Menschen, Formung des einzelnen durch die ‹Wirklichkeit› der Sprache.»

IX.

Dem Beherrschtwerden durch Sprache entgeht also niemand. Es kann nur versucht werden, dem einzelnen bewußt zu machen, daß und wie er durch Sprache beherrscht wird, und ihn zu lehren, wie er diese Herrschaft (zumindest teilweise) abschütteln kann. Diesen Versuch zu unternehmen ist die fachspezifische Aufgabe des Deutschlehrers, der Schülern helfen will, im Sinne Adornos autonome Menschen zu werden. Er muß sie befreien aus ihrer totalen Abhängigkeit von dem ihnen mit der Sprache aufgezwungenen Weltbild, er muß sie befähigen, jeden Versuch einer Überwältigung und Beherrschung durch Sprache und Sprachliches zu durchschauen und abzuwehren. Da Herrschaft sich aber nicht gänzlich aus der Welt schaffen läßt, muß er sie gleichzeitig auch in die Lage versetzen, an der Herrschaft durch Sprache teilnehmen zu können, um auf diese Weise die Herrschaft der wenigen einzuschränken.

Daraus ergeben sich für seinen Deutschunterricht drei Aufgabenbereiche: 1. kritische Sprach- und Literaturtheorie, d. h. Belehrung über die Herrschaftsfunktion, (den Ideologiecharakter) von Sprache und Literatur, 2. Training des Sprachverständnisses und 3. Training des Sprachgebrauchs, und zwar beides mit dem Ziel sowohl der Teilnahme an Herrschaft durch als auch der Abwehr der Herrschaft mittels Sprache. Es genügt nicht zu wissen, daß durch Sprache und Literatur bestimmte Weltbilder aufgezwungen werden. Man muß auch üben, beim Hören und Lesen von Sprachlichem solche Weltbilder in ihrer Eigenart und ihrer (historischen, sozialen, ökonomischen, psychischen) Bedingtheit zu durchschauen, um sich von ihnen distanzieren zu können, und man muß das Sprachverständnis und den mündlichen und schriftlichen Sprachgebrauch üben, um an der sprachlich-geistigen Herrschaft über Sachen und Personen, die andere durch Formulierungen errungen haben, partizipieren und mittels geschickten Sprachgebrauchs selbst auf Teilgebieten herrschen zu können, damit die Herrschaft geteilt wird und den einzelnen, der dann immer nicht nur beherrscht wird, sondern auch selbst herrscht, weniger bedrückt.

Voraussetzung einer Emanzipation von Sprache und Sprachlichem und einer Mitherrschaft durch Sprache ist selbstverständlich die Kenntnis der Sprache. Jeder, der eine Auslandsreise ohne ausreichende Kenntnis der jeweiligen Landessprache unternommen hat, wird erfahren haben, daß Sprachunkenntnis in jedem Fall völlige Ohnmacht zur Folge hat. Deshalb muß das, was Ivo «Sicherung» und «Steigerung der Sprachkompetenz» nennt[70], im Deutschunterricht an erster Stelle stehen. Es darf nicht z. B. von der Beschäftigung mit der schöngeistigen Literatur oder gar dem «Gespräch über Lebensfragen», das der ideologischen Ausrichtung der Schüler dient, zur Seite gedrängt werden.

Im emanzipierenden Deutschunterricht darf aber die Beschäftigung mit der *schöngeistigen* Literatur überhaupt nur eine untergeordnete Rolle spielen. Beherrschungsversuche sprachlicher Art begegnen dem Durchschnittsmenschen (und auch dem heutigen «Gebildeten») nicht in Gestalt dichterischer Texte. Sie begegnen ihm vielmehr als Zeitungsartikel, Reklametext, Politikerrede usw. Der heutige Mensch liest eher einen trivialen Kriminal- oder Liebesroman als eine anspruchsvolle Novelle oder Gedichte, und oft genug zieht er der Lektüre eines Unterhaltungsbuches sogar die eines Lehrbuchs vor, weil er davon bei seiner Berufsarbeit profitieren kann. (Daß er außerdem, wenn er schon nicht lieber sich mit einem Lehrbuch beschäftigt, auch eher ein Fernsehunterhaltungsstück als einen Trivialroman konsumiert, sei nur am Rande vermerkt.)

Wer also jemanden wappnen will für die Abwehr sprachlicher Manipulationsversuche, darf ihn nicht auf Situationen vorbereiten, in die er kaum oder nie kommen wird, sondern muß ihn für die Bewältigung des Alltags trainieren. Er muß mit ihm also vorrangig die Auseinandersetzung mit Alltagssprache üben und nicht die mit Belletristik, mit Dichtung.

Die Auseinandersetzung mit Dichtung ist besonders dann völlig überflüssig, wenn es sich um veraltete Dichtung handelt, d. h. um Dichtung, die schon vor mehreren Jahrhunderten entstanden ist. Herrschaftswissen («Informationen») enthält sie meist nicht, weil sie für historische und soziale Situationen geschrieben wurde, die es nicht mehr gibt. Als Herrschaftsinstrument (zur Verbreitung einer Ideologie, die dem, der sie verbreiten will, nützt) wird sie wohl kaum gebraucht werden, da ihre Verwendung in diesem Sinne schon wegen ihrer Unzugänglichkeit oder ihrer unmodischen Erscheinungsform ineffektiv wäre. Der «Parzival» wird fast nur noch in der Schule zur Verbreitung autoritärer Ideologie benutzt. Es liegt den meisten Menschen wohl kaum etwas ferner als die freiwillige Lektüre dieser Dichtung. Wozu sollte man ihnen deshalb beibringen, dies angemessen zu tun?

Fern liegt den meisten Menschen heute auch der dichterische Sprachgebrauch. Sie gebrauchen die Sprache zum Berichten, zum Beschreiben, zum Argumentieren, allenfalls noch zum spannenden Erzählen. Sie gebrauchen sie nicht zum schönen Ausdruck ihrer Gefühle, zur tiefsinnigen Reflexion über Welträtsel, zum Verfassen von Stimmungsbildern oder Hörspielen. Sie gebrauchen sie heute anscheinend nicht einmal mehr für die Verfertigung von Versen für die Bierzeitung. Daran muß das Training des Sprachgebrauchs, mit dem man Menschen zur Mitherrschaft durch Sprache befähigen will, orientiert werden. Im emanzipierenden Deutschunterricht sollte nicht (oder nur am Rande) das Schreiben von Phantasieerzählungen, Schilderungen oder Besinnungsaufsätzen geübt werden. Statt dessen sollten die Schüler gründlicher z. B. das mündliche und schriftliche Argumentieren lernen, also sich in der «Rhetorik» üben. Sie sollten überhaupt den wirkungsvollen Gebrauch all der sprachlichen Operationsmodelle erlernen, die sie später in ihrem Alltag benutzen müssen oder brauchen könnten.

Man wird fragen, ob das, was Ivo die «Ausbildung ästhetischer Sensibilität» nennt, nicht auch dem emanzipierenden Deutschunterricht als Aufgabe gestellt ist. Es ist schwer, diese Frage zu beantworten. Warum sollte der emanzipierte Mensch nicht fähig sein, die Schönheit sprachlicher Konkretionen zu genießen? Zu fragen ist allerdings, ob er dazu imstande sein *muß*, ob er nicht vielmehr sich zu diesem Zweck nur dann mit Literatur beschäftigen sollte, wenn er Freude daran hat. Das Ideologische an einem literarischen Text müßte jeder erkennen lernen, d. h., jeder sollte lernen zu erkennen, von welchem Standort aus ein Autor die Welt schildert und warum gerade von diesem und nicht von einem anderen. Die ästhetischen Qualitäten eines Textes empfinden zu lernen sollte genauso jedem freigestellt sein wie der Versuch des Erlernens der dichterischen Sprachgestaltung.

X.

Um das Gesagte noch einmal zusammenzufassen: Im emanzipierenden Deutschunterricht, d. h. in einem Deutschunterricht, der autonome, gegen absichtliche oder faktische Manipulation durch Sprache und Literatur immunisierte Menschen heranbilden soll, müssen Sprache und Literatur als Herrschaftsinstrumente betrachtet und behandelt werden. Da Herrschaft immer auch mit Hilfe von Sprache praktiziert wird, ist solch gleichzeitig aufklärender und gegen das Beherrschtwerden wappnender Deutschunterricht nicht nur wünschenswert, sondern unbedingt erforderlich, wenn man durch Unterricht und Erziehung dazu beitragen will, daß die Verbrechen von Auschwitz nicht noch einmal begangen werden können. Und Sprachgebrauch und Sprachverständnis müssen in einem solchen Unterricht zunächst und vor allem für alltägliche Situationen und an alltäglich den Menschen begegnenden Beispielen geübt werden, damit die auf diese Weise erworbenen Kenntnisse und Fähigkeiten dem Alltagsleben zugute kommen, in Praxis umgesetzt werden können und nicht Bildung für den Festtag bleiben. Historische Studien sollten in ihm deshalb genauso nur am Rande eine Rolle spielen wie auf Ästhetisches ausgerichtete Praktiken. Stehen sie im Vordergrund, lenken sie ab von der Tatsache, daß Sprache und Sprachliches für die meisten Menschen vor allem Instrumente sind, mit denen man beherrscht werden, mit denen man aber auch an Herrschaft teilhaben kann.

1 Besonders hinzuweisen ist in diesem Zusammenhang auf die Arbeiten von Hubert Ivo (jetzt gesammelt in: H. Ivo, Kritischer Deutschunterricht, Frankfurt a. M. 1969).

2 Z. B. von N. Büning, In demokratischem Gewand, in: alternative 61 (1968), S. 121, übernommen in den vorliegenden Sammelband, S. 123–132.

3 Ulshöfer, Methodik des Deutschunterrichts, Bd. 1, Stuttgart 1965[2], S. 1.

4 Ulshöfer, Bd. 3, 1966, S. 160.

5 Ulshöfer, Bd. 1, S. 21.

6 Ulshöfer, Bd. 1, S. 21.

7 Ulshöfer, Bd. 3, 1. Aufl. 1957, S. 94 (ähnlich in der 4. Aufl. 1966, S. 100 ff.).

8 Ulshöfer, Bd. 2, 1966[6], S. 13.

9 Ulshöfer, Bd. 2, 1966[6], S. 12 ff.

10 Ulshöfer, Bd. 2, 1966[6], S. 14.

11 Ulshöfer, Bd. 2, 1966[6], S. 16.

12 Ulshöfer, Bd. 2, 1966[6], S. 15.

13 Ulshöfer, Bd. 2, 1966[6], S. 14.

14 So von A. Schulze in «Deutschunterricht», Ost-Berlin, 14. Jg. (1961), S. 425–440; und Dahle, alternative 61 (1968), S. 140 f. – vgl. diesen Band, S. 253 ff., u. Beitrag von Bienko/Ide, S. 147–169.

15 Ulshöfer, Bd. 1, S. 11.

16 Ulshöfer, Bd. 2, S. 15.

17 Ulshöfer, Bd. 2, S. 13.

18 W. Dahle, Neutrale Sprachbetrachtung? in: Argument 49 (1968), S. 455–465, für den vorliegenden Sammelband überarbeitet, vgl. S. 133–145.

19 So N. Büning, a. a. O., S. 121 – vgl. diesen Sammelband, S. 126.

20 Heidelberg 1965.

21 So im Vorwort zu «Methodik des Deutschunterrichts» (Heidelberg, 1968[7]), S. 11 ff.

22 So im Vorwort zu seiner Methodik, Bd. 3, S. VI, und in der Darlegung seiner Auffassung von Sprachlehre, Bd. 3, S. 160.

23 Siehe u. a. in Essen, Neuordnung, S. 8, 139, 155.

24 Siehe Büning, a. a. O., S. 126, vgl. diesen Sammelband, S. 131 f.

25 Die Tatsache, daß beide Methodiker nicht die Notwendigkeit kompensatorischer Sprachförderung für Kinder aus unterprivilegierten Schichten sehen und zum Gegenstand methodischer Reflexionen machen, ist allein noch kein Beleg für die Ähnlichkeit ihrer Konzeptionen. Der Ruf nach kompensatorischer Sprachförderung steht nach meiner Meinung überhaupt etwas zu sehr im Vordergrund der Diskussion um eine Neuorientierung des Deutschunterrichts. Sowohl Ulshöfer als auch Essen können methodische Vorschläge zu ihrer Verwirklichung in die Neuauflagen ihrer Bücher aufnehmen, ohne sonst irgend etwas an ihrer Gesamtkonzeption verändern zu müssen. Kompensatorische Sprachförderung allein verwandelt nicht schlechten guten Deutschunterricht. Falls sie erfolgreich betrieben wird, erhöht sie lediglich die Zahl derer, die so oder so prägbar sind, vergrößert also unter Umständen auch die Effizienz der schulischen Bemühungen, die Schüler optimal brauchbar für Funktionen in den bestehenden gesellschaftlichen Apparaturen zu machen, ohne ihnen Möglichkeiten des Widerstands dagegen mitzugeben, und wäre damit eher Ziel einer technokratischen als einer politischen Schulreform.

26 Letztere trug Ulshöfer zur Modifizierung seiner Konzeption 1965 vor. (Vgl.: Ulshöfer, Der Deutschunterricht im Zeitalter der Demokratie, Deutschunterricht 17 [1965], Heft 3, S. 5 ff.) Dazu auch: H. Ivo, Kritischer Deutschunterricht, Frankfurt a. M. 1969, S. 75.

27 Essen, Methodik, S. 11.

28 Ulshöfer, Bd. 2, S. 11; wenn U. im 3. Bd. seiner Methodik trotzdem ein Kapitel dem «Verfertigen von Kurzgeschichten, Fabeln, Lustspielen und Hörspielen» widmet (siehe S. 202 ff.), so offensichtlich nur der Vollständigkeit halber. Die Begründung dafür ist oberflächlich und steht nicht im Zusammenhang mit dem übrigen Buch.

29 Essen, Neuordnung, S. 81.

30 Hinzufügung von mir.

31 Essen, Methodik, S. 89 ff.

32 Essen, Methodik, S. 293.

33 Essen, Methodik, S. 198.

34 Essen, Methodik, S. 245.

35 Essen, Methodik, S. 246.

36 Essen, Methodik, S. 269.

37 Büning, S. 123 f., vgl. diesen Sammelband, S. 126 f.

38 Dahle, a. a. O., S. 458, vgl. diesen Sammelband, S. 136.

39 Essen, Methodik, S. 238.

40 So auch Büning, S. 124, vgl. diesen Sammelband, S. 129.

41 Vergleiche Dahle, S. 459, vgl. diesen Sammelband, S. 136 f.

42 Essen, Methodik, S. 267.

43 Hinzufügung von mir.

44 Essen, Methodik, S. 268.

45 Leo Weisgerber, Von den Kräften der deutschen Sprache, Bd. 1, Düsseldorf 1949.

46 Essen, Methodik, S. 271.

47 Essen, Methodik, S. 36.

48 Essen, Methodik, S. 283, ähnlich auch in Essen, Neuordnung, S. 96.

49 Essen, Methodik, S. 280.

50 Essen, Methodik, S. 280 f.

51 Büning, in: alternative, S. 121 und 126, vgl. diesen Sammelband, S. 125 u. 131.

52 Essen, Methodik, S. 243.

53 Dahle, in: Argument, S. 457, vgl. diesen Sammelband, S. 135.

54 Hierzu besonders: Essen Neuordnung, S. 109 ff.

55 Dahle, in: Argument, S. 465, vgl. diesen Sammelband, S. 133 f.

56 Ivo, Kritischer Deutschunterricht, Frankfurt a. M., 1969.

57 Ivo, S. 82.

58 Ivo, S. 51.

59 Ivo, S. 16.

60 Ivo, S. 5.

61 Ivo, S. 83.

62 Hinzufügung von mir.

63 Ivo, S. 27.

64 Ivo, S. 85.

65 Ivo, S. 27.

66 Adorno, Erziehung nach Auschwitz, in: A., Stichworte, Frankfurt a. M., 1969, S. 85.

67 Adorno, S. 90.

68 Adorno, S. 92.

69 L. Weisgerber, a. a. O., S. 24.

70 Ivo, S. 5.

Martin Berg
Besinnungsaufsatz zur Ideologie des Faches Deutsch

Der Berliner «Tagesspiegel» brachte am 29. 7. 1967 folgende Meldung:
«Aufsatz statt Strafe – Ein 17jähriger Oberschüler, der sich im Dezember 1966
als Transparentträger an einer gegen die amerikanische Vietnam-Politik gerichte-
ten, nicht genehmigten Demonstration beteiligt hatte, wurde eines Vergehens
gegen das Gesetz über die Vereins- und Versammlungsfreiheit schuldig gespro-
chen. Das Jugendschöffengericht sah von Strafe ab und erteilte dem Schüler die
Weisung, einen 10 Seiten langen Aufsatz über das Thema ‹Wie sehe ich meine
Freiheit, insbesondere in Beziehung auf die Freiheit meiner Mitbürger?› zu
schreiben. Das Urteil ist noch nicht rechtskräftig.»

Wir wollen nicht der Versuchung unterliegen, das hier gestellte Thema und
seine Intention isoliert zu kommentieren, sondern nehmen dieses tagespoli-
tische Ereignis zum Anlaß, nach der gesellschaftlichen Funktion des Schulaufsatzes zu fragen. Nur selten muß ja ein Jugendlicher fürs Gericht einen Aufsatz
schreiben; dagegen kann die für den Schüler mehrere Jahre dauernde Aufsatzpraxis des Deutschunterrichts vielleicht erklären, wie es kommt, daß das
Jugendschöffengericht eine solche Weisung zu erteilen für gut befinden konnte.
Wir fragen vor allem: ist der Aufsatz an der Schule etwa auch ein Erziehungsmittel, das von den Schülern stellvertretend für Bestrafung hingenommen
werden muß? und fragen weiter: mit welchen Zielen betreiben Deutschlehrer
Aufsatzunterricht und mit welchen Mitteln wird versucht, diese Ziele zu
erreichen? Dabei begreifen wir die Aufsatzpraxis von ihrem allgemeinen und
unverfänglichen Anspruch her, Sprachübung zu sein.

Wir werden im Lauf der Untersuchung sehen, daß die Sprachtheorie, die den
Aufsatzunterricht begründet, den heutigen wissenschaftlichen Ansprüchen
nicht genügt, daß darum die Ergebnisse des Deutschunterrichts kritischen
Anforderungen nicht standhalten können. Es wird durch die Aufsatzpraxis
weder der Anspruch erfüllt, eine zum Abstrahieren befähigende Formalsprache
zu lehren, noch wird durch Aufsätze der Sprachgebrauch so geübt, daß
notwendige sprachliche Sozialtechniken von den Schülern bewußt angewandt
werden können. Die Folge davon ist, daß in der Schule ein sehr einseitiger,
zudem unreflektierter dichterischer Sprachbegriff «gepflegt»[1] wird, demzufolge

Sprache auf irrationale Weise «Welt» spiegeln soll, sie ergreifen und dem Individuum verfügbar machen soll, also existentiell bestimmt ist. Diskriminiert wird nämlich die Ansicht, daß Sprache ein gesellschaftlich bestimmtes, die gesellschaftlichen Verhältnisse bestimmendes Kommunikationsmittel ist und der Zugang zur «Welt» dem Individuum keineswegs unmittelbar gegeben sein kann, auch nicht durch Sprache. Dazu kommt dann zwangsläufig, daß die Schule auf den Begriff «Begabung» zurückgreifen muß, um die Ausmerzung derer zu rechtfertigen, die sich dem Sprachgebrauch des Deutschunterrichts nicht anpassen können.

I.

Ein kurzer historischer Rückblick kann die gemeinsamen Züge der scheinbaren Vielfalt in der heutigen Aufsatzpraxis zeigen sowie die theoretische Zementierung der Voraussetzungen deutlich machen.

Vorläufer des heutigen Schulaufsatzes waren im 19. Jahrhundert Schreibübungen, durch die rhetorische Formen erlernt werden sollten; das geschah durch bloßes Abschreiben einer Vorlage oder durch deren Nachahmung. In der erlernten Form dann «eigene» Gedanken entwickeln zu dürfen, war den Schülern des Gymnasiums vorbehalten; den Volksschülern wurde nur die «richtige Form» beigebracht, in der sie die bestehenden sozialen Verhältnisse sprachlich reproduzieren sollten: «Die Handwerker, Bürger und Bauern bedürfen eines schriftlichen Produzierens nicht. Wenn sie sich schriftlich zu äußern haben, ist ihnen der Stoff durch ihre Lebensverhältnisse und Bedürfnisse gegeben und vorgezeichnet. So hat also die Volksschule sich nicht zu sorgen um die Fähigkeiten ihrer Schüler, später im Leben schriftlich produzieren zu können, sondern nur um die Fähigkeit, Stoffe in richtiger Form darzustellen.» (Friedrich Nadler: *Ratgeber für Volksschullehrer*, 1897.)

Ebenfalls im letzten Drittel des vorigen Jahrhunderts wurde die Aufsatzpraxis an der Nationalliteratur als Norm orientiert, ohne daß das Prinzip der Nachahmung aufgegeben worden wäre. Dadurch konnten die weiterhin als «eigen» ausgegebenen Äußerungsmöglichkeiten der Schüler unter der bürgerlichen Literaturideologie formiert werden. Themen wie «Über die weckende und bildende Kraft erhabener Eindrücke, im Anschluß an Schillers Aufsatz über das Erhabene» gehörten bald zur alltäglichen Praxis des vaterländischen Deutschunterrichts.

Ernst Laas schreibt in *«Der deutsche Aufsatz in den oberen Gymnasialklassen»*, 1877: «Ist nun der Lehrer, welcher die rhetorischen Übungen leitet, derselbe, welcher in die deutsche Literatur einzuführen hat, so wird es sich von selber machen, und es kann bei taktvoller Auswahl auch gar nicht bemängelt werden, daß er die Aufsatzstoffe vorzüglich aus dieser Sphäre greift, zumal da dieselbe eine unerschöpflich reiche Fülle von Sachen enthält, die sich zu einer Privatlektüre eignen, wie sie die wissenschaftliche Vorarbeit, die wir im Aufsatz suchen, zur Unterlage braucht; und da andererseits der an solche Privatlektüre angelehnte Aufsatz eines der wirksamsten Mittel ist, um die dem Unerwachsenen zunächst großenteils verschlossenen Reichtümer unserer herrlichen Literatur wirklich und gründlich bekannt zu machen, wofür alle gebildeten Berufskreise gleich sehr interessiert sein müssen. Über allgemein zugängliche oder individuelle Erfahrungen und Erlebnisse zu berichten und sie für weitere Zwecke zu verwerten und auszubeuten, wird später in all den Kreisen verlangt, denen der Gymnasialunterricht, denen der Aufsatz dienen will. Zugleich liegen in diesem Gebiet die meisten derjenigen Themata, welche zur Einschulung gewisser Handgriffe des inventiösen Teils der Dialektik die beste Unterlage abgeben: Entwicklungen inhaltsvoller, das Nachdenken herausfordernder Begriffe, Analysen, Paraphrasen, Begründungen sinnreicher Sprüche und Sentenzen aus dem Bereiche der Volksweisheit und Schulliteratur.»

Aus den Voraussetzungen, die hier noch vorsichtig, rechtfertigend und etwas weitschweifig dargestellt werden, wurde durch Umformulierungen, Differenzierung und Präzisierung die heutige Aufsatzpraxis zu einem Erziehungsinstrument entwickelt, das mit sprachlicher Erziehung auch das «Denken» erziehen will. Die dabei auftretenden extremen Widersprüche wurden in einer lebhaften Anfangsphase integriert, die Methoden wurden vielfältiger und selbständiger, die Orientierung an dem für die Schule ausgewählten und den augenblicklichen Bedürfnissen ständig angepaßten Kanonen der Literatur wurde wechselnd betont oder verdrängt; aber die Voraussetzungen und Ziele sind für den Deutschunterricht des Gymnasiums bis heute dieselben geblieben:

– ein besonderer Sprachbegriff wird zur Norm erhoben,
– die Erziehung ist für bestimmte «Kreise» zugeschnitten,
– der Lehrer ist die zentrale Bezugsperson.

Die gleichzeitig gegen diese Praxis einsetzende Kritik kritisiert nur den Zwang zur Nachahmung fester Schemata, sie kritisiert nicht die dem Aufsatzschreiben zugrunde gelegte Sprachtheorie von der Vorrangigkeit des «Dichterischen». Im Gegenteil, sie verstärkt deren Position, weil sie auf den emotionalen Aspekt, das «Sprachgefühl», das keinen Zwang kennen soll, zurückgreift.

Ihren Höhepunkt fand diese Auseinandersetzung zur Zeit der Reformpädagogik, die, zur gleichen Zeit wie die Jugendbewegung außerhalb der Schule, die Erziehung von den bisherigen Normen befreien wollte und den Begriff «Erlebnis» zum zentralen Erziehungsfaktor erhob. Der nun vom Schüler erwartete «freie Aufsatz» verlangt vom Lehrer nur, daß er *kein* Thema stellt, daß er vollständig zurücktritt und allenfalls Anreger, sonst Beobachter des selbständigen Schaffensprozesses des Kindes ist, dessen sprachlicher Kraft er nur Gelegenheit gibt, sich quasi selbst zu befreien.

Die Schreibtätigkeit der Kinder – und wir werden gleich sehen, nur bestimmter Kinder – und die «unserer Schriftsteller» ist für die Reformpädagogiker Jensen und Lamszus (*Der Weg zum eigenen Stil*, 1912 und *Vom wortspielenden Kinde zum wortprägenden Dichter*, 1910) grundsätzlich gleich. Es sind «treibende Kräfte inneren Ursprungs, die unwiderstehlich nach Auslösung verlangen». Mit ihren Gegenvorschlägen, die damals stark beachtet wurden, ersetzen Jensen und Lamszus den Zwang zur bloßen Nachahmung und zur Anpassung an sprachliche Schemata nun durch den Zwang zur Expression verinnerlichter Sprachnormen. Die Aufsätze erhalten Realitätsbezug zu Kleinigkeiten am Wegrand, zur Idylle. Jensen und Lamszus verlangen von den Schülern, sich ebenso zu verhalten, wie ihrer Meinung nach die Vertreter der deutschsprachigen Literatur mit Sprache umgegangen sind: «Der schaffende Goethe nimmt nichts weiter als den Alltag und taucht ihn in sein Inneres, und verklärt steigt er aus seiner Brust. Adalbert Stifter sieht den Zaun am Wege, den hölzernen Tisch im Walde, den Waldboden und beseelt ihn. Es sind die besten, die das ganz Gemeine, das Tägliche um sie herum, den gelben Kies am Boden, die staubige Landstraße, die verkrüppelte Birke, den trüben Chausseegraben, das armselige Häuslein am Wege als Offenbarung empfinden.»

Zwar tritt für diese Reformer der Lehrer als Bezugsperson zurück – denn in Erlebnisse und Innerlichkeit soll niemand eingreifen –, dafür wird das elitäre Element unter dem Begriff der Sprachbegabung beibehalten – weniger offen als bisher, aber unverändert an einem Sprachbegriff orientiert, für den Sprache nicht instrumentell kommunikativ verstanden wird, sondern existentieller Ausdruck ist: «Wo nichts ist, läßt sich nichts holen»; und weiter heißt es: «Jedes geistig gesunde Kind ist imstande, aus sich selber nicht nur einen freien Aufsatz, sondern einen klugen, geschmackvollen und anschaulichen Aufsatz zu schreiben.»

Die Reaktion der Methodiker auf diese emotionale Intervention der Reformpädagogik war zunächst eindeutig ablehnend. Wieder aber waren es nicht die Ziele einer elitären Sprachauslese, nicht die Grundlage der Konzeption, nämlich die idyllisch interpretierte Dichtung und nicht die daraus folgenden verzerrenden Konsequenzen für die Spracherziehung auch der Mittelschicht-Kinder, die kritisiert worden wären. Nur der extrem erscheinende Anspruch nach ausschließlicher Gültigkeit des Erlebnisses und vor allem die Ablehnung fester Stilformen stießen auf Widerspruch.

Das Ergebnis war, daß durch ein vermittelndes System die bis dahin vorgetragenen Standpunkte bei unveränderter Zielsetzung zu einer endgültigen und unangreifbaren Konzeption vereint wurden, zu einer Konzeption, die heute noch gilt. Die Leitidee der neuen Aufsatzreform der Zwanziger Jahre hieß: sowohl Erlebnis und schöpferische Freiheit – mit Maßen allerdings – als auch Zwang zur Nachahmung, Zwang, der durch eine dem Schüler abgeforderte Einsicht in die Notwendigkeit verbindlicher Vorbilder gemildert werden sollte.

Feste Stilformen wurden geschaffen, die nun absoluten Gültigkeitsanspruch stellten und vorgaben, Raum für Freiheit und individuelle Entwicklung zu lassen. Löns lieferte geeignete Vorbilder für Erlebnisaufsätze und Tiercharakteristiken, Hauptmann für Menschencharakteristiken, Fritz Rahn und andere erfanden neue Stilformen oder beschränkten die Möglichkeiten des Prosaschreibens auf verschiedene, bis heute geläufige Aufsatzarten wie «Gegenstandsbeschreibung», «Bildbeschreibung», «Stimmungsbild», «Besinnungsaufsatz», durch die der Schüler außer «Denken» Zucht, Fleiß, Sauberkeit, Verantwortung und manches andere lernen sollte. Die Dichter werden unerreichbares Ideal, das zu eigener Bemühung anspornen soll.

Aufsatzlehre verstand sich von nun an als ein «Aufbaufach», in dem die einzelnen «Bausteine» sehr verschiedener Herkunft allerdings willkürlich zusammengefaßt und je nach angeblichem Schwierigkeitsgrad den Entwicklungsstufen des Jugendlichen zugeordnet worden sind. Erlebnisse schildern und Gegenstände beschreiben gehört beispielsweise zu den leichteren, für 14jährige geeigneten Aufgaben, ein Stimmungsbild zu schreiben ist schon schwerer, man muß dazu ein Jahr älter sein; der Besinnungsaufsatz erfordert «geistige Reife», Schüler der Haupt- und Realschulen können und brauchen ihn nicht zu schreiben. Der Besinnungsaufsatz soll additiv oder integriert alle anderen Aufsatzübungen in sich aufnehmen; in ihm zeigt sich der Synkretismus sowie der vermittelnde Zweck des Lehrsystems am deutlichsten. Das ist der Grund, warum wir im folgenden noch etwas ausführlicher auf seine Praxis eingehen müssen. Doch zuvor noch zweierlei Feststellungen: zum Dualismus des Systems und zu seiner fast unbeschränkten Anpassungsfähigkeit.

II.

Durch die Menge der Aufsatzarten geht, wie Theo Marthaler (*Aufsatzquelle*, Zürich 1962) beim Bemühen um eine «gute Ordnung der Aufsatzarten» schreibt, eine «grundsätzliche Zweiteilung: Es gibt eine sachliche (wissenschaftliche) und eine persönliche (künstlerische) Aufsatzgattung». Sie werden folgendermaßen unterschieden und am Rahmenthema «Geld» deutlich gemacht: «Sachliche» Aufsätze sind danach «verstandesmäßig», «objektiv» und haben den Zweck, «etwas» auszudrücken, zu unterrichten. Ihr Stil sei «wirklichkeitstreu, kurz, klar»; «Wikukla» heißt die Eselsbrücke, durch die Lehrer und Schüler sich die Kriterien merken sollen. Mehr als sechs Aufsatzarten im ganzen, also drei in jeder Kategorie «kann es logischerweise nicht geben», da nur die Differenzierungsmöglichkeiten Zeit, Raum, «Gedankliche Durchdringung» zur Verfügung stehen. Das ergibt für die «objektive» Kategorie die Aufsatzarten «Bericht», «Beschreibung», «Abhandlung». «Persönliche» Aufsätze sollen gefühlsbetont und subjektiv sein und haben den Zweck, daß der Schüler sich erfreue und ausdrücke. Der Stil dieser Aufsätze soll «richtig, spannend, schön» sein (das ergibt, wie nun der Leser analog dem «Wikukla» selbst erschließen kann, das Kunstwort «Rispaschö»); die auch hier nach Zeit, Raum, «Gedanklicher Durchdringung» geordneten Aufsatzarten heißen «Erzählung», «Schilderung», «Betrachtung».

Marthalers Ordnung der Aufsatzarten – (1) *Bericht*: Wie ein Dokumentarfilm. Sich erinnern (Gedächtnis). Beispiel: Wie ich mein letztes Taschengeld verwendete. (2) *Beschreibung:* Wie eine Photographie. Beobachten (Sinnesorgane). Beispiel: Eine neue Banknote. (3) *Abhandlung:* Wie eine Röntgenaufnahme. Nachdenken (Wissen). Beispiel: Die Geschichte des Geldes. (4) *Erzählung:* Wie ein Spielfilm. Erfinden (Phantasie). Beispiel: Mein erstes selbstverdientes Geld. (5) *Schilderung:* Wie ein Gemälde. Schauen (Intuition). Beispiel: Eine schöne alte Münze. (6) *Betrachtung:* Wie eine Mikro- oder Teleskopaufnahme. Bewerten (Gewissen). Beispiel: Geld regiert die Welt.

Die Zertrümmerung komplexer sprachlicher Prozesse zu einer Gruppe von isolierten, nur durch willkürliche, formalistische Gesichtspunkte begründeter Stilformen führt dazu, daß der Schüler in einem Sprachgebrauch geschult wird, der außerhalb der Schule keine reale Entsprechung hat. Niemals werden Anlaß, Absicht und die verschiedenen Möglichkeiten der Sprachhaltung so grundsätzlich voneinander isoliert, wie es hier, unter dem Vorwand der Übung geschieht. Indem der Sprachgebrauch der Schüler zu einem motivations- und ziellosen Funktionsmechanismus umgebogen wird, lernt er nicht, wie vorgegeben, die einzelnen Stilformen und damit eine differenzierende Sprachhaltung, sondern er wird von dem Gedanken an die nunmehr verselbständigten Aufsatzformen beherrscht, er paßt seinen Sprachgebrauch den Vorbildern an, d. h. erfüllt die Aufgaben ohne Beziehung zu seinem sonst aktiven Sprachgebrauch.

Ein weiterer Gesichtspunkt scheint noch wichtiger zu sein: Durch die Trennung in Sachlichkeit und Persönlichkeit – oder wie immer der Dualismus vorgestellt wird – werden die Schüler darin eingeübt, die objektive Folgenlosigkeit aller persönlichen Äußerungen anzunehmen, und die unerschütterliche Macht objektiver Verhältnisse anzuerkennen. Soziale Verhältnisse werden «innen» entschieden. Der einzelne Mensch wird auf eine grundsätzlich belanglose private Sphäre verwiesen, Realitäten kann man danach nicht verändern, sondern nur interpretieren. Denn der dem Sprachdualismus zugrunde gelegte Sprachbegriff unterstellt, daß nur das «Genie» die Wirklichkeit nach seinen persönlichen Gesetzen umformen kann, die sonst jeder persönlichen Einflußnahme entzogen, nach eigenen Gesetzen ablaufen soll, allenfalls der «gefühllosen» Beobachtung, dem bloßen Registrieren zugänglich ist oder Unterordnung verlangt. Und ebenso, wie die Möglichkeit bereitgestellt wird, nur als sachlich funktionierender Spezialist auf die objektive Realität einzuwirken (man beugt sich ihr in «Sachlichkeit»), so wird auch der Eindruck einer möglichst weitgehenden Unverbindlichkeit der objektiven Realität für die Persönlichkeit erzeugt, der Freiheitsspielraum des Privaten wird geschaffen. Hier soll der einzelne, musisch überhöht, in einer Gemeinschaft Gleichgesinnter spielend der drohenden Vereinsamung entgehen.

Möglicherweise sind die Absurdität und Widersprüchlichkeit des Lehrsystems im Versuch Marthalers, der uns als Beispiel diente, auf die Spitze getrieben. Seit aber durch Rahn und andere in den zwanziger Jahren die Grundlagen der Aufsatzlehre und damit der heutigen Aufsatzpraxis geschaffen wurden, sind der Eklektizismus, der Dualismus und die zu isolierten Stilarten simplifizierende Formalisierung entscheidende Merkmale des Systems geblieben, ob es sich nun bieder perfekt oder weltmännisch offen gibt. Das Prinzip von der unerreichbaren Vorbildhaftigkeit der im Schulkanon vertretenen Dichtung blieb bis heute unverändert erhalten. Die Kontroverse geht seit über vierzig Jahren um Namen, Anzahl und Rangfolge der einzelnen «Bausteine» im «Aufbaufach» und um methodische Perfektionierung der Vermittlung. Gelegentliche Versuche, neue Aufsatzformen zu entwickeln und einzuführen, stellen selten die Voraussetzungen und Bedingungen des Systems in Frage, sondern verstehen sich als Erweiterung oder zeitgemäße Abwandlung alter Aufsatzformen. Die Beiträge und Auseinandersetzungen dieser vierzig Jahre sind aufschlußreich für die Wandlungsfähigkeit der Unterrichtsmethoden bei unverändert gebliebenen Erziehungszielen.

Daß die Jahre 1933 bis 1945 die Ausbildung der Aufsatzlehre weder unterbrachen noch störten, daß damals anerkannte theoretische Arbeiten dieser Jahre heute noch weiterwirken, ohne daß dies in der täglichen Schulpraxis besonders auffällt – lediglich einige «zeitbedingte» Themen mußten geändert werden – dies sei nur am Rande vermerkt; es sollte das Thema einer speziellen Untersuchung sein. Ein Zitat möge die Ungebrochenheit der Tradition im Deutschunterricht zeigen, das Beispiel stammt nicht aus dem methodischen, sondern dem thematischen Bereich: «‹Deutschland, Deutschland über alles!› so sang man gestern, laut und kräftig und voll Überzeugung, so singt man auch heute wieder, ein wenig zaghaft zwar und so, als ob man es nicht wagen dürfte, dieses Singen, aber immerhin, man singt. Doch warum denn überhaupt zaghaft? Haben wir nicht ein Recht, wir selber zu sein? Haben wir nicht sogar ein Recht, stolz auf das zu sein, was wir sind?» (Richard Bochinger, *Der dialektische Besinnungsaufsatz*, Stuttgart o. J. [etwa 1959], 2. Auflage 1962, S. 15f.)

Mit diesen Worten, meint Bochinger, könnte der Schüler die Einleitung zu einem Aufsatz abfassen, dessen Thema lautet: «Soll unser Volk auf seine Leistungen in Geschichte und Gegenwart stolz sein, oder soll es sich immer vor Augen halten, wieviel mehr andere Völker sind und können?»

Bochinger, von dem dieser Vorschlag stammt, gilt durch sein Buch als einer der zur Zeit maßgebenden Aufsatzpraktiker für die Oberstufe des Gymnasiums, er hat zur speziellen Thematik «Besinnungsaufsatz» die Arbeiten von Rahn und die von Ulshöfer weitergeführt. Der Klett-Verlag hat die Bearbeitung des weitverbreiteten Sprachlehrbuchs *«Deutsche Spracherziehung»* Bd. VII (Oberstufe), Heft 1: Gestaltungslehre – für die neueste Auflage 1965 ihm anvertraut. Unsere Untersuchung des Besinnungsaufsatzes stützt sich vor allem auf seine Gedankengänge und Vorschläge.

III.

Von allen Autoren wird der Besinnungsaufsatz als Übung verstanden, mit Hilfe des «Gewissens» «persönliche Entscheidungen» zu «Wertfragen» zu treffen (Marthaler lehnt nur aus formalistischen Gründen den Ausdruck «Besinnungsaufsatz» ab und wählt dafür «Betrachtung», «weil der Schüler sich bei jedem Aufsatz besinnen muß»). Unterschiedliche Auffassungen ergeben sich nur zur Methode der Themenstellung, deren Problematik wir uns nun zuwenden wollen.

Es ist bemerkenswert, daß schon von Beginn an laut Rahn «die Sachfrage als selbständiges Thema» im Unterricht vermieden werden sollte, denn «sie ist sinnvoll, wo es um wissenschaftliche oder praktische Gegenstände geht, wie sie in den Facharbeiten gelegentlich zu behandeln sind», dagegen «nötigt» die «Wertfrage» den Schüler zu einer Entscheidung «und gibt ihm damit erst den inneren Antrieb, sich mit dem Thema ernstlich zu befassen». Selbst die im dualistischen System entschärfte «Sachlichkeit» ist demnach für die Aufsatzpraxis zu «wissenschaftlich». Besonders bemerkenswert aber ist, daß dieser Grundsatz auch heute noch befolgt werden soll und Bochinger die Vorrangigkeit der «entscheidenden Wertfrage» ständig betont. Demnach kann nur das an sachlichen Gesichtspunkten herangezogen werden, was der Entscheidung dient.

Eine weitere Einschränkung bei der Themenstellung wird folgendermaßen entwickelt: Bochinger beruft sich auf Goethes Begriffe «Polarität» und «Steigerung», für Goethe «die zwei Triebräder aller Natur», für Bochinger, der Mensch-Geist-Lebenswirklichkeit-Sprache zur Natur rechnet, folglich total gültige Begriffe. Nun kann er sich begründungslos und selbst ohne jeden logischen Übergang auf Kants Beweis berufen, «unsere Welt» sei «vom menschlichen Geist durchorganisiert» und schließt kurzerhand, daß demnach die «wesentlichsten Erscheinungen und Probleme der Lebenswirklichkeit» mit diesen beiden Kategorien «Polarität» und «Steigerung» behandelt werden können.

Es gibt darum für Bochinger den auf «Steigerung» angelegten additiven sowie den «dialektischen» Besinnungsaufsatz; Polarität und Dialektik sind für ihn dasselbe. Die Begründung, mit der Bochinger das additive Prinzip ablehnt und dem «dialektischen» den Vorzug gibt, läßt an Deutlichkeit nichts zu wünschen übrig. Bei dem auf «Steigerung» angelegten Besinnungsaufsatz hat der Schüler noch immer zu viel «Freiheit» in der «Anordnung der Gesichtspunkte, die zur Darstellung des Gegenstandes beitragen oder zur Lösung des entsprechend strukturierten Problems führen». Die «dialektische» Aufgabenstellung hingegen, die den Schüler «auf die Lösung hinlenkt, ja hindrängt», hat neben der eindeutigen Lösungsmöglichkeit zwei Vorteile für ihn: sie erlaubt «auch dem nicht besonders begabten Schüler eine echte Produktivität» und macht «durch die straffe Führung des Schreibers» «auch die bisher nötige inhaltliche Vorbereitung des Aufsatzes durch den Lehrer unnötig». Es muß nur noch «der Grundplan» eingeübt werden (S. 6–7).

Wir wissen nun, daß das Schöffengericht dem an der Vietnam-Demonstration beteiligten Schüler mit dem additiv behandelnden Thema noch viel «Freiheit» ließ, allerdings hatte der Schüler wohl die «inhaltliche Vorbereitung» auf das Thema schon von sich aus vorgenommen. Es steht uns frei, dem Gericht Großzügigkeit oder Nachlässigkeit bei der Themenstellung nachzusagen.

Das «dialektische» an der Aufgabenstellung ist dies: Zwei Standpunkte, die einander widersprechen oder sich ausschließen, erfassen nur ein Stück der Wirklichkeit, die Wahrheit liege in der Mitte. Aus der «Zusammenschau» wird der «die ganze Wirklichkeit umspannende Begriff» gefunden. Die neue Formulierung hat dann unbedingte Gültigkeit.

«Lösungen» zu finden wird also zur Aufgabe des Schülers gemacht; die Kunst des Lehrers besteht darin, «dialektische» Themen zu finden, durch die der Schüler genötigt werden kann, «ein Stück Welt in Gebrauch zu nehmen». Die Gebrauchsanweisung für die «Welt», so wird man folgern können, ist auf die beiden sprachlichen Formeln «sowohl – als auch», «weder – noch» zu bringen.

Wir erfahren dabei auch von Bochinger, daß er sich auf die für ihn vorbildhafte Meinung von E. Frey stützt, der das Aufsatzschreiben der Jugendlichen in der Pubertät «dort, wo es echt und nicht bloß Gerede ist, geradezu ein zweites Sprechenlernen genannt hat», dem der Lehrer «die Richtung auf Wahrheit» gibt. Deshalb wollen wir weniger auf die Analyse der Themenvorschläge und auf die Analyse der von Bochinger gegebenen Beispiele für «richtige Lösungen» eingehen (eine kleine Sammlung steht als Beispiel auf Seite 200 f.), sondern wir wenden uns dem Mechanismus zu, mit dem der Lehrer die «Richtung auf Wahrheit» gibt und beachten die Begründung für ihre Gültigkeit. Denn diese Mechanismen und die «Begründungen» für die «Wahrheit» der «Lösungen» sind es, die unabhängig von der zufälligen Person Bochingers, unabhängig von seinen vielleicht später einmal «zeitbedingten» Themaformulierungen die Schulpraxis traditionell belasten.

Durch die häufige Versicherung, seine «Lösungen» seien nur vorläufige Vorschläge, praktiziert Bochinger schon die Haltung, die bei den Schülern erzeugt werden soll und als Freiheit deklariert wird: Unverbindlichkeit. Die in den Jahren vorher bei «Gegenstandsbeschreibung» und anderen «objektiven» Themen eingeübte «Sachlichkeit» legitimiert die Aussage scheinbar. Hier wird ein Stück Toleranz sichtbar, andere Formulierungen gelten zu lassen, sofern sie in der Struktur dem eigenen Schema sich anpassen. Obwohl die Lösungsvorschläge also nichts «Endgültiges oder Erschöpfendes» darstellen sollen, wird an anderer Stelle wieder mit dem Argument der leichteren und «objektiven» Bewertungsmöglichkeit der «dialektische Grundplan» verteidigt. Gerade im Hinblick auf Abiturprüfungen wird betont, daß sichere «Lösungen» ohne jede inhaltliche Vorbereitung erwartet werden dürfen. Gleichzeitig wird versichert, daß die Gefahr einer Anpassung an die Meinung des Lehrers durch die als sachlich ausgegebene Denkform beseitigt wäre.

Wir reihen nun einen Widerspruch zum andern, wenn wir uns die erwünschte Funktion des Lehrers ansehen: «Endlich ermöglicht der dialektische Besinnungsaufsatz die von R. Ulshöfer und anderen immer wieder geforderte innere Totalität der Bildung im ‹Aufbau eines einheitlichen Sinngefüges im Schüler›. Wenn der Lehrer hier mit behutsamer und sorgsam planender Hand ans Werk geht, kann er mit einer Klasse in zwei oder drei Oberstufenjahren ein solches ‹Sinngefüge› allmählich sogar in der Weise erarbeiten, daß die Schüler selbst die Bausteine dazu schaffen und zusammentragen. Hier wird deutlich, warum die Frage der Inhaltskategorien ein Problem der Stoffwahl ist, denn die Lenkung, die der Lehrer beim Aufbau eines solchen Sinngefüges gibt, gibt er durch die Wahl des Gegenstandes. Es handelt sich übrigens um eine Lenkung, von der der Schüler so wenig eine Ahnung zu haben braucht wie von der Tatsache, daß sein Deutschlehrer ein einheitliches und in sich geschlossenes Sinngefüge von Lebenswerten in ihm aufbaut. Je mehr in der Stille die Sache sich vollzieht, desto mehr Aussicht auf bleibenden Erfolg hat sie» (S. 89 f.).

Hier wird der Ruf nach Einheitlichkeit und Totalität willig aufgenommen, und der Deutschunterricht stellt für seinen Bereich die methodischen Verfahrensweisen für den Aufbau einer formierten Gesellschaft bereit. Wir erkennen hier auch, warum trotz aller «Sachlichkeit» die Vorauswahl der Unterrichtsstoffe nur bestimmte Themen zulassen kann und andere zurückgewiesen werden: Es eignen sich nicht alle Themen zum Aufbau dieses «Sinngefüges», Themen, die sich mit sexuellen Fragen, Fragen der Herrschaft und Autorität einlassen oder die Ursache von Hunger und Krieg untersuchen, sprengen dieses «Sinngefüge».

Gewichtiger ist es, daß die Lenkung des Schülers nicht nur zum Erziehungsprinzip erhoben wird, sondern der gesinnungsmäßige Anpassungsprozeß absichtlich vor dem Schüler verschleiert wird, der in dem Glauben bestärkt wird, er sei es selbst, der die «geistige Welt» aufbaut. Diese Praktiken, die so unverblümt wohl nicht von allen Lehrern zugegeben werden, vielleicht nicht einmal immer bewußt betrieben werden, widersprechen sogar den eigenen Voraussetzungen, die Bochinger aufstellt, seinem «idealen Menschenbild», das für ihn Grundlage für Erziehungsziel und damit auch Grundlage für die Richtigkeit der «Lösungen» abgibt und das den betroffenen Schülern einmal öffentlich zur Diskussion gestellt werden müßte. Von diesem Idealmenschen sagt er nämlich: «Sein Verhältnis zum Mitmenschen ist durch Offenheit, Lauterkeit, Wahrhaftigkeit bestimmt.» Wenn der Schüler über das, was mit ihm geschieht, nicht aufgeklärt werden soll, gehört er für Bochinger wohl nicht zu den Mitmenschen. Ist er ein Mitmensch erst, wenn er dieses Weltbild auch «für sich» entdeckt hat? Oder ist auch dieser Widerspruch nur Teil der Kette von Widersprüchen in einem Denkschema, das trotz dieser Widersprüche seit über einem halben Jahrhundert seine Lebensfähigkeit erhalten hat?

Es überrascht nun auch nicht, daß das Menschenbild, das uns hier vorgestellt wird, ein Bündel elitärer Ansichten ist und ausgesprochen elitär eingesetzt wird. Es soll nur «den geistig ernstzunehmenden Kräften unserer Oberstufenklassen als erstrebenswertes Ideal präsentiert werden». «Ein für die Arbeit der Gewerbeschule z. B. ausgearbeitetes Bild würde notgedrungen anders aussehen müssen.» Auf über zwei Druckseiten wird dieser Idealmensch beschworen, ein über die Erde herrschendes, geschlechtsloses, treues, standesbewußtes, opferbereites, staatsbewußtes, ein der Wirklichkeit gehorchendes, ehrfürchtiges, immer wieder an sich scheiterndes, aber dennoch unbeirrtes, ein maßvolles und vor allem ein von «materiellen Werten, ob er sie nun besitzt oder nicht» unabhängiges Wesen.

IV.

Fragen wir nun nach den Folgen einer Spracherziehung, die sich selbst produktiv und schöpferisch versteht, den Schüler jedoch nur reproduzieren läßt.

Die Hauptperson in diesem Drama, der Schüler, wird zu einem irrationalen Dezisionismus erzogen. Die Realitätsferne oder Realitätsfeindlichkeit seines «Denkens» bleibt ihm durch das vermittelte falsche Bewußtsein, «sachlich» zu sein, verborgen; im objektiven Bereich äußert sich diese Haltung in einer als Neutralität mißverstandenen Indifferenz, die ein Engagement für Hobbys, Tiere und private Lebensfragen erlaubt, nicht aber für Abrüstung, die gerechte Verteilung der Güter auf der Welt oder auch nur die Mitbestimmung der Schüler im Lernprozeß der Schule.

Soziale, politische, moralische Vorurteile werden tradiert, da die angestrebte Abstraktionsfähigkeit nicht verhindert, daß die ethischen Begriffe der «Lebenswerte» verschwommen und irrational bei aller Abstraktheit bleiben. Die Harmonie und Einheit des selbst zu bauenden, gelenkten Weltbildes läßt die Welt als Idylle erscheinen, in der es keine widerstrebenden Interessen gibt, sondern nur das Böse und das Gute und Naturgewalten sowie Kraft und Schwäche, das Gute zu verwirklichen. So wenig allerdings die Idylle pastoral ist, ist das Heldentum pathetisch. Seelisches und soziales Gleichgewicht korrespondieren mit Heldentum im Alltag, die «Bewährung» in Situationen gestörten Gleichgewichts wird ständig eingeübt. Die Vorbereitung auf einen «Ernstfall» geschieht durch die Gewöhnung an eine fortwährende, latente

Katastrophensituation, in der Unvorhergesehenes und Unvorbereitetes zu geschehen pflegt, wobei die Katastrophen vom Tintenfleck im Heft bis zu Krankheit und Tod sprachlich gestaltet werden müssen: «Der Alltagsmensch schreibt nie aus Freude am Schreiben; er schreibt nur, wenn er dazu gezwungen, wenn es notwendig ist. Er schreibt immer nur im Ernstfall, nie bloß zur Übung.» (Marthaler) – Diese Spracherziehung trägt dazu bei, daß die Jugendlichen das Bewußtsein der Sprachohnmacht vermittelt bekommen, das äußert sich wiederum während der Schulzeit im heftigen Widerwillen gegen jede Schreibtätigkeit. Die nämlich, die diesen Bildungsprozeß bis zum Abitur durchlaufen, sind am Ende davon überzeugt, daß der Zusammenhang zwischen objektiver Realität und Sprachgebrauch zufällig und willkürlich ist, daß der Sprachgebrauch folgenlos ist für gesellschaftliche Verhältnisse, daß nur irrationale Kategorien bereitstehen, um die «eigentliche Leistung der Sprache» zu begreifen: ein den Schülern zu Recht subjektiv erscheinendes «Aufschließen» von «Welt». Sie gewöhnen sich daran, daß ihre eigenen Interessen keine sprachliche Entsprechung haben sollen oder nur solche, die subjektiv bleiben. Die Schüler aber, die schon vorher aus dem Bildungsprozeß ausgeschieden wurden, werden mit ihrem Sprachgebrauch, den die Gesellschaft diskriminiert, sich selbst überlassen. Sie können den herrschenden Sprachgebrauch weder bewußt anwenden noch verstehen. Sie müssen diesen Sprachgebrauch, auf dessen Problematik nicht einmal Abiturienten verwiesen werden, in jedem Fall als Autorität anerkennen.

Man muß nun aufmerksam beobachten, wie die Spracherziehung an den Gesamtschulen, die als Schulversuch in Berlin in diesem Jahr schon ihre Arbeit teilweise begonnen haben, praktiziert wird. Die Gesamtschule hat sich ja zum Ziel gesetzt, die durch die Teilung der Oberschule in Gymnasium, Real- und Hauptschule entstehende ungerechte Auslese zu verhindern. Chancengleichheit der Bildung soll gewährleistet werden auch bei Unterschieden in der sozialen Herkunft; die durch das Elternhaus und soziale Umgebung geschaffenen Unterschiede des Sprachgebrauchs sollen kein Kriterium mehr für den Schulerfolg sein.

Eine naheliegende Möglichkeit für den Deutschunterricht bestände nun darin, die zu fördernden Schüler durch organisatorische Maßnahmen vor dem blinden Auslesemechanismus, der zur Zeit die Schulpraxis bestimmt, zu schützen und sie durch neue methodische Verfahren des Unterrichts dem vom Gymnasium gepflegten Sprachgebrauch anzupassen, damit die Schüler nun in den Genuß des bisher verwehrten Bildungsprozesses gelangen. Daß aber die mit der Einrichtung der Gesamtschulen angestrebte Demokratisierung der Schule nicht von einem nur äußerlich geschickt angepaßten Deutschunterricht unterstützt werden könnte, dürfte nach den vorangegangenen Ausführungen deutlich geworden sein. Der dem Deutschunterricht zugrunde gelegte Sprachbegriff muß vollständig revidiert werden. Gerade an den Gesamtschulen müßte durch sprachtheoretisch fundierten kritischen Deutschunterricht die bisherige Tradition dieses Faches verabschiedet werden.

Doch zeigt sich nun, daß die Universität nicht in der Lage ist, die wissenschaftliche Erneuerung des Deutschunterrichts zu unterstützen. Was für den Deutschunterricht an den in Berlin und in der Bundesrepublik neuen Gesamtschulen gilt, muß auch für die traditionell organisierten Gymnasien festgestellt werden: Das Versagen der Germanistik bei der Ausbildung der Deutschlehrer schränkt erheblich die Möglichkeit ein, den Deutschunterricht auch hier zu verändern. Das sollen die folgenden, abschließenden Überlegungen verdeutlichen:

Die ungeheuerliche Befugnis, die der Deutschlehrer durch die Vermittlung des herrschenden Sprachgebrauchs erhält, seine Berechtigung, maßgeblich bestimmen zu dürfen, welche Schüler einmal die Universität besuchen sollen, läßt sich nur dadurch aufrechterhalten, daß im Bewußtsein der Öffentlichkeit die Schule ein Modell der konfliktlosen Gemeinschaft von Lehrenden und Lernenden darstellt – Disziplinschwierigkeiten sind der Ausdruck kindlicher und jugendlicher Unbekümmertheit. Lehrer sollen demnach eine ihnen naturgemäß zukommende wohlwollende väterliche (mütterliche) Autorität ausüben, Schüler die ihnen naturgemäß durch «Begabung» und erworbene Tugenden wie Fleiß, Sauberkeit, Gehorsam, Ordentlichkeit, Adrettheit, u. a. zukommende Rangstufe einnehmen.

Diese Fiktion von Schule ist weiterhin darauf angewiesen, daß die Praxis der Lehrerausbildung das kritische Engagement der Lehrer, auch der Deutschlehrer, für eine Veränderung des Unterrichts verhindert.

Das Referendariat, von der Schule kontrolliert, übermittelt noch nach dem Prinzip der Meisterlehre die bisher geübte Praxis; die Examenslehrproben sind das Gesellenstück, vergleichbar auf anderer Ebene dem Reifeprüfungsaufsatz – hier wird Kritik normalerweise im Keim erstickt, allenfalls darf sie sich sorgsam diplomatisch abgesichert regen; doch muß sie unschädlich und folgenlos sein. Ein öffentlicher Konflikt schüfe Märtyrer, solange eine größere Solidarisierung von Kollegen utopisch bleibt; das Ergebnis ist innere Emigration der Deutschlehrer oder Anpassung an die traditionelle Praxis durch Routine.

Schwerer wiegt jedoch, daß das Studium den noch unbefangenen Deutschlehrer keineswegs in die Lage versetzt, Kritik am Deutschunterricht so konkret zu artikulieren, wie die Situation es oft erfordert. Das Referendariat konfrontiert ihn zum erstenmal mit der bisher verdrängten Schulpraxis, die er nun als «Geselle» oder wissenschaftlicher Autodidakt bewältigen muß. Ein Studium, das weniger Literatur, dafür mehr Kritik an einer wissenschaftlich unhaltbaren Sprachtheorie vermittelte, könnte Deutschlehrer ausbilden, die die bisher geübte Praxis der Spracherziehung durchbrechen könnten, wenn auch die in Tradition eingebettete Einzelinitiative letzten Endes für eine vollständige

Umwälzung des Faches nicht ausreichen wird. Eine Neuordnung des Studiums und der Lehrerbildung ist notwendig.

Doch auch in diesem Zusammenhang muß man fragen, ob die Germanistik ihr Selbstverständnis so stark erweitern kann, daß sie die ausländischen Forschungen der letzten Jahrzehnte zur allgemeinen und zur angewandten Linguistik zur Kenntnis nehmen, verarbeiten und weiterführen kann, ob sie damit aufhören kann, an die Studenten und größtenteils zukünftigen Deutschlehrer wie bisher einen vorwiegend irrationalen, an Dichtung orientierten Sprachbegriff zu vermitteln, der dann allerdings ohne universitäre Unterstützung in schulgemäßer Verzerrung den Deutschunterricht weiter bestimmt. Ein verstärkter Ausbau des Linguistischen Lehrstuhls ist erforderlich. Die Ausbildung der Deutschlehrer an neuen, noch zu schaffenden Institutionen wäre die notwendige Konsequenz aus dem Versagen der Germanistik.

Themen für Besinnungsaufsätze

Einige Beispiele mit Vorschlägen für die richtige, d. h. nach einem «dialektischen Grundplan» gewonnene Lösung von Richard Bochinger: *«Der dialektische Besinnungsaufsatz»*, Stuttgart 1962.

Ist es richtig oder falsch, wenn das Bonner Grundgesetz die Todesstrafe abschafft?
Lösung: Vielleicht müßte man doch die Todesstrafe für besonders krasse Fälle von Verrohung und Gemeingefährlichkeit wieder einführen. Vielleicht könnte man sie aber ergänzen durch eine besondere Bewährungsfrist zwischen Urteilsspruch und Vollstreckung, eine Frist, die die Möglichkeit der Begnadigung einschlösse.
Sollen wir uns in dem, was wir sind und tun, nach Urteil und Meinung der anderen richten, oder sollen wir uns um Urteil und Meinung der anderen nicht kümmern und unseren eigenen Weg gehen?
Lösung: Das Maß unseres Handelns liegt also gar nicht darin, ob wir uns nach anderen richten oder nicht, sondern darin, was recht ist. Das sagt uns aber nicht das Prinzip: sich nach andern richten, und nicht das Prinzip: sich um die andern nicht kümmern, sondern allein unser Gewissen. Daher wird man auf andere hören, wo es vernünftig ist, auf sie zu hören, aber auch den Mut zum eigenen Urteil und zum eigenen Weg haben, wo die Sache ihn nötig macht.
Fordert die Gemeinschaft vom einzelnen oder gibt sie?
Lösung: Ob sie ihm gibt, wird von ihm selbst abhängen. So viel er an Lebenskapital in sie hineinsteckt, wird sie ihm Zinsen tragen.
Hat die Kunst eine dem Leben dienende Aufgabe, oder ist sie etwas vom Leben völlig Unabhängiges, das Wert und Zweck in sich selbst trägt?

Lösung: Wahrscheinlich muß sie ohne direkten Lebensbezug, auf jeden Fall in völliger Freiheit geschaffen sein, da sie aber auf Wirkung angelegt ist, hat sie sicher in dieser Wirkung auch eine lebensbezogene Funktion.

Kann eine Handlung schon dann als gut bezeichnet werden, wenn sie aus gutem Wollen entspringt, oder muß das Gute auch gegen alle Widerstände verwirklicht werden?

Lösung: Es muß also beides, das Wollen und der Kampf um die Verwirklichung zusammenkommen, soll eine Handlung gut genannt werden. Doch lassen sich damit noch nicht die Widerstände überwinden. Alle wirklich großen sittlichen Taten zeigen, daß zum Wollen und Verwirklichenwollen eine dritte Kraft hinzutreten muß, die Kraft der vertrauensvollen Liebe, die allein die Trägheit der andern in der rechten Weise beschämen, die Macht des Bösen brechen, die eigene Schwunglosigkeit überwinden kann. Sie ist die eigentlich schöpferische Kraft in jeder sittlichen Handlung. Daher sagte Augustin: Die gute Tat ist die, die aus der Liebe geschieht (‹Ama et fac quod vis›).

Ist die Arbeit Segen oder Fluch?

Lösung: Ob Segen oder Fluch, liegt also wohl nicht oder zumindest nicht völlig bei ihr, sondern hängt von dem ab, der sie tut. Sie will ihrem Wesen nach Bindung sein und verlangt bindende Treue. Aber nur in der Weise, wie wir uns ihr stellen, stellt sie sich uns.

Soll man das Geld, über das man verfügt, für sich verwenden und also versuchen, einen möglichst hohen Lebensstandard zu erreichen, oder soll man freiwillig auf die Annehmlichkeiten des Lebens verzichten, die über das hinausgehen, was unbedingt lebensnotwendig ist?

Lösung: ‹Haben, als hätten wir nicht.› Das bedeutet für den, der keinen Besitz hat, daß er sich nicht von der Besitzgier hinreißen lassen darf; für den, der besitzt, daß Besitz verpflichtet. Aber Verpflichtung sehr vielfältig. a) Verpflichtung gegen sich selbst und die Seinen; b) Verpflichtung gegenüber den andern, die ihr Schicksal ins Unglück gestürzt hat; c) Verpflichtung gegenüber der Gemeinschaft (etwa kulturelles Niveau des Lebens, das man führt; etwa Bibiliothek, Bilder usw.); d) Verpflichtung gegenüber denen, von denen wir haben (Vorfahren), und denen, an die wir weitergeben müssen. – Richtiges Verhältnis gegenüber Besitz und Armut ist also auf alle Fälle ein inneres, kein äußeres Verhältnis. Wesentlich wohl, daß in jedem Fall, ob arm oder reich, innere Unabhängigkeit vom Besitz.

Ist es richtig oder falsch, wenn das Bonner Grundgesetz am Privateigentum festhält? Gehört das, was wir Besitz nennen, nicht allen?

Lösung: Keine von unseren Ordnungen ist gerecht und gut. Da wir aber offenbar keine Gerechtigkeit verwirklichen können, bleibt als Ausweg nur die Haltung der Liebe, die möglichst viel Ungerechtigkeit überwindet. Paulus: ‹Haben, als hätten wir nicht.› Grundgesetz: ‹Besitz verpflichtet.› – Schluß: Marxismus zwar als Reaktion auf die Unterdrückung des Menschen im

Kapitalismus entstanden, aber Unterdrückung des Menschen in marxistischen Staaten heute schlimmer als irgendwo. Oder: ‹Das Geld ist ein Mittel, Gutes zu tun, kein Wert an sich.›

Erlaubt das moderne Leben der Frau noch, wirklich Frau zu sein, oder macht es ihr die Erfüllung ihrer wahren Bestimmung unmöglich?

Lösung: Ob die Frau im modernen Leben ihr Frausein verwirklicht, hängt in erster Linie von ihr selbst und nicht vom modernen Leben ab.

Sind die Freiheiten, die der Frau durch die Frauenemanzipation zugewachsen sind, als etwas Positives oder als etwas Negatives zu werten?

Lösung: Muß ihre neuen Rechte wahrnehmen, aber in fraulicher Selbstachtung, die an keiner Stelle sich selbst und ihr Frauentum preisgibt und damit auch dem Mann die nötige und richtige Achtung und Ritterlichkeit abnötigt.

Sind die Errungenschaften der modernen Zivilisation etwas, was das Leben zerstört, oder ist das von dieser Zivilisation zerstörte Natürliche kein Lebenswert?

Lösung: Wir müssen dahin kommen, daß Zivilisation und Natur sich vereinbaren: Gegen Zivilisation den rechten Herrensinn, gegen Natur die rechte Ehrfurcht wahren.

Ist der Film eine positive Erfindung, oder sollte man besser die Kinos wieder abschaffen? (nach Ulshöfer)

Lösung: Wir müssen ihn zu etwas Positivem machen. Die rechte Verantwortung ihm gegenüber entwickeln. Den schlechten Film boykottieren, den guten fördern. Ist das Kinopublikum in der rechten Weise verantwortlich, dann werden es von selbst auch die Kinobesitzer und die Filmproduzenten.

Sollen wir die deutschen Ostgebiete wieder zurückverlangen, oder sollen wir um des Friedens willen auf sie verzichten?

Soll die deutsche Wiedervereinigung durch die Politik der Stärke oder durch allmähliche Annäherung der beiden deutschen Staaten betrieben werden?

Sollen die Atombombenversuche fortgeführt werden, oder soll man die Atomwaffen überhaupt abschaffen?

Beruht die echte Autorität des Lehrers darauf, daß er sich auf alle Fälle der Klasse gegenüber durchsetzt, oder darauf, daß er ein möglichst kameradschaftliches Verhältnis zur Klasse entwickelt?

Lösung: Echte Autorität beruht also weder auf dem bloßen Drang, sich durchzusetzen, noch auf bloßer Kameradschaftlichkeit. Sie ist schwer zu bestimmen. Sie scheint eine große Beweglichkeit vorauszusetzen, die einmal die strenge Hand zeigt und einmal kameradschaftlich nachsichtig ist. Sie scheint menschliche und fachliche Überlegenheit vorauszusetzen, Gerechtigkeit in jedem Fall, Selbstlosigkeit. Vielleicht, wahrscheinlich ist sie nur aus der Liebe heraus möglich.

Soll die Schule in der heutigen Lage in erster Linie unterrichten, oder soll sie den Nachdruck ihrer Arbeit auf die Erziehung legen?

Lösung: Beides für sich genommen praktisch nicht möglich. Ein sauberer Unterricht birgt die beste Erziehung in sich. Andererseits müßten aber Elternhaus und Schule noch viel besser zueinanderfinden.

Sollte man nicht die Buben- und Mädchenschulen zusammenlegen? (nach Rahn)
Lösung: Die Koedukation bietet sicher manchen Vorzug, wenn es gelingt, sie im Geist rechter, sauberer Kameradschaftlichkeit zu verwirklichen. Aber es ist nicht unbedingt nötig, sie überall durchzuführen, weil ja Buben- und Mädchenerziehung je ihre eigenen Aufgaben haben und weil Buben und Mädchen ja außerhalb der Schule Gelegenheit genug haben, sich zu begegnen.

Ist es gut, daß die Arbeiterschaft durch die soziale Bewegung des 19. und 20. Jahrhunderts eine so entscheidende Position im Staat errungen hat?
Lösung: Wenn sie ihre Macht in echter Verantwortung fürs Ganze übt, ist es gut.

Können wir ins Schicksal unseres Volkes tätig eingreifen, oder sind dafür nur die Politiker verantwortlich?
Lösung: Wir können nicht nur, wir müssen tätig eingreifen, wenn auch unsere Tätigkeit anderer Art sein wird als die der aktiven Politiker. Auf alle Fälle staatsbürgerliche Verantwortung wahrnehmen, sich politisch auf dem laufenden halten, sich zu den politischen Ereignissen eine Meinung bilden. Darüber hinaus: Reinh. Schneider: ‹Von jedem Herzen wird die Welt bewegt.›

Ist es richtig, wenn in der modernen Demokratie die Masse des Volkes die politischen Entscheidungen in der Hand hat, wo doch die Mehrzahl der Menschen im politischen Bereich nicht sachverständig und daher nur allzu leicht lenkbar ist?
Lösung: Erstens ist ja glücklicherweise zwischen die Entscheidung des Volkes (Wahl) und die direkte politische Entscheidung die Schicht der politischen Fachleute zwischengeschaltet. Zweitens muß dieses Problem jedem zum Anlaß einer politischen Selbsterziehung werden. Jeder muß eben einfach soweit Fachmann sein, daß er den Teil Verantwortung, der ihm zufällt, auch tragen kann, sonst gewinnen die destruktiven Elemente die Oberhand.

Soll man die Widerstände, die einem das Leben entgegensetzt, mit Gewalt zu brechen suchen, oder soll man sich in das fügen, was das Leben bringt?
Lösung: Keines für sich allein ist wohl richtig. Aber eine Lösung des Problems ist wahrscheinlich nur möglich, wenn man an einen persönlichen Gott glaubt, dem man sein Leben anvertrauen kann, und wenn man glaubt, daß dieser Gott durch unser Werk hindurch wirken will; dann ist eine ‹elastische Lebensführung› möglich, da sich in dieser Haltung die Bereitschaft, anzunehmen, was von Gott kommt, verbindet mit einem höchsten Maß von Eigenverantwortung (dem Glauben, daß man dem persönlichen Gott für jede Kleinigkeit im Leben persönlich verantwortlich ist).

Lohnt sich die Mühe, die man auf eine Briefmarkensammlung verwendet? (nach Rahn)
Lösung: Ja, wenn man damit nicht bloß blindwütig einem primitiven

Sammeltrieb frönt, sondern mit dem Sammeln höhere Gesichtspunkte verbindet. Oder wenn das Sammeln das entspannende Reiten auf dem Steckenpferd darstellt.

1 «Pflegen» heißt «wachsen lassen», heißt aber auch «nähren, beschneiden und veredeln». (Michael Gebhardt, Deutsche Aufsätze – Insbesondere für höhere Schulen – Bd. Unterstufe, München ⁵1963).

2 «Wenn einzelnen Themen ... keine Lösungen beigegeben werden, so geschieht das nur, um die Sammlung nicht zum politischen Forum zu machen.» (Bochinger)

Rolf Gutte
Deutsche Werte

Eine Analyse von Reifeprüfungsthemen nebst Anmerkungen
zum ideologischen Kontext

*«Wir Deutschlehrer aber werden immer eine Sonderstellung einnehmen, da uns
mehr als allen anderen unsere Muttersprache als Medium jeglicher Wahrheit in
jeglichem Fach anvertraut ist. Wir können nicht mehr der Gesetzgeber des Ganzen
sein, aber wir wollen hinsichtlich unserer Muttersprache, an die geknüpft ist unser
innerstes Sein und damit der Herzschlag unserer innersten Freiheit, das Gewissen
der Höheren Schule sein . . .»*[1]

Über die Lage des Deutschunterrichts zu reden heißt, von deutscher
Ideologie zu reden. Sie spiegelt sich u. a. im Anspruch und im Selbstverständnis
der in ihrem Geiste erzogenen und erziehenden Deutschlehrer. Dabei braucht
die Frage, ob denn dieser Anspruch, das «Gewissen der Höheren Schule» zu
sein, legitim oder nur angemaßt sei, zunächst einmal nicht diskutiert zu werden,
denn faktisch vermittelt das Fach Deutsch in seiner bisherigen Konzeption –
mehr als jedes andere – Inhalte eines allgemeinen Bewußtseinsstandes und der
dahinter verborgenen Interessenlage des Gymnasiums. Letztere wird in neueren
Untersuchungen[2] im allgemeinen als «mittelständisch» umschrieben, womit
gleichzeitig angedeutet sein mag, daß von dem ehemals emanzipatorischen
Anspruch bürgerlicher Bildungsvorstellungen womöglich nur eine Anpassung
an die sozialen Merkmale des «konvergenten Leistungstyps»[3] der Mittelschicht
geblieben ist.

Eine ausführlich begründende Dokumentation zu diesem Problemzusammenhang ist im Rahmen dieses Aufsatzes zwar nicht möglich, aber ein kurzer
Blick auf charakteristische Merkmale der Entwicklung von Bildungsvorstellungen nach 1945 ist schon aufschlußreich genug.

Da heißt es z. B. in der hessischen Landesverfassung von 1946 (Art. 56):
«Ziel der Erziehung ist, den jungen Menschen zur sittlichen Persönlichkeit zu
bilden, seine berufliche Tüchtigkeit und die politische Verantwortung vorzubereiten zum selbständigen und verantwortlichen Dienst am Volk und der
Menschheit durch Ehrfurcht und Nächstenliebe, Achtung und Duldsamkeit,
Rechtlichkeit und Wahrhaftigkeit.»

Da sind alle beisammen, die idealen Güter deutscher Nation und ihre ewigen Werte: die sittliche Persönlichkeit und ihre Nächstenliebe; Ehrfurcht und Duldsamkeit; Wahrhaftigkeit und Rechtlichkeit. Nur der Dienst am Volk hat sich zum Dienst am Volk *und an der Menschheit* erweitert und, ein weiteres Zugeständnis an den durch die Siegermächte verordneten «Zeitgeist»: Neben die Erziehung zu «beruflicher Tüchtigkeit» tritt die zu «politischer Verantwortung».

Die Unbekümmertheit, mit der hier auf die zwanziger Jahre und früher rekurriert wird, zeugt von mangelhafter Selbstkritik, mindestens aber von großer Unsicherheit. Daß sie nicht etwa auf Hessen beschränkt ist, beweist ein Blick in die Verfassung für Rheinland-Pfalz aus dem Jahre 1947, Art. 33: «Die Schule hat die Jugend zur Gottesfurcht und Nächstenliebe, Achtung und Duldsamkeit, Rechtlichkeit und Wahrhaftigkeit, zur Liebe zu Volk und Heimat, zu sittlicher Haltung und beruflicher Tüchtigkeit und in freier, demokratischer Gesinnung im Geiste der Völkerversöhnung zu erziehen.»

Oder die bayerische Landesverfassung § 131, Abs. 2: «Oberste Bildungsziele sind Ehrfurcht vor Gott, Achtung vor religiöser Überzeugung und vor der Würde des Menschen, Selbstbeherrschung, Verantwortungsgefühl und Verantwortungsfreudigkeit und Aufgeschlossenheit für alles Wahre, Gute und Schöne.»

Abs. 3: «Die Schüler sind im Geiste der Demokratie, in der Liebe zur bayerischen Heimat und zum deutschen Volk und im Sinne der Völkerversöhnung zu erziehen.»

Schöner und vollständiger als in der bayerischen Verfassung findet sich sonst nirgendwo der Katalog überzeitlicher Werte, jene Mischung aus verschwommener Metaphysik, unreflektiertem Idealismus, moralisierender Vervollkommnungstheorien der Persönlichkeit und provinzieller Enge.

Wenn man die Verfassungsgrundsätze der Länder in ihrer Gesamtheit analysiert, ist festzustellen: Nirgendwo taucht ein Gedanke daran auf, wie denn wohl diese Grundsätze in der sozialen Wirklichkeit zu realisieren seien. Kein Zweifel an der Unerschütterlichkeit dieser hochfahrenden Gemeinplätze schleicht sich ein. Die Welt des Geistes und der sittlichen Werte wird einfach als unverrückbare Bastion besetzt und verteidigt, ohne daß der Versuch unternommen würde, Geist und Sitte als historisch veränderliche Größen zu bestimmen. Insofern können diese Grundsätze, diese Mischung aus gemüthaften Vorstellungen und sittlichen Postulaten, ihre Herkunft aus dem Wertekatalog des Bildungsbürgertums nicht verleugnen. Gemessen an der gesellschaftlichen Realität der Nachkriegszeit sind diese Grundsätze allerdings nur noch Ausdruck einer hilflosen spätbürgerlichen Ideologie. Hilflos deshalb, weil sie dort anknüpfen, wo u. a. die Bedingungen des Versagens des deutschen Bürgertums vor dem Faschismus zu suchen sind, und hilflos auch deshalb, weil die kritische Rationalität ihrer «Schöpfer» sich nicht auf die eigenen Werte richtete, die doch, alle hatten es erlebt, von den Nationalsozialisten so leicht in Dienst genommen werden konnten.

Die Erziehungsziele, Bildungsinhalte und -werte, wie sie in den folgenden Jahren für die Bildungspläne, Lehrpläne und Richtlinien der Gymnasien erarbeitet wurden, sind genausowenig das Ergebnis einer rationalen Analyse der sozialen Wirklichkeit wie die in den Verfassungen postulierten Grundsätze.

Selbst ein so traditionell fortschrittliches Land auf dem Gebiet der Erziehung wie Bremen formuliert noch 1959 als besonderes Bildungsziel des Gymnasiums:

«In unserer organisierten und technisch perfektionierten Welt bedarf es des Menschen, der ein gefestigtes Verhältnis zu den Werten hat, die unsere Lebensordnung und Kultur tragen und ihre Zukunft sichern. Von daher leitet sich auch für das Gymnasium der Auftrag her, die sittlichen, religiösen und sozialen Anlagen der ihm anvertrauten jungen Menschen zu wecken und zu fördern.»

Auch hier wieder jene falsche Entgegensetzung von bedrohlicher Zivilisation, der die leblosen Attribute «organisiert», «technisch» und «perfektioniert» beigegeben werden, und jener wahren, eigentlichen «Lebensordnung und Kultur», die durch überzeitliche sittliche Werte bestimmt sind. Pflege der Innerlichkeit statt Humanisierung der Technik!

Auch hier keine historisch-konkrete Reflexion über sittliche Tugenden wie z. B. Pflichtbewußtsein, Staatstreue, Gehorsam und Fleiß, sondern ein borniertes Festhalten an einer irrationalen Überzeugung von der zeitlosen Gültigkeit verinnerlichter Werte.

Es wird nicht einmal der Versuch einer näheren Bestimmung dieser Werte gemacht. Kein Hinweis darauf, wie denn nun etwa diese Werte unter den veränderten Bedingungen einer manipulierbaren Konsumgesellschaft realisiert werden sollen. Stattdessen wird einfach unterstellt, daß es von historischen Veränderungen losgelöste, unbestrittene, alle gleichermaßen verbindende sittliche Werte gibt.

Der Zusammenhang zwischen diesem Glauben an eine unpolitische Versittlichung des Menschen und der damit verbundenen Begünstigung der realen politischen Barbarei des Faschismus, deren Beute dieser Glaube schließlich wurde, bleibt unbegriffen.

So kontinuieren diese Bildungsziele, was vor 1933 galt und was, nach Meinung der Autoren, aus nationalsozialistischer Beschlagnahme entlassen, wieder in altem Glanz in Umlauf gesetzt werden konnte. Die Ursachen und Bedingungen der zwölfjährigen Barbarei u. a. in eben diesem Kontinuum bleiben unreflektiert.

Sie blieben auch unreflektiert in der Germanistik, jener zentralen Wissenschaft vom deutschen Wesen, die erst auf ihrem Münchener Kongreß 1966 zu einer Kritik ihrer eigenen Vergangenheit und ihrer Gehalte und Methoden überging. Kein Wunder also, wenn Walter Killy 1961 über die Lehrpläne für den Deutschunterricht schreiben konnte: «Durchgängig ist eine Scheu vor dem klaren Licht begrifflichen Denkens zu beobachten ... Der Gesamteindruck bleibt deprimierend: eine halb viktorianische, halb jugendbewegte, in den letzten 25 Jahren nicht erneuerte, abgestandene Luft schlägt demjenigen entgegen, der die Pläne in ihrer Gesamtheit analysiert ...»[4]

Noch 1958 veröffentlichte die «Arbeitsgemeinschaft Deutsche Höhere Schule» Richtlinien für den Deutschunterricht, die durch ihre unreflektierte Übernahme der skizzierten Bildungsvorstellungen sowohl charakteristisch wie auch repräsentativ für viele Lehrpläne für das Fach Deutsch sind: «Sprache erwächst aus der *Gemeinschaft* und macht Gemeinschaft möglich. Sie erschließt dem Menschen die Welt, bildet den Sinn, weckt die *höheren Wertgefühle* und ermöglicht den *Aufbau eines eigenen Weltbildes* und die Teilhabe am religiösen Leben. Die Spracherziehung steht in einem Wechselverhältnis zur *Gemütsbildung* und *Gemeinschaftserziehung*. Sie weitet den Horizont, vertieft die *Erlebnisfähigkeit* und fördert die *Entfaltung des Wertbewußtseins*. Ihr Ziel ist eine echte *Freiheit der Person und deren Bindung* ... Die Erziehung zum Schreiben umfaßt mehr als nur die Anleitung zum rechten Gebrauch der Formen der schriftlichen Äußerung. Sie wendet sich immer an den Personenkern; sie schult das Denken und das Ausdrucksvermögen im Bereich des Humanen und weckt das Gefühl der Verantwortung vor der Sprache und den *Sinn der Wahrhaftigkeit* und Sachgemäßheit. *Schreibzucht* ist *Denkzucht* und *Willenszucht*. Soll der Deutschunterricht dieser Aufgabe gerecht werden, so muß er durch alle übrigen Fächer unterstützt werden. – Die Erziehung zum Lesen ist eine Anleitung zum Verstehen fremden *Menschentums* und sprachlich geformter *Sinnganzheiten*. Sie vermittelt Wertmaßstäbe für Gehalt und Gestalt des Schrifttums und befähigt den jungen Menschen, aus der deutschen geistigen Überlieferung, vor allem aus der großen deutschen Dichtung, *Führung und Geleit* zu gewinnen. Durch die Beschäftigung mit den Werken der deutschen Literatur soll in dem Jugendlichen *Ehrfurcht* vor dem Leben und den großen Schöpfungen der abendländischen Kultur, *Liebe zur deutschen Heimat und zum deutschen Volk* geweckt und entfaltet werden. Darüber hinaus soll der Deutschunterricht auf die enge Verflochtenheit der nationalen Kulturen Europas hinweisen und eine Verständigung innerhalb der Völker anregen.»[5]

Was hier propagiert wird (Hervorhebungen durch den Autor stellen den Zusammenhang zu den oben zitierten Dokumenten her), ist die kaum verhüllte Einübung in bürgerliche Verhaltensweisen und Wertvorstellungen, ist die Einübung in Deutsche Innerlichkeit, ist gesellschaftliche Repression durch Sprache und Literatur. Eine ideologiekritische Textanalyse könnte außerdem ein Stück «unbewältigte Vergangenheit» ans Tageslicht bringen.

Daß auch die pädagogischen Hilfswissenschaften nach 1945 von denselben idealistischen Transzendenzen und Sinnhaftigkeiten erfüllt waren wie die Lehrpläne, Richtlinien und Verfassungstexte, davon kann sich jeder Anfänger leicht überzeugen. «Da ist der falsche Rekurs auf die Theologie zur Stabilisierung der eigenen repressiven Moral, da zeigt sich auch die alte deutsche pädagogische und psychologische Ideolodie, diese bürgerliche Suppe von Metaphysik, die uns Dilthey, Spranger, Klages und Nohl eingebrockt haben und aus der auch der Huth, Arnold, Strunz, Keilhacker, Remplein und Lersch löffeln; Autoren, deren Bücher zum Programm der Referendarausbildung gehören . . . Multiplikatoren also, mit denen Beschränktheit sich systematisch weiterverbreitet.»[6]

Man sieht: Die traditionellen Bastionen sind nach 1945 noch schwer bestückt und durch die faschistische Vergangenheit kaum verunsichert. Sie verfügen über ein ungeheures Arsenal an Multiplikatoren. Ihre wichtigsten sind vermutlich die Lehrbücher der Gymnasien, nach denen Studienräte unterrichten und Schüler lernen.

Die Kritik an den traditionellen Lesebüchern ist bekannt. Ihre Grundlagen sind zur Kurzinformation am besten in der Einleitung zu einem polemischen Gegenentwurf[7] nachzulesen.

Daß die kritisierten Lesebücher langsam aus dem Verkehr gezogen werden, ist gut und notwendig. Ob die neuen aber, die zum Teil nach der zweifelhaften Maxime «Modernisierung» produziert werden, auch von einem neuen Geist erfüllt sind, wird noch genau zu prüfen sein. Ein erster kritischer Vergleich kommt zu dem Schluß: «Bestrebungen, ‹moderne› oder sogar ‹linke› Autoren vorzuschieben, sie als Alibi für das Beibehalten alter Konzeptionen zu benutzen und sie zugleich durch Auswahl und Kontext zu entschärfen oder umzudeuten, finden sich auch in den neuen Lesebuchreihen.»[8]

Ohne spürbare Resonanz ist bisher die 1966 von der Max-Traeger-Stiftung in Frankfurt veröffentlichte kritische Analyse von Lehrbüchern für das Fach Gemeinschaftskunde geblieben: «Die Gesamtlage mancher Bücher ist dadurch sehr problematisch, daß viele Autoren offensichtlich nicht wissen, was demokratische Ordnung bedeutet. Sie übertragen romantisierend ihre Vorstellungen von Familie auf die Gemeinde, den Staat und die Welt. Daß es sich um Macht und Herrschaft handelt, daß deren Erwerb und Verlust zu diskutieren ist, wird nicht gesehen. Konkurrenz und Auseinandersetzung um die verschiedenen Lösungsmöglichkeiten bleiben in den Büchern unberücksichtigt . . . Die ‹Formierung› wird hier vorweggenommen. Trotz der Beteuerung parteipolitischer Neutralität sind viele Bücher nicht nur so angelegt, daß die bestehende Lösung der politisch-sozialen Fragen als die einzig mögliche dargestellt wird, sondern sie legen auch ein Verhalten nahe, wie es in der sogenannten formierten Gesellschaft erwartet wird: Unterodnungen der eigenen unter die gesamtgesellschaftlichen Interessen, wobei immer unterschlagen wird, wer diese definiert und wie sie aussehen. So werden nicht demokratische Bürger, sondern mehr «demokratische Untertanen» gebildet.»[9]

Der Zusammenhang dieser Lehrbuchinhalte mit den unpolitischen Bildungszielen einer angepaßten Mittelstandsmentalität ist offenkundig. Für einige andere Fächer kann er, solange gründliche Analysen noch ausstehen, nur vermutet oder an Einzelfällen demonstriert werden. So z. B. für das Fach Musik, in dem Liederbücher archaische Vorstellungen einer heilen Welt suggerieren:

«Falsch ist die vorgespielte Lebenstotalität des Buches, die eben durch verkehrte Aktualisierung historischer Sozialstrukturen das Bild einer von geschichtlichen Wandlungen unberührten, heilen und sozial statischen Welt zu verkörpern trachtet ... Wenn in dem vorliegenden Liederbuche in den Hauptgliederungsgruppen Tageskreis, Jahreskreis und Lebenskreis einer quasi ewigen Kontinuität der erste Platz eingeräumt wird, die Abteilung ‹Arbeit und Stand› aus Gesellen- und Handwerkerliedern besteht und daneben Hirten und Bauern sowie, in umfangreichen Sondergruppen, Jagd und Seefahrt besungen werden, so sind die Folgen für das im Schüler keimende Geschichts- und Sozialbewußtsein unabsehbar.»[10]

In der Tat, die Folgen sind unübersehbar, denn dieses Liederbuch ist kein Unikum, sondern ein symptomatischer Fall, der z. B. zu ergänzen wäre durch die ideologische Tendenz von Lateinbüchern: «Aus dem modellhaften Reichtum antiker Denk- und Verhaltensformen wird gerade das ausgewählt oder in der entsprechenden Verzerrung dargeboten, was dem Zwecke einer Disziplinierung im Interesse herrschender Normen dienlich ist. Archaisch-patriarchalische Leitbilder wie Autorität und Gehorsam, Bescheidenheit und Anspruchslosigkeit, Arbeitsmoral, Triebverzicht, innere Freiheit auch bei realer Unfreiheit, Herrschaft und Unterwerfung, Normen der Machtpolitik werden unkritisch übernommen und aufgrund der Auswahl als allgemein gültig hingestellt. Aus dem antiken Lebenszusammenhang gerissene und daher notwendig irrationale, in ihrer gesellschaftlichen Funktion nicht mehr reflektierte Begriffe wie pietas, virtus, modestia, religio u. a. gelten im Kontext der genannten Lehrbücher als auch für unsere Zeit verbindliche Werte.»[11]

Es wäre in diesem Zusammenhang interessant und lohnend, auch einmal die Bücher für die modernen Sprachen einer kritischen Betrachtung zu unterziehen. Das traditionelle Lehrbuchschema verleitet zu dem Schluß, daß z. B. die Bedeutung von Cricket, Humor und Gentleman-Idealen für England ungleich größer ist als eine Darstellung der sozialen Konflikte, die das Land geprägt haben. Abendländische Helden und Vorbilder spielen eine wichtige Rolle. Sie erscheinen als die eigentlichen Initiatoren geschichtlicher Entwicklung. Auf Robin Hood, Beowulf und König Arthur, auf Francis Drake, Nelson und Florence Nightingale verzichtet kein Lehrbuch. Die soziale Geschichte des Landes dagegen erscheint in mythologisierender Form, und die gegenwärtige

Gesellschaft wird charakterisiert durch freundliche Bobbies, bedeutende Sehenswürdigkeiten, alte Bräuche und romantische Landschaften: eine Idylle, die sich in den Köpfen der Schüler zu einer grotesken Verzerrung der Realität auswachsen müßte, wenn sie nicht über andere Informationsquellen verfügten. Noch entrückter und idealisierter, weil weiter entfernt, wird im allgemeinen die amerikanische Szene geschildert. Keine Lehrbuchreihe ohne rührselige Geschichten über die Pilgrim Fathers, die grausamen Überfälle der Indianer und den Edelmut amerikanischer Freiheitskämpfer. Pionier- und Erfindergeist werden beschworen und Rassenprobleme heruntergespielt. Der riesige Schmelztiegel der Nationen befreit alle Gegensätze von ökonomischen und sozialen Schlacken und prägt eine große amerikanische Familie, die freundlich ihre Konflikte austrägt, im übrigen gerne im Freien picknickt, sonntags nach dem Kirchgang auf breiten Straßen in eine faszinierende Landschaft rollt und sich alltags emsig dem Ausbau des Fortschritts widmet, so wie einst Henry Ford, Rockefeller und Carnegie es taten. Nur gelegentlich stehen die Menschen vor schweren Erschütterungen und Verwüstungen, dann nämlich, wenn ein unberechenbarer Hurrikan in ihre geordnete Welt einbricht.

Wohlverstanden, es geht nicht darum, die mangelhafte Aktualität der Lehrbücher und das Fehlen bestimmter Details zu kritisieren. Die Kritik richtet sich vielmehr gegen die Übertragung und Ausdehnung eines idealistischen «Menschenbildes» mit seinen moralisierenden und gemüthaften Aspekten auf nahezu alle Lebensbereiche. Sie richtet sich damit gegen eine Verzerrung der gesellschaftlichen Realität und die Umstilisierung ihrer realen Konflikte in private oder rein geistige.

«Das Gymnasium betriebe Wissenschaft, wenn es seine Rationalität auf die Werte richtete, die es vermittelt, damit diese als veränderlich und veränderbar, als Herrschaftsinstrumente oder/und Freiheitsinstrumente erkannt werden.»[12] Da das Gymnasium genau das versäumt hat, sind die Werte, die es vermittelt – ursprünglich Freiheitsinstrumente wenigstens zur geistigen Befreiung von feudaler und klerikaler Bevormundung – nunmehr zu Herrschaftsinstrumenten einer zweifelhaften Mittelstandsmentalität erstarrt. Spätestens seit 1945 hat die Bildungs- und Lehrbuchideologie des Gymnasiums unter veränderten sozialen Bedingungen nur noch einen alten Bestand verwaltet und damit Lehrer und Schüler einer irrationalen, weil unreflektierten und von scheinbar sachlichen Zwängen bestimmten Repression ausgesetzt.

Daß den Beteiligten der repressive Charakter dieser Ideologie nicht als erlebte Unterdrückung bewußt wurde, beweist nicht, daß sie etwa nicht existierte, sondern lediglich, wie hartnäckig die in ihr Erzogenen ihr zweifelhaftes Selbst- und Weltverständnis behauptet haben. Das belegt u. a. auch eine Analyse von ca. 4500 Reifeprüfungsthemen im Fach Deutsch.[13] Da der deutsche Aufsatz ein «Prüfstein für die Bildungsarbeit der Schule» ist[14], da er der «Klärung der Grundbegriffe des sittlichen und gesellschaftlichen Lebens und der ästhetischen Wertung»[15] dient, ist er eine hervorragende Bewährungsprobe gymnasialer Erziehungsarbeit und erlaubt infolgedessen Rückschlüsse auf Werthaltungen, Einstellungen und Inhalte, die dieser Erziehungsarbeit zugrunde liegen.

Da die Reifeprüfungsthemen andererseits das von Behörden und Deutschlehrern gewünschte Welt- und Selbstverständnis zum Ausdruck bringen, sind sie als Verbalisierung dieser gesellschaftlich virulenten Vorstellungen zu werten und zu kritisieren.

I. Die Person als Persönlichkeit oder Etwas festes muß der Mensch haben, daran er zu Anker liege

«Eine Welt ohne Ideale ist wie ein Haus ohne Licht.»

«Alter und Jugend im Wechselverhältnis der Rechte und Pflichten.» Überprüfen Sie die überlieferten Gebote der Sittlichkeit auf ihre Gültigkeit in der Gegenwart!

«Vollendeter Mensch, Person zu sein – das ist die Bestimmung und der Urtrieb im Menschen. – Nehmen Sie zu diesem Ausspruch Stellung!»

«Erläutern Sie das Wort Werner Bergengruens: ‹Darf ich vom innern Sinn meines und jenen Lebens sprechen, so will ich ihn bezeichnen als einen immerwährenden Versuch, die ewigen Ordnungen in den eigenen Willen aufzunehmen!›»

«Ordnen Sie die Begriffe Verehrung, Respekt, Ehrfurcht, Achtung! Erläutern Sie an ihnen das menschliche Verhalten!»

«Halten Sie das Suchen nach einer Mitte des Lebens für nötig und ihr Finden für möglich?»

«Was bedeutet Romano Guardinis Wort: ‹Unser Leben soll beides sein: lauterer Gehorsam und zuversichtliche Selbständigkeit›?»

So oder ähnlich lauten Themen, die zur Besinnung auf die «eigentlichen», «wesentlichen», die «höheren» Werte auffordern. Hier geht es immer um den Menschen schlechthin, um Überzeitliches, dem Zank der Parteien Entrücktes. Die Quellen dieser Persönlichkeitsbildung sind leicht zu bestimmen: Deutsche Innerlichkeit, die klassische Idee der allgemeinen Menschenbildung und bürgerliche Vorstellungen von «Persönlichkeit». Daß auf diesen «ewigen Werten» das Leben des Menschen zu *allen* Zeiten sicher gegründet werden kann, wird stillschweigend vorausgesetzt, denn hier geht es um das Menschliche im Menschen im Gegensatz zu seinem nur geschichtlichen Dasein. Die Anerkennung des Höheren in uns führt zur Anerkennung einer ewigen Ordnung. Auf der Suche nach einer ordnenden Mitte wiederum erschließt sich dem Menschen sein eigenes Wesen.

Themen dieser Art entsprechen der programmatischen Einleitung zur Begründung der Zeitschrift «Der Deutschunterricht», die bis heute die wichtigste Zeitung der Deutschlehrer geblieben ist: «Wir müssen der Jugend die Verwobenheit des einzelnen Menschen in die Geschehnisse der Welt und die Beseeltheit aller Lebenserscheinungen aufzeigen . . . wir müssen sie zu einem tieferen Welterleben hinführen. Nur daraus kann ein neues Bewußtsein vom Werden und Sein, ein klarer Sinn für das eigene Wesen wie für die Bindungen des einzelnen an das Weltganze . . . sich entwickeln.»[16]

II. Der Seelenadel deutscher Nation oder Die Welt in der Wohnstube

«Alles Unglück des Menschen kommt daher, daß er nicht ruhig in einem Zimmer verweilen kann.»

«Der kürzeste Weg zu sich selbst führt um die Welt herum.»

«Man kann ein Problem nur geistig bewältigen, indem man sich durch es verwunden läßt; und man kann die Wahrheit nur ergreifen, indem man den Weg durch das eigene Herz geht. Die Wahrheit muß zunächst eine Wahrheit gegen uns sein, ehe sie eine Wahrheit für uns werden kann.»

«Im Hause soll beginnen, was leuchten soll im Vaterland.»

«Was suchen wir eigentlich auf der Erde anderes als Menschen? Das einzige, wonach wir mit Leidenschaft trachten, ist das Anknüpfen menschlicher Beziehungen. Unser Glück und Unglück hängt von unseren menschlichen Beziehungen ab.»

Hier wird der Rückzug ins Private, die Beschränkung auf die «rein menschlichen» Beziehungen emporstilisiert zu einer tieferen Welterfahrung und zur Erfüllung menschlichen Lebens überhaupt. Die Fülle des Lebens, Wahrheit und Menschlichkeit im Herzen, im eigenen Innern zu erfahren, erscheint hier, losgelöst von der Realität, als menschliche Erfahrung schlechthin. Indem eine Unmittelbarkeit menschlicher Beziehungen vorgespiegelt wird, die angesichts allgemeiner Entfremdung und Verdinglichung im herrschenden Produktions- und Konsumtionsprozeß nur noch als Sehnsucht nach dem verlorenen Paradies gedacht werden kann oder auf der Ebene der Bild-Zeitung als Ausbeutung menschlicher Gefühle zugunsten einer manipulierbaren Nachbarschaftsgesinnung praktiziert wird, erfüllt diese Form von Rückzug ins Private objektiv die Funktion einer Ersatzideologie. «In seinem eigenen Bewußtsein dünkt ein jeder, und noch der unselbständigste Kopf, sich souverän. Seitdem von der Seele nur noch die Rede ist, wenn nach dem Beichtvater oder nach dem Psychoanalytiker gerufen wird, gilt es als die letzte Zuflucht, die das Subjekt vor der katastrophalen Welt bei sich selber sucht und zu finden meint, so als wäre es eine Zitadelle, die der alltäglichen Belagerung zu widerstehen vermöchte . . . Keine Illusion wird zäher verteidigt . . . Dagegen kann man in einem alten Buch lesen: ‹Das Bewußtsein ist von vornherein schon ein gesellschaftliches Produkt und bleibt es, solange überhaupt Menschen existieren.›»[17]

III.　Nichts ist ohne Risiko oder Der Mensch in Schuld und Bewährung

«‹Am Übermaß zerbricht der Mensch.› Nehmen Sie zu dieser Behauptung Stellung!»
«Macht, eine Notwendigkeit, eine Lust, eine Last, eine Gefahr.»
«Verbrechen, Frevel, Sünde sind als verschiedene Weisen menschlichen Schuldigwerdens voneinander abzugrenzen.»
«Denn wem Großes anvertraut wird, von dem wird Großes gefordert.»
«‹Von der Macht des Menschen, die nicht durch sein Gewissen verantwortet wird, ergreifen die Dämonen Besitz.› – Zu welchen Betrachtungen regt Sie dieses Wort an?»

Diese Themen beweisen, daß das wahre Glück der Erdenkinder, die erfüllte Innerlichkeit, bedroht ist. Im Menschen lauern Gefahren, die in seinem Wesen von Anbeginn bis ans Ende der Zeit begründet liegen: Verbrechen und Schuld, das Streben nach Macht, die Bürde der Verantwortung, Gefährdung durch besondere Begabung. Bei genauerer Betrachtung stellt sich allerdings heraus, daß die Masse der Menschen, die keine höheren Werte anerkennt, bei weitem nicht so gefährdet ist wie die kleine Schar der nach «wahrer Persönlichkeit» Strebenden: «Für die rechte Erfüllung der Berufsaufgaben der Akademiker und für ihre maßstabbildende und beispielgebende Rolle hängt Entscheidendes davon ab, mit wieviel sicherer Freiheit sie im Leben stehen, was sie an Lebenswertem verkörpern und ob sie unserm Dasein in der genormten Massenwelt des industrialisierten Massenstaates kraft ihrer Einsicht und Überlegenheit noch die menschlichen Züge zu bewahren wissen.»[18]

Diesem melodramatischen Tonfall entsprechen diejenigen Reifeprüfungsthemen – und das ist ein beträchtlicher Teil –, die sich mit der Sonderstellung des in Einsamkeit nach Wahrheit und Selbsterkenntnis suchenden Menschen befassen. Hier erscheinen alle Fragen der Selbsterkenntnis als vorwiegend moralische und seelische Phänomene. Ohne Bezug auf die Praxis wird Wahrheitssuche lediglich gedeutet als Last der Verantwortung und Schmerz der Erkenntnis. Verbrechen erscheint als ein psychologisches, nicht auch als ein soziales Problem. Die Macht wird ihres historischen Charakters entkleidet. Das gesellschaftliche Problem der Machtausübung wird psychologisiert, schließlich als schicksalhafte «Gefährdung des Menschen» dämonisiert und damit der rationalen Einsicht entzogen.

Geht es bei dem Thema «Macht als Versuchung», das in verschiedenen Variationen immer wieder auftaucht, um das Ringen des Menschen mit sich selbst auf dem schmalen Pfad zur reifen Persönlichkeit – ein Kampf, der, so wird suggeriert, durch Besinnung und Zucht gewonnen werden kann –, so steht in der nächsten Themengruppe ein Feind bereit, der nicht so ohne weiteres besiegt werden kann.

IV. Rettet den Menschen oder Da hilft nur noch Flucht

«Zurück zur Natur! – Schlagwort unserer Zeit oder Anruf zur Besinnung?»
«Kann der Mensch im Zeitalter der Massenproduktion seinem Leben noch
eine persönliche Note geben?»
«Kontaktarmut – eine Modekrankheit. Sehen Sie ein Mittel zu ihrer
Heilung?»
«Welche seelischen Gefahren bedrohen im besonderen Maße den Menschen
unserer Zeit, und wie kann er sie überwinden?»
«Wie kann sich Ihrer Ansicht nach der Mensch in unserer Zeit ein sinnvolles
Leben aufbauen?»
«Zu welchen Gedanken regt Sie Carossas Wort an: ‹Stolz und groß
bemächtigt sich die Technik unserer kleinen Welt, die Flamme der Seele aber
scheint schwächer und schwächer zu brennen›?»
«Können die modernen Unterhaltungsformen dem Menschen eine echte
Bereicherung bieten und zur Verinnerlichung seines Lebens führen?»
Den Verfassern scheint das gesamte Arsenal deutscher Innerlichkeit bedroht
zu sein. Kein Wunder also, daß Abiturthemen immer wieder die hier geäußerten subjektiven Sorgen und objektiven Problemzusammenhänge zum Gegenstand haben. Gemeinsam ist den meisten die Klage über den Verlust an
«Persönlichkeit» und geprägter «Individualität» im «Zeitalter der Massenproduktion» und des manipulierten «Massenkonsums». Da aber Produktion und
Konsum nicht als gesellschaftlich veränderlich und veränderbar erkannt und
kritisiert werden, kann die Klage im allgemeinen nur ein moralisches Lamentie-
ren der Schüler über die Bedrohung durch «Sachzwänge» provozieren oder ein
Ausweichen auf privatistische Scheinlösungen von «Individualität», die mit den
freiheitlich-humanen Traditionen des Individualismus der Aufklärung und
selbst mit der allseitig entwickelten und ausgebildeten Persönlichkeit Humboldts nur noch das Wort gemein haben.[19]
Wer fragt: «Kann der Mensch im Zeitalter der Massenproduktion seinem
Leben noch eine persönliche Note geben», der hat bereits die kapitalistische
Produktionsweise als die herrschende, durch irgendein Schicksal verfügte,
verinnerlicht und begnügt sich mit einem irgendwie gearteten «Anderssein».
Damit reduziert sich ein emanzipatorischer Anspruch, der sich einst gegen
angemaßte Bevormundung richtete, auf die persönliche Note, die heute – ein
Beispiel für die profitbringende Verwertbarkeit menschlicher Bedürfnisse im
Kapitalismus – im Warenhaus zu haben ist. Heruntergekommene Persönlich-
keitsbildung als Markenartikel![20] Sie zu entlarven bedeutet allerdings, sich mit
der Produktion zu befassen und mit den Mechanismen, die sie aufrechterhalten.
Das heißt, man müßte seine Hände dort schmutzig machen, wo die zitierten
Themen sie in Unschuld waschen.
Statt dessen mißt man die Übermacht der Wirtschaftsinteressen und die

nicht ins Bewußtsein gehobene, weil manipulierte Abhängigkeit der Käufer mit der Elle der Moral, um am Ende festzustellen, was man ohnehin schon wußte: wie bedroht nämlich die «echten Werte» sind. Diese «Erkenntnis» trägt am Ende nur zur Stabilisierung des beklagten Zustandes bei, denn sie registriert lediglich Folgen, wo Ursachen aufzudecken und zu bekämpfen wären.

Das naive Moralisieren über den Verlust an Persönlichkeit ist sentimentale Zivilisationskritik. Die rettet den Menschen nicht, sondern liefert ihn nur um so wehrloser eben jener Produktionsweise aus, durch die er sein Leben bedroht fühlt. Auf schiefem Bewußtsein beruhend, verbreiten diese Themen schiefes Bewußtsein.

Persönlichkeitswerte im Gegensatz «zur modernen Welt» nur im Herzen oder im stillen Kämmerlein zu kultivieren, ist kein Beitrag zum Humanismus, sondern Flucht aus der Geschichte.

Eine andere Gruppe von Themen, die sich auf ihre Weise mit der Persönlichkeitsbildung befaßt, leidet an einem ähnlichen Defizit.

V.   Der Goethe-Mensch oder Von der Weisheit des Sowohl-als-auch

«Freiheit und Maß sind Zeichen des Menschlichen. Nimm eins davon weg, Freiheit oder Maß, und es beginnt das Menschenunwürdige.» – Setzen Sie sich mit dieser Auffassung auseinander und belegen Sie Ihre Meinung aus der Geschichte oder der Dichtung!

«Wissen – Segen oder Fluch?»

«Der einzelne muß vor dem Staat, der Staat aber auch vor dem einzelnen geschützt werden.»

«In Gesprächen zeigt sich häufig, daß jedes Ja die Kraft hat, ein Nein hervorzurufen. Goethe hat das so ausgedrückt: «Jedes ausgesprochene Wort erregt den Gegensinn.» – Zeigen Sie die aufbauende und die zerstörende Wirkung dieser Wahrheit für die verschiedenen Formen unseres Gemeinschaftslebens und versuchen Sie die Voraussetzungen für eine aufbauende Wirkung darzulegen!»

«Kritik – ein Recht, eine Pflicht, eine Gefahr!»

«Sich anpassen, sich bewahren! Lassen sich Forderungen der Zeit und zeitlose Forderung in Einklang bringen?»

«Mit dem Entweder-Oder ist es in der Welt nur selten getan.› Prüfen Sie den Wahrheitsgehalt dieses Goetheworts!»

Über den Kämpfen des Tages und den Widersprüchen der Gesellschaft stehend, zielen diese Themen auf Überparteilichkeit, Ausgleich, geistige Mitte. Das klassische Humanitätsideal, losgelöst von seiner revolutionären geschichtlichen Bedeutung für die Befreiung der bürgerlichen Gesellschaft, wird hier verstanden als Streben nach Harmonie und Totalität. Jedes Ding hat seine zwei Seiten. Der gebildete Mensch ist das Weltkind in der Mitten, parteilos und ohne eigene Interessen. Eine falsche Objektivität reduziert alle Widersprüche und Grenzüberschreitungen in der menschlichen Gesellschaft auf ein schlichtes Mittelmaß.

VI.   Von der geistigen Elite zum Glück des Ganzen oder Persönlichkeiten als gesellschaftlicher Vortrupp

«Der Mensch ist nicht zuerst der menschlichen Gesellschaft wegen da, sondern um seiner selbst willen. Und wenn jeder auf die beste Art um seiner selbst willen da ist, dann ist er es auch für die Gesellschaft.» (Stifter: «Nachsommer»)

«‹Geistlose kann man nicht begeistern, aber fanatisieren kann man sie.› Was sagt uns dieses Wort M. v. Ebner-Eschenbachs zum Verständnis des Massenmenschentums?»

«Jeder muß bei sich selber anfangen und zunächst sein eigenes Glück machen, woraus dann zuletzt das Glück des Ganzen unfehlbar entstehen wird (Goethe)».

«‹Drei Feinde hat die Freiheit: das Geld, die Macht, die Masse.› Deuten Sie dieses Wort eines modernen Soziologen, und nehmen Sie Stellung dazu!»

«Die Demokratie ist nur möglich, wenn eine unsichtbare Aristokratie in ihrer Mitte den Geist der Freiheit und Humanität strömend erhält (B. Guttmann).»

Themen dieser Art unterscheiden zwischen dem voll entfalteten Individuum, dem menschlichen Einzelmenschen sozusagen, und einem wie auch immer gearteten «Massenmenschen». Die Masse, das sind die anderen. Ihre Wesensmerkmale sind negativ am ehesten zu bestimmen: Sie streben nicht nach einem sinnerfüllten Leben, sondern sind außengeleitete Funktionäre der Produktion, dem Materiellen verhaftet. Themen dieser Art zielen auf eine Elite autonomer Persönlichkeiten, deren Ideal eine moralisch gedachte Vervollkommnung ist. Dahinter steht der unreflektierte Glaube, daß ein Leben auf der Grundlage dieses unpolitischen Persönlichkeitsideals zur Vermenschlichung der Gesellschaft führen könne, eine Hoffnung, die, wie man wissen sollte, durch die jüngste Geschichte längst als trügerisch entlarvt worden ist.

«Es war der verhängnisvolle Irrtum antipolitischer Traditionen deutscher Bürgerlichkeiten, an das Idol des unpolitischen Kulturmenschen zu glauben. Wo es der Kultur an politischem Instinkt und Willen mangelt, gerät sie in Gefahr, zur Beute niedrigster Gewalt zu werden . . .»[21]

VII.   Staatsbürgerliches Bewußtsein oder Du und die Gemeinschaft

«Persönlichkeit – Gemeinschaft: Gegensatz oder Ergänzung?»

»Persönlichkeit – Gemeinschaft – Masse: Erläutern Sie diese Begriffe, und setzen Sie sie zueinander in Beziehung!»

«Welche Einstellung zur Gemeinschaft scheint Ihnen am erstrebenswertesten zu sein: Mitgehen, Alleingehen, Vorangehen?»

«Gemeinschaft ist keine gefühlvolle Sache, sondern ein Werk steter Selbstüberwindung.»

«Ist die selbstlose Hingabe an eine Idee oder an eine dem Wohl der Allgemeinheit dienende Sache heute noch eine selbstverständliche, sinnvolle und sittliche Forderung?»

«Bedarf der Mensch der Einordnung in die Gemeinschaft, um seine eigenen höheren Seelenkräfte zu entwickeln?»

«‹Alle Bedeutung des Lebens liegt im Handeln für die Gemeinschaft› (Carlyle). Wie stehen Sie zu dieser Lebensdeutung?»

«Warum ist das Leben in der Gemeinschaft ein volles Leben?»

Die Themen wandeln sich, die Abstraktion bleibt. Dabei wird eine gewisse Kontinuität gewahrt, wie ein Vergleich mit den Sozialkundebüchern beweist. «Gemeinschaft» suggeriert organische Einheit, Aufhebung der Partikularinteressen zum Wohle des großen Ganzen, also das Ende aller Streitigkeiten.

Da staatsbürgerliches Denken im Sinne eines engeren Zusammenrückens heute allerorten gefordert wird, sind diese Themen auf der Höhe der Zeit. Sie sind es auch insofern, als die hier geforderte staatsbürgerliche Verantwortung zur Unterwerfung unter die Ordnungsfunktion des Staates und damit zur Anerkennung des Bestehenden erzieht. Die Verantwortung vor dem Ganzen als dem höheren Wert, so wird unterstellt, zwingt zur Pflichterfüllung. Gewissen reduziert sich auf Gewissenhaftigkeit. Das faschistische «Gemeinnutz-geht-vor-Eigennutz»-Postulat wird immer schon mitgeliefert, die formierte Gesellschaft in Kauf genommen.

So trägt der Deutschunterricht dazu bei, daß der Schüler in ganz bestimmte Vorstellungen vom Menschen und von der Gesellschaft eingeübt, daß in ihm der «Aufbau eines einheitlichen Sinngefüges» gefördert wird. «Wenn der Lehrer mit behutsamer und sorgsam planender Hand ans Werk geht, kann er mit einer Klasse in zwei oder drei Oberstufenjahren ein solches ‹Sinngefüge› allmählich sogar in der Weise erarbeiten, daß die Schüler selbst die Bausteine dazu schaffen und zusammentragen. Hier wird deutlich, warum die Frage der Inhaltskategorien ein Problem der Stoffwahl ist, denn die Lenkung, die der Lehrer beim Aufbau eines solchen Sinngefüges gibt, gibt er durch die Wahl des Gegenstandes. Es handelt sich übrigens um eine Lenkung, von der der Schüler so wenig eine Ahnung zu haben braucht wie von der Tatsache, daß ein Deutschlehrer ein einheitliches und in sich geschlossenes Sinngefüge von Lebenswerten in ihm aufbaut. Je mehr in der Stille die Sache sich vollzieht, desto mehr Aussicht auf bleibenden Erfolg hat sie.»[22]

Zum Abschluß dieser Analyse von Reifeprüfungsthemen, die sich bewußt auf einige typische Grundmodelle beschränkt, ohne den Anspruch zu erheben, die Fülle des Materials ausgeschöpft zu haben, soll noch einmal an einigen

Beispielen demonstriert werden, welche assimilierende Kraft ein «einheitliches und in sich geschlossenes Sinngefüge von Lebenswerten» hat.

VIII. Die verhinderte Aufklärung oder Die Eingemeindung der Rebellen

Das Gros der literarischen Themen fragt nach der «Situation des Menschen», nach «dem Menschenbild», dem «Wesen des Menschen». Die theoretischen Schriften der deutschen Aufklärung und Klassik, bedeutende Essayisten gehören, aufs Ganze gesehen, immer noch zu den «versäumten Lektionen»; desgleichen die gesellschaftskritische Tradition und die rational-analytische Zivilisationsliteratur.

Gegen diesen Eindruck spricht die Tatsache, daß Georg Büchner und Bertolt Brecht in Reifeprüfungsaufsätzen häufig behandelt werden. Bertolt Brecht ist hier und da geradezu in Mode gekommen. Das ist zu begrüßen, weil die Beschäftigung mit Brecht allemal zur Relativierung der nur gefühlsmäßigen Aneignung von Dichtung führt. Andererseits aber sollte man sich durch die Häufigkeit von Brecht-Themen nicht den Blick auf die spezifischen Inhalte solcher Themen trüben lassen. «Mutter Courage» kann als Niobe-Tragödie, «Galilei» als Tragödie des Wissenschaftlers, der aussichtslose Kampf des «guten Menschen» als tragische Sinnlosigkeit menschlichen Tuns interpretiert werden. Vor solch einer Entpolitisierung sind diese Stücke nicht sicher. Und andere kommen kaum vor. Auch Brechts Lyrik erscheint in einer entschärften Auswahl; oder die Art der Themenstellung verhindert den Zugang, wie in folgendem Beispiel:

«Brecht: Von der Freundlichkeit der Welt / Hausmann: Weihnachten. Interpretieren Sie die beiden Gedichte und vergleichen Sie das Lebensgefühl ihrer Dichter, das sie spiegeln!»

Themen dieser Art machen deutlich, daß die Frage nach dem «Lebensgefühl» untauglich ist, Schüler zu brauchbaren Einsichten und Unterscheidungen zu führen. Brechts praktische Vernunft als «Lebensgefühl» zu bezeichnen, bedeutet, den Zugang zu Brecht zu versperren. Indem stillschweigend vorausgesetzt wird, daß der literarische Gegenstand Produkt eines subjektiven Gefühls ist, bleiben die objektiven und rationalen Ursachen und Motive dichterischen Schaffens irrational. Brecht fühlte eben anders als Hausmann! Es hängt dann vom Geschmack des Lesers ab, welchem Gefühl er den Vorzug gibt. Da man aber über Gefühle kaum streiten kann, erspart man sich eine rationale Wertung. Da außerdem historisches Bewußtsein nicht bemüht zu werden braucht, erübrigt sich die Frage nach der Angemessenheit und dem Wert dieser verschiedenen «Lebensgefühle». Daß schließlich auch Gedichte bestimmbare Ursachen und ideologische Folgen haben, diese Wahrheit wird durch die Frage nach dem «Lebensgefühl» gänzlich vernebelt und verdrängt.

Die Behandlung, die Georg Büchner in den Reifeprüfungsthemen erfährt, macht den Vorgang der Umfunktionierung ins Existenzielle besonders deutlich. Dafür zwei Beispiele von vielen:

«Das Werk des Dichters Georg Büchner gilt als eines der frühesten Zeugnisse von der Existenzgefährdung des modernen Menschen.»

«Büchners ‹Woyzeck›: Die Tragödie des einsamen Menschen.»

Die häufigen Fragen nach dem Allgemein-menschlichen in «Dantons Tod» oder im «Woyzeck» legen den Verdacht nahe, daß der engagierte Zeitkritiker und verfolgte Politiker Georg Büchner nicht in das Bild paßt, das man sich vom Dichter und seinem Auftrag gemacht hat. Da man ihn aber nicht mehr einfach umgehen kann, entpolitisiert man ihn – und andere – durch Eingemeindung in das Gehege des Menschlichen, Allzumenschlichen.

«Eine weltanschaulich-ideologische Absicht darf der Deutschunterricht nicht haben und hat er seit 1945 auch nicht», schrieb R. Ulshöfer 1964.[23] Als ob der analysierte Rekurs auf die Innerlichkeit, auf unwandelbare sittliche Werte und ewige Ordnungen, gemessen an der sozialen Realität mit ihren Widersprüchen, etwas anderes ist als Ideologie!

Mancher wird sich fragen, ob es denn nötig sei, den Wertekatalog des mittelständischen Gymnasiums noch einmal so ausführlich darzustellen, wo doch offensichtlich vor allem die jungen Kollegen nicht mehr bereit sind, ihn kritiklos hinzunehmen und weiterzugeben, wo doch die Fragwürdigkeit des Zitierten in zunehmendem Maße erkannt wird.

Es ist wahr: Wer heute das Fach Deutsch kritisiert, kann mit breiter Zustimmung rechnen. Die Fragwürdigkeit des traditionellen Sprach- und Literaturunterrichts wird, wenn auch nicht immer rational begründet, so im allgemeinen doch wenigstens resignativ eingestanden. Aber gerade in dieser Situation, wo Reformen verschiedener Art diskutiert werden, ist es notwendig, sich die komplexen Ursachen der Misere ins Gedächtnis zu rufen, damit das Unbehagen auf den Begriff gebracht, die Fragwürdigkeit auch im Detail konkretisiert werden kann.

Wer z. B., wie Erika Essen, die Problematik der bisherigen Aufsatzpraxis vor allem darin sieht, daß sie zu «dilettantischer Betrachtungsweise», zu «ahnungslosen Spekulationen», «pseudophilosophischen Fragen» und zur «Überforderung» führen[24], trägt zwar dazu bei – und das ist sicherlich auch nützlich –, daß Themenstellungen sachgerechter erfolgen, daß die Schwafelei eingeschränkt wird zugunsten praktikabler Arbeitsweisen, er leistet aber noch keinen Beitrag zur Überwindung des hier geschilderten Elends. Im Gegenteil. Erika Essens Rückzug auf das «Medium Sprache», so wie sie es versteht, nämlich «Bildung des sprachlichen Bewußtseins als: Ordnungsbewußtsein, Formbewußtsein, Gestaltbewußtsein, Begriffsbewußtsein»[25], signalisiert politisch-historische Abstinenz, Rückzug in eine abstrakte «Sprachlichkeit».

«Stoffauswahl wendet sich an Sprache und Sprachwerk als geistige Welt im ganzen ihrer Wirklichkeit, mit Fragestellungen, die in Sprache und Sprachwerk geistige Formen, Denk- und Gestaltordnungen aufschließen und aufhellen.»[26] Unreflektiert bleibt hier der soziale Charakter der Sprache, bleibt die schichtenspezifische Bedingtheit der bürgerlich-elitären «Sprachgemeinschaft», deren implizite Wertvorstellungen als vorherrschende nicht in Frage gestellt werden. Wenn der Schüler durch dieses «Medium Sprache» zu «sprachlichem Bewußtsein» kommen soll, so wird er gleichzeitig sozial angepaßt an die unpolitische, machtgeschützte Innerlichkeit des deutschen Bürgertums, denn «die Wahl von Syntax und Vokabular ist ein politischer Akt; er definiert und umschreibt, wie ‹Fakten› erfahren werden sollen».[27]

Was bei Erika Essen und anderswo sich als sachgerechte «Textanalyse» oder «Sprachbetrachtung» gibt, ist dann am Ende nichts anderes als Abrichtung durch Sprache, Sprachgewalt als geistige Ordnungsmacht. Sie verewigt den status quo.

Besondere Beachtung verdienen die alle Fächer ergreifenden Neuerungen, die, ausgehend von Erkenntnissen der Lernpsychologie, der Lernziel- und Curriculumforschung, Eingang in die Schulen finden und die eine «optimale Organisation von Lernprozessen»[28], bessere Lernmotiviertheit der Schüler und damit größere Effektivität versprechen. Eine kritische Einschätzung dieser Erkenntnisse, deren prinzipielle Bedeutung für die Verwissenschaftlichung des Lehrens und Lernens sicherlich hoch zu veranschlagen ist, wird den Zeitpunkt ihrer zunehmenden Ausbreitung und Anerkennung genauso berücksichtigen müssen wie den gesellschaftlich-ökonomischen Kontext, in dem Effektivitätssteigerung, Verwissenschaftlichung, Rationalisierung etc. zu begreifen sind.

Was den Zeitpunkt anbelangt, so fällt er zusammen mit dem Protest von Schülern und Studenten gegen Form und Inhalt bestehender Schulen und Universitäten, mit einem Protest also, dessen gesellschafts- und ideologiekritischer Impetus unverkennbar ist. Die Reaktionen der Studienräte und der Schulbürokratie waren und sind, Ausnahmen ausgenommen, vornehmlich durch Überlegungen bestimmt wie diese: Welche Maßnahmen kann man ergreifen, um den Ablauf des Lehrbetriebs sicherzustellen? Wie werden wir der Lage Herr? Welche Veränderungen müssen wir zugestehen, damit wieder Ruhe eintritt? Mehr lassen wir uns aber nicht bieten! Konstruktive Reformen «ja», Destruktion «nein»! Die sozialen Implikationen des jugendlichen Protestes blieben weitgehend unbegriffen.

Die Ausbreitung der Erkenntnisse von der optimalen Organisation von Lernprozessen fällt auch zusammen mit den Bemühungen um eine Neuorganisation des Schul- und Bildungswesens in der Bundesrepublik, die sich auf die Gesamtschule konzentrieren. Bemerkenswert daran ist, daß mittlerweile sehr heterogene gesellschaftliche Gruppen und die Industrie Geschmack an einer leistungsorientierten Gesamtschule gefunden haben und die Rückständigkeit des deutschen Schulwesens, gemessen an «gesellschaftlicher Mobilität», «wirtschaftlicher Effizienz» und «internationaler Konkurrenz» beklagen.

Der Zusammenhang schließlich mit den Konsolidierungsbestrebungen des Kapitalismus, der disponible, qualifizierte Fachkräfte benötigt und den Zusammenhang zwischen input und output scharf kalkuliert, ist wohl kaum von der Hand zu weisen, so daß sich insgesamt ein öffentlicher Druck, die Schule zu rationalisieren, sie «ökonomischer» zu gestalten, konstatieren läßt.

Damit ist der gesellschaftlich-ökonomische Kontext angedeutet, in dem Aufnahme und Verarbeitung der neueren Erkenntnisse über Lernprozesse zu reflektieren sind.

Blicken wir noch einmal zurück: Das deutsche Gymnasium hätte nach 1945 eine radikale Kritik seiner Bildungs- und Erziehungsziele nötig gehabt. Statt dessen entschied man sich für die Aufrechterhaltung des Betriebes. Die Verwaltung begann zu verwalten, was noch da war und was, wie man glaubte, alle Zeiten überdauert, weil es in den Köpfen der Menschen losgelöst von den historisch-gesellschaftlichen Bedingungen gedacht werden kann: das Ideal des Kulturmenschen, der sich in freier Selbstentfaltung zu einer sittlichen Persönlichkeit entwickelt.

Heute wird immer deutlicher, daß dieses Ideal zu einer Bildungsideologie erstarrt ist, die in immer schärferen Widerspruch zur sozialen Wirklichkeit gerät. Dabei zeigt sich aber gleichzeitig, daß die traditionelle Bildungsideologie ein ungeheures Beharrungsvermögen hat, das sie zunächst einmal unfähig macht, sich selbst radikal in Frage zu stellen. Zwar identifiziert sich heute ein Großteil der Studienräte im praktischen Leben nicht mehr mit den Bildungsidealen des Gymnasiums – auch sie huldigen den gängigen Statussymbolen des Mittelstandes – das schließt aber nicht aus, daß sie diese Ideale und Werte im Schulbetrieb routinemäßig lehren und verteidigen, und wenn es nur deshalb wäre, um einen Schein von Unabhängigkeit und Selbstbestimmung gegenüber dem Konsumzwang, dem gesellschaftlichen Konformismus und der Kulturindustrie zu wahren. Sie halten sich an Vorstellungen einer autonomen Persönlichkeitsentfaltung, pflegen einen faktisch hohlen, weil durch die gesellschaftliche und ökonomische Praxis entleerten Individualitätsbegriff und huldigen konservativen Ordnungsmächten: heruntergekommener deutscher Idealismus als Betriebsideologie!

In dieser Lage begünstigen die lernpsychologischen Erkenntnisse in hohem Maße Lösungen, die befriedigendere, effektivere Unterrichtsformen ermöglichen, ohne daß das darin vermittelte falsche Bewußtsein und seine Inhalte angetastet zu werden brauchen. Daß technokratische Reformen dieser Art, d. h. ohne kritische Sozialtheorie, nicht nur zu befürchten, sondern sehr real sind, beweist die Lektüre einschlägiger Veröffentlichungen.

So schreibt z. B. Christine Möller: «Die Funktion der Wirtschaftsplanung im Unternehmen wird als Gewinnmaximierung beschrieben, und Lernplanung läßt sich – ganz allgemein betrachtet – als effektvolles Mittel zur Ausrichtung der Handlungen von Lehrern ansehen, durch welches mit hoher Wahrscheinlichkeit eine maximale Lernproduktivität erzielt werden kann. Erste Aufgabe und dringliches Problem der wissenschaftlichen Lernplanung ist es, mit exakten Methoden eine vom Tagesstreit der Meinungen unabhängige Lernzielerstellung vorzunehmen, wie sie den Bedürfnissen des Individuums und des Staates entspricht.» Die «Bedürfnisse des Individuums und des Staates» sollen durch Experten ermittelt werden, und zwar «in den Bereichen Familie, Beruf, Freizeit, Staat».[29]

Diese verräterische Aufzählung, die den Menschen nach einem konservativen «Menschenbild» verfügbar zu machen scheint, erhält offen affirmativen Charakter: «Zur Entwicklung von Expertenvorschauen im Kulturbereich ‹Staat› eignen sich hervorragend Staatsmänner, Wirtschaftler und Verhaltenswissenschaftler.» «Für Freizeitvorschauen (sollen) Verhaltenswissenschaftler und spezielle Freizeitexperten herangezogen werden.»[30] Als methodische Hilfsmittel werden repräsentative Stichproben, Gruppendiskussionen, Interview und Fragebogen empfohlen. Das alles sind Methoden zur Ermittlung des faktisch Bestehenden. Das so reproduzierte falsche Bewußtsein gilt also als Maßstab für die Zukunft und sichert sich auf diese Weise als «Trend», «Tendenz» oder «Sachzwang» seine Herrschaft bis ans Ende der Tage.

Was ist zu tun angesichts der Gefahr, daß dem Deutschunterricht primär entpolitisierte Lernziele (Beherrschung von Fertigkeiten, Methoden, Arbeitsweisen, Erwerb von Kenntnissen) gegeben werden, angesichts der Gefahr also, daß die Reform lediglich technokratisch und damit im Sinne einer beliebig manipulierbaren Verwertbarkeit von Techniken und Fertigkeiten betrieben wird? Zunächst einmal: Die Notwendigkeit rationaler Lernzielkriterien wird nicht bestritten. Angesichts der ideologischen Misere des Deutschunterrichts ist es aber dringend nötig, *inhaltliche* Lernziele im Hinblick auf individuelle, politische und soziale Emanzipation zu reflektieren. Der Deutschunterricht darf sich nicht dazu degradieren lassen, den kalten Kaffee von vorgestern nur besser oder effektiver zu servieren. Er sollte sich vielmehr seiner kritischen Tradition, zur Vermenschlichung der Gesellschaft beizutragen, bewußt bleiben. Tatsächlich ist dieser «humane Kern» ja selbst in dem illusionären Glauben an ein vom Ästhetischen her humanisierbares Dasein, der die Tradition des Faches geprägt hat, enthalten. Das verleiht diesem Glauben und seinen Anhängern, verglichen mit den Technokraten, die bewußt oder unbewußt die formierte Leistungsgesellschaft begünstigen, immerhin menschliche Züge. Damit ist allerdings die Kritik an der moralisierenden Klage über den Verlust an Selbstverwirklichung in einer Welt voller Reproduzierbarkeit und dem damit einhergehenden entpolitisierten Bewußtsein nicht aufgehoben, denn wenn auch hinter diesem «Humanismus» ein Gespür für den Verlust an Freiheit und Würde und für die «Bedrohung des Menschen» durch Manipulation festzustellen ist, so ist doch auch gleichzeitig die Verfilzung eben dieses Postulat-Humanismus mit den bestehenden Herrschaftsverhältnissen aufzudecken.

Abstrakte Selbstfindung und Versittlichung, die Weckung moralischer Widerstandskräfte, Zucht, Konsumverzicht – der Rückzug ins Private also – nehmen letztlich die negativen «Nebeneffekte» der kapitalistischen Leistungsgesellschaft in Kauf, helfen höchstens, das Ausgeliefertsein an Vorgegebenes besser zu ertragen. Von dem ehemals emanzipatorischen Anspruch des Menschen auf Selbstverwirklichung und Selbstbestimmung bleibt dann nichts als seine manipulierbare Identität im Hobby nach Feierabend. «Es ist, bei fortschreitender sozialer Isolierung des Individuums, mit der Privatsphäre und der eigenen Innerlichkeit wie mit den wirklich exterritorialen Gebäuden: sie dienen den Botschaftern einer fremden Macht als Wohnsitz, wo sie keiner Kontrolle des Gastlandes unterstehen. Wer Herrschaft ausübt und ein Interesse daran hat, die Repression der Bürger zu verewigen, erklärt die Privatsphäre zum Heiligtum, denn nur in ihr entwickeln sie sich zum stillen Agenten und Akklamateur eben jener Herrschaft, deren sichtbare Zugriffe sie in früheren Revolutionen zu begrenzen gelernt hatten. Erst als Verinnerlichte sind Könige vor der Guillotine sicher. Das private Individuum: der einzelne als der, der bloß zuschaut oder sich abwendet, ist der Baustein ihrer formierten Gesellschaft. In ihr lernt er, falsch zu handeln.»[31]

Eine «Neuordnung» des Deutschunterrichts hätte diese Zusammenhänge zu reflektieren, damit das Fach seinen Beitrag zur Befreiung des Menschen von überflüssiger Herrschaft und manipulativer Steuerung leisten kann.

Das heißt konkret, daß z. B. die Sprache der deutschen Innerlichkeit nicht nur analysiert und wegen ihres Mangels an Präzision kritisiert wird, sondern daß man Schüler in den Stand setzt, die politische Funktion dieser Sprache zur Aufrechterhaltung bestehender Herrschaftsverhältnisse zu durchschauen. Reden und Veröffentlichungen der Unternehmer sind also genauso zu analysieren wie die Bild-Zeitung und der «Jargon der Eigentlichkeit», wo immer er gebraucht wird.

Das heißt konkret, daß z. B. nicht nur die Sprache der Manipulateure zu kritisieren und warnend auf die Gefahr der «Verführung» durch Werbung zu verweisen ist. Darüber hinaus ist die Erkenntnis zu fördern, daß die wirtschaftliche Manipulation nicht nur periphere Verbrauchergewohnheiten betrifft, sondern daß sie identitätsstiftenden Charakter hat. Die Manipulation der menschlichen Identität durch Waren[32] beruht aber nicht auf undefinierbaren, unausweichlichen «Sachzwängen», sondern auf dem Grundprinzip der Profitmaximierung. Nicht ein Mehr oder Weniger an Werbung, nicht ein Mehr oder Weniger an Warenkonsum stehen also zur Diskussion, sondern der Kapitalismus, der die massenhafte Befriedigung wirklicher individueller und sozialer Bedürfnisse nicht zuläßt, sondern nur eine den Menschen unter ständigem Leistungsdruck in Abhängigkeit haltende Bedarfsdeckung. Diese aber bleibt weit hinter den, angesichts des gesellschaftlichen Reichtums *realen* Möglichkeiten einer vernünftig organisierten Befriedigung menschlicher Bedürfnisse zurück.[33]

Solch eine Betrachtungsweise kann den Schülern Kriterien an die Hand geben, die, über das Ästhetische hinaus, eine Beurteilung von Literatur hinsichtlich ihres humanen und emanzipatorischen Gehaltes ermöglichen. Die Behandlung der Machtprobleme z. B., ein beliebtes Thema des Deutschunterrichts, braucht dann nicht mehr bei dem «Phänomen» Macht stehenzubleiben, sondern kann anhand von Literatur sowie kritischen und verschleiernden Sachtexten Schüler dazu bringen, irrationale, historisch überflüssig gewordene Herrschaftsansprüche in ihren verschiedenen Erscheinungsformen zu erkennen und zu benennen, damit sie selbst einmal handelnd dazu beitragen können, sie zu beseitigen.

Das Problem der «Einsamkeit», der «Isolierung» des einzelnen wäre auch als gesellschaftliches Problem der Entfremdung und Selbstentfremdung zu behandeln, d. h. als ein Ergebnis realer Verhältnisse, auf die Menschen Einfluß nehmen können. Bücher von Günter Wallraff, Erika Runge, Max von der Grün u. a., die inzwischen billig zu haben sind, könnten in diesem Zusammenhang genauso gelesen werden wie Schillers «Briefe über die Ästhetische Erziehung des Menschen».

Es ist nicht der Sinn dieses Aufsatzes, eine «Neuordnung» des Deutschunterrichts als Programm vorzulegen. Worauf es ankommt, ist die Verbreitung der Erkenntnis, daß Humanismus und Emanzipation heute ohne Widerstand gegen die manipulativen Techniken des kapitalistischen Systems nicht mehr zu erringen sind, weder theoretisch noch praktisch. Dabei ist davon auszugehen, daß spätkapitalistische Herrschaftssysteme «legitimationsschwache Ordnungen» sind, die sich «durch die permanente Mobilisierung von Abwehrmechanismen, durch Entpolitisierung der Massen, technokratische Ersatzideologien, privatistische Ablenkung und Verdrängung der Klassenkonflikte am Leben erhalten . . .»[34]. Wer also dem Menschen zu sich selbst verhelfen will, der wird, auch als Deutschlehrer, nicht umhinkommen, diese manipulativen Techniken zu studieren. Es genügt dann vermutlich nicht, einen «gesellschaftskritischen» Deutschunterricht zu fordern, denn dieser Begriff ist bereits abgegriffen und ausgehöhlt. Man wird nicht umhin können, die Gesellschaftskritik als Kapitalismuskritik zu definieren, denn nur so kann man die gesellschaftliche Funktion der traditionellen Ideologie des Deutschunterrichts, die durch Entpolitisierung, Rückzug ins Private, Ersatzideologien und Verdrängung sozialer Konflikte gekennzeichnet ist, richtig einschätzen. Das aber wäre ein Schritt zur notwendig gewordenen Überwindung dieser Ideologie, die unter den heutigen sozioökonomischen Bedingungen den Anspruch des Faches Deutsch, zur Humanisierung und Emanzipation beizutragen, nicht mehr einlösen kann.

1 K. Müller: Bildungsziel und Bildungsauftrag des Deutschunterrichts der Höheren Schule in: Der Deutschunterricht, hrsg. v. R. Ulshöfer. Jg. 12, 1960, Heft 1, S. 19.

2 Ich verweise hier insbesondere auf die Untersuchungen von H. G. Rolff: Sozialisation und Auslese durch die Schule. Heidelberg 1967. P. M. Roeder u. a.: Sozialstatus und Schulerfolg, Heidelberg 1965, und auf die Arbeiten von Oevermann, Mollenhauer und Heckhausen in dem Sammelband Begabung und Lernen (Bd. 4 der Gutachten und Studien der Bildungskommission), Stuttgart (2. Aufl.) 1969.

3 K. Mollenhauer: Sozialisation und Schulerfolg in: Begabung und Lernen, S. 294.

4 Die Zeit, Nr. 47 vom 17. 11. 1961.

5 «Bildungsauftrag und Bildungspläne der Gymnasien», vorgelegt von der Arbeitsgemeinschaft Deutsche Höhere Schule, Berlin, Göttingen, Heidelberg, 1958, S. 31 ff.

6 Jürgen Zimmer in DIE ZEIT vom 13. 1. 1967.

7 «Versäumte Lektionen». Hrsg. Glotz und Langenbucher, Gütersloh 1965.

8 alternative, Zeitschrift für Literatur und Diskussion, Berlin 1968, 11. Jg., Nr. 61, S. 127.

9 V. Nitzschke: Zur Wirksamkeit politischer Bildung. Max-Traeger-Stiftung, Forschungsberichte, Bd. 4, 1966, S. 274.

10 H. Segler und Lars U. Abraham: Musik als Schulfach, Braunschweig 1966, S. 87/88.

11 K.-L. Thieme: «ora et labora» in: Bremer Lehrerzeitung. Hrsg. v. Landesverband Bremen der GEW, Jg. 70, Nr. 1 und 2, S. 53.

12 H. Bacia: Erziehungs- und Bildungsprozesse in: Der CDU-Staat, Hrsg. Schäfer/Nedelmann, München 1967, S. 170. (Jetzt auch in der Reihe edition suhrkamp.)

13 Es handelt sich hier ursprünglich um eine Arbeit für Radio Bremen und den WDR. Wesentliche Teile davon sind in den Frankfurter Heften, März 1968, abgedruckt. Dort finden sich auch genaue Angaben über die Herkunft der Themen etc. und weitere Beispiele.

14 Lehrpläne von Baden-Württemberg. Zitiert nach Erika Essen: Zur Neuordnung des Deutschunterrichts auf der Oberstufe. Heidelberg 1965, S. 56.

15 Lehrpläne von BW, zitiert nach E. Essen, S. 57.

16 Der Deutschunterricht, Heft 1, 1947, S. 2.

17 H. M. Enzensberger: Einzelheiten, Frankfurt 1962, S. 7.

18 Das Bildungsziel des Gymnasiums. Hrsg. W. Dederich, Diesterweg 1958, S. 50 ff.

19 Vgl. dazu Th. W. Adorno: Stichworte – Kritische Modelle 2, edition suhrkamp, Nr. 347, S. 55.
«In Humboldts Bruchstück ‹Theorie der Bildung des Menschen› heißt es: ‹Bloß weil beides, sein Denken und sein Handeln nicht anders als nur vermöge eines Dritten, nur vermöge des Vorstellens und des Bearbeitens von etwas möglich ist, dessen eigentlich unterscheidendes Merkmal es ist, Nichtmensch d. i. Welt zu seyn, sucht er, soviel Welt als möglich zu ergreifen und so eng als es nur kann mit sich zu verbinden.› Den großen und humanen Schriftsteller konnte man einzig dadurch in die Rolle des pädagogischen Prügelknaben hineinzwängen, daß man seine differenzierte Lehre vergaß.»

20 «Die Dinge haben eine Seele . . . Personen projizieren sich auf Waren. Beim Kauf eines Autos erwerben sie in Wahrheit eine Erweiterung ihrer Persönlichkeit . . . Was ich wirklich kaufe, ist die Persönlichkeit, das Marktbild, die Größe der Ware und nicht der Marke, also all das, was sie psychologisch und nicht technisch für mich leisten kann . . .» aus Ernest Dichter: Strategie im Reich der Wünsche», dtv Nr. 229/30, München 1964, S. 89 ff.

21 Thomas Mann

22 R. Bochinger: Der dialektische Besinnungsaufsatz, Stuttgart 1962, S. 89, hier zitiert nach Martin Berg: Besinnungsaufsatz. In: alternative 61 (a.a.O.), S. 113, und in diesem Band S. 187.

23 Der Deutschunterricht, Jg. 16, Heft 1, 1964, S. 9.

24 a. a. O., S. 59 ff.

25 a. a. O., S. 148.

26 a. a. O., S. 149.

27 Laing: Phänomenologie der Erfahrung, Frankfurt 1968, zitiert nach Kursbuch 20, 1970, S. 80. Der Aufsatz «Die Abrichtung» von Klaus Roehler, der Laing zitiert, ist in die «Bestandsaufnahme» S. 107 ff. übernommen worden.

28 «Schule als optimale Organisation von Lernprozessen» ist der Titel eines Aufsatzes von Heinr. Roth in: Die deutsche Schule, Heft 9, 1969.

29 Christine Möller: Technik der Lernplanung. Weinheim, Berlin, Basel, 1969, S. 44 u. 78.

30 a. a. O., S. 79.

31 J. Agnoli/P. Brückner: Die Transformation der Demokratie, Frankfurt 1968, S. 99/100.

32 Zum Problem der «Warenidentität», vergl. Klaus Horn: «Zur Formierung der Innerlichkeit» in: Der CDU-Staat, a.a.O.

33 Verschiedene Aspekte individueller und sozialer «Bedürfnisse» behandelt André Gorz in einem Buch, das viele Beispiele bringt und auch für den Laien gut lesbar ist: A. Gorz: «Zur Strategie der Arbeiterbewegung im Neokapitalismus», Frankfurt 1967.

34 Oskar Negt in Einleitung zu «Die Linke antwortet Jürgen Habermas», Frankfurt 1968, S. 20.

Claus Büchner
Mangelnde Effizienz des Deutschunterrichts

I.

Das Thema wirft Fragen auf und verlangt nach einer Artikulierung des Unbehagens im Unterricht ebenso wie nach der Beschreibung von Neuansätzen. – Ist die mangelnde Effizienz in Parallele zur offenbar gewordenen Krise der Germanistik an den Universitäten zu sehen und somit erst erfolgreich anzugehen, wenn im Rahmen der Wissenschaft Neuansätze gegeben sind? – Ist in diesem Zusammenhang betrachtet mangelnde Effizienz des Deutschunterrichts Ausdruck einer fehlenden und überzeugenden Zielsetzung der Lehrpläne?[1] – Ist sie Ausdruck der Ratlosigkeit eines Standes, der ein gesellschaftlich verliehenes, mit dem Amt gegebenes Selbstverständnis weithin verloren und ein eigenes, personengebundenes Selbstverständnis noch nicht gefunden hat, das Verantwortungsfähigkeit und damit auch Zielsetzungen in anderem Maße und anderer Qualität erlaubt? – Ist mangelnde Effizienz Ausdruck für eine unzureichende Lehrerausbildung im pädagogisch-psychologischen Bereich?

Wie sehr die angerissenen Aspekte zusammenhängen, scheint mir offenbar zu sein. Ich möchte mich bei meinem Versuch um den Ansatz einer Klärung vornehmlich im allgemein methodischen Bereich und dem der Unterrichtsorganisation bewegen, weil ich meine, daß sich auch heute mehr inhaltlich exakte Zielvorstellungen (welcher Art auch immer) unter Deutschlehrern profilieren lassen, als es den Anschein hat. Das eigentliche Dilemma scheint mir darin zu liegen, daß sich in Kollegien keine Vorstellungen profilieren. Damit ist weder den Kollegen noch den Schülern, den Eltern oder der Gesellschaft gedient, da sich bei einem solchen Verhalten bei einem Jugendlichen keine Standpunkte bilden und sich u. a. im pädagogischen Bereich keine Alternativen für verschiedene Fragestellungen entwickeln lassen.

II.

Wir beobachten mangelnde Effizienz und fehlende Koordinierung im Rahmen des Deutschunterrichts. Wie sehr Schulräte, Schulleiter und Studienräte aller Schattierungen ihr Gewissen zu strapazieren vermögen und in der Kunst der Verdrängung geübt sind, zeigt sich bei jedem Abitur, besonders wenn sich an einer Schule Parallelklassen dem Prüfungsverfahren unterziehen. Was im Rahmen des einen Klassenverbandes noch befriedigend genannt wird, wird in der Parallelklasse als ‹ausreichend› bezeichnet. Verwiesen sei mit Nachdruck darauf, daß Schüler nach 13 Jahren Schulbesuch mit der Hochschulreife entlassen werden, ohne gelernt zu haben, wichtige fachspezifische Termini und Methoden zu handhaben, so daß sie z. B. nicht wissen, was ein Topos oder eine Metapher ist, wie etwa Sekundärliteratur herangezogen und verarbeitet werden kann, wie Informationen aus dem Gespräch oder der Analyse von Texten gewonnen, verknüpft und im Zusammenhang vorgetragen werden können. Welch lähmendes Bild in vielen Oberstufenklassen, wo der Deutschunterricht in einer Atmosphäre der Gleichgültigkeit und Unverbindlichkeit vergeht, wo Lehrer und Schüler sich vor dem Abitur und seiner Öffentlichkeit fürchten, die nach der Hochschulreife heischenden Hände aber nicht zur Arbeit greifen, weil sie letztlich nicht reflektiert, angewiesen und verlangt wird, wo dann in der Prüfung etwa der Ausspruch möglich ist: «Vom Naturalismus sprechen wir also, weil da alles ein bißchen natürlicher ist als in der Klassik.» Kopfnicken des Fachlehrers und Prüfungskollegiums.

Es bestehen kaum verbindliche Absprachen im Rahmen gegebener Lehrpläne und damit Leistungskriterien. Es bestehen kaum verbindliche Absprachen für Parallelklassen und Klassenstufen von der Sexta an, oder gar selbst entwickelte Vorstellungen über ein Mindestmaß verbindlicher, genau beschriebener Lernziele und damit verbundener Leistungskontrolle. Es gibt kaum ein kollegial abgefaßtes Schriftstück, das schulspezifische Gegebenheiten im sozialen Sektor fixiert und zum Ausgang pädagogischer Überlegungen macht, das über die eigene Schule hinaus einer Behörde hilfreich sein und zu denken geben könnte.

Bequemes, also unpolitisches Warten auf Anordnungen ‹von oben› geht einher mit dem Vorwurf der ‹Entscheidungen vom grünen Tisch›. Zutage tritt mangelnde Effizienz aufgrund fehlender Kooperationen und aufgrund fehlender bzw. nicht ins Bewußtsein gehobener Zielsetzungen. – Zielsetzungen müssen vorhanden sein, es wird ‹Deutsch› unterrichtet.

III.

Ein anderer verhängnisvoller Selbstentlastungsmechanismus im Zuge der Schuldprojektion auf andere ist der Hinweis auf die unbedingt erforderlichen Bemühungen der Curricula-Forschung. Können wir in unserem Fachbereich in nächster Zeit entscheidende Hilfe von dieser Seite erwarten? Wohl kaum. Also werden wir unserem eigenen Denkvermögen etwas abverlangen müssen, allerdings unter Beachtung der Fülle von Hinweisen auf sinnvolle Unterrichtsgestaltung, die Psychologie und Pädagogik sowie Curricula-Ansätze heute zu geben vermögen und die es zur Kenntnis zu nehmen gilt.

In diesem Zusammenhang gesehen, scheint mir die kollegiale didaktische

Überlegung ein Erfordernis zu sein, wobei kollegiale Überlegungen gekoppelt sein müssen mit der Bereitschaft, eigene bislang praktizierte Vorstellungen, d. h. Unterrichtsansätze, notfalls entschieden zu revidieren – ein mühsames Training, das Kräfte kostet, aber wohl unumgänglich ist.

Unter didaktischem Gesichtspunkt gesprochen: Was wird alles unterrichtet und könnte bei Lernzielen, die für Parallelklassen erstellt werden, in gemeinsamer Analyse eine Korrektur erfahren? – Erörterungsthema, Klasse 9: «Was beim Bau eines Eigenheims zu beachten ist.» Wie viele Aufgaben dieser Art werden gestellt, die bereits die soziale Struktur und damit auch den Kenntnisstand und das Identifizierungsvermögen einer Klasse mißachten – schlimmer noch: mit Zensuren beurteilt, obschon Themen dieser Art bereits lernpsychologisch in Frage zu stellen sind.

Auf anderer Ebene: Behandlung von Brechts Stück «Der gute Mensch von Sezuan». Was soll zur Berechtigung einer Stunde dieses Themas angeführt werden, wenn Klasse und Lehrer in der von den Schülern angebotenen Diskussion mit dem Begriff der Umwelt arbeiten und nicht herausstellen, was auch Brecht unter «gesellschaftlichen Verhältnissen» versteht, wenn den Schülern nicht entfernt die Relevanz des Stücks für sie selbst in ihrer Situation klar wird, also das, was Brecht dem Zuschauer und Leser an Reflexion abverlangt, nicht geleistet wird?

Ich führe die Beispiele an, weil sie nahezu entbehrlichen Unterricht zeigen und in typischer Weise einhergingen mit der Klage der Kollegen über eine denkfaule, schulmüde Klasse. Verwundert es, daß Jugendliche unter solchen Umständen die Erwartungshaltung erfüllen; anders gesprochen, daß kein Architekt, der schulpflichtige Kinder hat, den Spruch «Non scholae sed vitae discimus» über eine Eingangstür zu setzen wagt? Eine didaktische Analyse sollte doch u. a. die Frage, was soll der Klasse an diesem Stoff so einsichtig werden, daß die Schüler um ein Argument bzw. um einen Gesichtspunkt oder eine Kenntnis reicher sind, nicht gewissenhaft umgehen. Unsere Planung sollte wenigstens soviel dem Begriff der Motivation[2] abgewinnen, daß die Frage, wie mache ich den Schülern eine Beschäftigung mit dem vorgelegten Unterrichtsgegenstand einsichtig, nach und nach legitim wird, zur täglichen Überlegung gehört. Vielleicht kommen wir ja auch soweit, Jugendliche nicht erst mit Eintritt in die Oberstufe als eines Arguments für würdig zu erachten und trauen auch dem Sextaner zu, Vernunft im Raume seines sachstrukturellen Entwicklungsstandes voll walten zu lassen, indem wir sie ihm sinnvoll abverlangen. Warum sperren wir uns gegen die Erkenntnis, daß Einsicht in Tun und Lösungsvorgänge[3] geübt werden kann und Vergessenkomponenten entgegenwirkt, und nutzen dieses Faktum nicht in dem Maße, wie wir es könnten, z. B. indem wir unter diesem Aspekt Unterricht organisieren und Zeit «opfern»: eine Voraussetzung für Effektivität des Unterrichts – vom Lernenden aus betrachtet.

IV.

Der Vorwurf des Mangels an Selbständigkeit und Denkvermögen[4] vom Lehrer an die Adresse der Schüler gerichtet, ist in fast allen Kollegien zu hören, meistens leider unreflektiert. Denn auf Gegenfragen, was gemeint sei, bekommt man selten eine klare Antwort. Es bleibt bei einer nicht artikulierten Unzufriedenheit, die keine pädagogische Reaktion auslöst. Wird die »Dummheit der Schüler» zum Sündenbock für eigenes Nichtstun?

Das Phänomen einer gewissen Hilflosigkeit vieler Schüler ist hiermit nicht beiseite geschoben, scheint mir jedoch nichts als ein weiterer Hinweis darauf zu sein, daß wir die alten Trampelpfade der Belehrungsschule immer noch nicht verlassen haben. Die Bedingungen, die Voraussetzung für Lernen sind, werden kaum reflektiert.[5] – Welcher Deutschunterricht macht es sich zur Aufgabe, die Schüler von der 5. Klasse an systematisch in Arbeitsweisen einzuführen, die, verbunden mit einer exakt eingeführten, anschaulich zur Verfügung stehenden Begrifflichkeit, überhaupt erst Selbständigkeit z. B. in der Betrachtung und im Urteil ermöglichen?

Zur Verdeutlichung, nicht als Alternative: Unterricht in der Rechtschreibung abgehalten, vornehmlich in der Meisterlehre des Vor- und Nachahmens oder systematische Einführung in die Handhabung des Dudens – und nicht nur des Wörterverzeichnisses – und Aufgabenstellungen zur Selbstkorrektur und gegenseitiger Hilfestellung in Gruppen?

Vorbereitende Hausaufgaben zur Erschließung eines Lesestücks in Klasse 5 sind tabuiert, weil entsprechende Lernstrategien zur Erschließung des Textes nicht vermittelt werden, um den Schüler in unmittelbarer Abhängigkeit und Hilfsbedürftigkeit zu halten? Tabuiert, damit der Schüler unserer Zuwendung bedarf und wir uns unsere Omnipotenz erhalten? – Allein die auf den Lehrer ausgerichtete Sitzordnung, für die auch «progressive Kollegen» mit dem Erfindungsreichtum eines Odysseus eine Rechtfertigung finden, zeigt, daß häufig beklagt wird, was als «Zielsetzung» gar nicht in unserer Absicht steht.

Gibt es in einer Deutsch-Didaktik oder Deutsch-Methodik eine Artikelserie, die sich mit dem Zentralbegriff des «Lernens» auseinandersetzt, die sich mit Denkschulung befaßt und Aufgabenstellungen auf ihre Leistung unter diesem Aspekt betrachtet? Wir sagen von einem Schüler zur Begründung einer mangelhaften Leistung in Deutsch: «Er kann nicht denken. Es fällt ihm schwer, zu lernen», ohne häufig selbst in der Lage zu sein, Lernvorgänge exakt zu beschreiben und Leistung zu definieren. Deutschunterricht präsentiert sich als Fach, in dem ohne operational definierte Lernziele gearbeitet wird, Schulung zur Selbständigkeit ein Stiefkind und stoffliche Reproduktion des «Besprochenen» ein Schoßkind ist.

Nicht, daß einem harten Gedächtnistraining entgegengesprochen werden soll; der Vorbehalt richtet sich lediglich gegen ein unreflektiertes Speichern von Informationen, das ohne Motivation und ohne eine im Unterricht sichtbar gewordene Akzentuierung vom Schüler erfolgen soll, d. h. gegen ermüdende Überforderung, die letztlich Orientierungslosigkeit und Abhängigkeit zur Folge hat.

Eine in der Diskussion mit Fachkollegen gewonnene Besinnung auf den Stellenwert des Unterrichtsgegenstandes innerhalb des Faches und des selbstgegebenen Schulungsauftrages im Rahmen persönlich vertretener gesellschaftlicher Belange ist Ausgangspunkt für jede intensive Betrachtung oder Erörterung eines Unterrichtsgegenstandes und bestimmt die Dauer und Intensität der Übung. Mit anderen Worten: eine Reflexion innerhalb des abgesteckten Bereiches auf transferierbare Elemente[6] ist an der Zeit; Überlegungen sind anzustellen, die bei der Planung des Deutschunterrichts vorrangig mögliche Inhaltsgeneralisierung zum Ziel haben, die eine möglichst disponible Terminologie mit intensiver Anschauung gefüllt erstreben, die vornehmlich Unterricht koppeln mit der Vermittlung von Arbeitsweisen, die vom Schüler allein, aber – möglichst gleichgewichtig – mit dem Partner und in der Gruppe geübt werden.

V.

Der Klageruf in Konferenzzimmern will nicht verstummen, mit dem einst erzielten Leistungen nachgetrauert wird; er scheint sich bei vielen Kollegen in dem Maße zu steigern, wie Deutschunterricht und damit auch gymnasiale Lehrerschaft der Analyse ihres Tuns ausgesetzt ist. Daß Unterrichtserfolg mit der Qualität des Unterrichts korrespondiert, diese Feststellung erfährt nicht solche Beachtung, ganz zu schweigen von einem Unterricht, der mit einer doppelseitigen Kontrolle arbeitet – nämlich der Kontrolle der Schülerleistung und des Unterrichtsentwurfes.

Lernen vollzieht sich in Anknüpfung an Erworbenes, und daraus folgt, daß auch im Deutschunterricht unser Bemühen dahin gehen muß, in zum Teil kleinsten Schritten Voraussetzungen im Bereich des Wissens und der intellektuellen Operationen (wie Verstehen, Analyse, Synthese, Werten) zu schaffen[7], d. h. unter anderem: dem Schüler und der Klasse werden wir nur gerecht, wenn wir gezielte Übungsphasen einplanen – und an dieser Stelle versagt der Deutschunterricht auf weiten Strecken, vornehmlich dann, wenn er sich als anregendes Moment versteht, als Ort geistigen Fluidums, als Gesinnungsfach.

Wir klagen über die mangelhaften Leistungen in Deutschaufsätzen und mißachten zugleich primitivste Gegebenheiten. Welcher Fachmann äußert sich über Bereiche, die er nicht mühsam unter verschiedensten Fragestellungen erarbeitet hat? Und so ist zu folgern: Klassenarbeiten, denen nicht wenigstens zwei schriftliche Ausarbeitungen innerhalb des Themenkomplexes vorausgegangen sind, kann niemand verantworten. Schüler kommen in unseren Gymnasien aber erstaunlich lange mit einem Heft aus. Wir versetzen Schüler in die Zwangslage, sich schriftlich äußern zu müssen, ohne eine entsprechende

Vorarbeit im fachlichen und methodischen Bereich ermöglicht oder herbeigeführt zu haben – vor allem: ohne letztlich das klar zu umschreiben, was unter dem gestellten Thema beachtet und geleistet werden soll.

Nun besteht allerdings generell ein Planungszusammenhang zwischen einer erforderlichen Lernzielbeschreibung[8] und einer ebenso erforderlichen Unterrichtskontrolle. Lerneffektivität steigt, wenn Schüler die Lernziele, genauer gesagt, die jeweiligen Grob- und Feinziele, die einer Unterrichtseinheit zugrunde liegen, klar vor Augen haben. Es ist einsichtig, daß Unterrichtsgegenstände auf diese Weise vom Schüler gezielter verfolgt und strukturiert werden können, daß mit einer solchen Maßnahme Aufmerksamkeit gelenkt und Vergessenskomponenten entgegengewirkt wird. Spätestens von der Mittelstufe ab sollte der Schüler wenigstens die jeweiligen Grobziele einer Unterrichtseinheit im voraus erfahren, in der Regel etwa nach der einleitenden Problemstellung zu Beginn einer Stunde oder Teileinheit das Feinziel bzw. Teilziele.

Wenn ich hier den Begriff der Motivation und der Kontrolle koppele, so deshalb, weil ich neben den bereits angeführten Gesichtspunkten die der Lernpsychologie längst bekannte Tatsache vor Augen führen möchte, nämlich daß die Erfolgsbestätigung im genau abgesteckten Arbeitsbereich durch die Sache den stärksten Antrieb zu weiterer Arbeit gibt, also der sicherste Weg ist, Interesse zu wecken. Diese nahezu banal erscheinende Aussage ist ungemein schwer zu beachten; sie erfordert eine durchreflektierte Zielsetzung, die – wie gesagt – auch dem Schüler vermittelt wird, genaue Planung einer Lernsequenz und persönliches Durchsetzungsvermögen; d. h. unter anderem: unermüdliche Geduld, aber auch Strenge gegenüber der Sache und dem Schüler.

Einige Bemerkungen zur Handhabung und zum Effekt der Kontrolle scheinen mir angebracht zu sein: Bei häufig angesetzten mündlichen und schriftlichen Kontrollen wird Leistungsversagen am Beginn einer Unterrichtseinheit deutlich und nicht erst bei der Klassenarbeit; wobei wichtig ist, daß Schüler und Lehrer Kontrollen in ihrer Funktion als Hilfestellung begreifen lernen. Leistungsausfall, und das ist entscheidend, ist damit ein unterrichtlicher Ansatz. Der Schüler weiß in Kenntnis der exakt umschriebenen Leistungsanforderung, was er zu leisten hat, wenn er das Lernziel erreichen will; das Maß der Kräfte, das er mobilisiert, steht weitgehender als bislang in seiner Verantwortung. Der Lehrer erfährt eine Kontrolle seiner Tätigkeit, sieht, was erreicht worden ist, und kann gezielter weiteren Unterricht planen.

VI.

Es ist wohl erforderlich, Deutschunterricht in einer Phase des Übergangs zu begreifen, in der sich die Schule heute über die Bundesrepublik Deutschland hinaus befindet. Das heißt unter anderem, wir müssen uns als Deutschlehrer zu einer Pädagogik durchringen, die offener und zugleich genauer in ihren Planungsvorhaben ist, die dem Schüler genaue Lernabläufe innerhalb einer

Lernsequenz vorschreibt, die aber zugleich Grundlagen im Bereich der Arbeitsweisen vermittelt und damit Vertrauen in die selbständige Schülerleistung freisetzt.

Eine große Möglichkeit für Lehrer und Schüler kann bereits jede Form kompensationsreichen Unterrichts[9] sein, darüber hinaus jede im Klassenverband angeregte Differenzierung (sei es auch nur in den Hausaufgaben oder arbeitsgleicher Partner- und Gruppenarbeit); als Chance unterrichtlicher Entlastung und Ansatz zu neuer Motivation ist das Team-teaching-Verfahren kaum in den Blick gekommen. – Viele Ansatzpunkte der Pädagogik und Psychologie enthalten eine Chance, effektiven Deutschunterricht zu erteilen.

1 Vgl. die Curriculum-Forschung z. B. in Schweden, die damit verbundenen Zielsetzungen und das Faktum, daß bereits jetzt der neue Lehrplan, der 1972 in Kraft tritt, diskutiert wird.

2 Vgl. etwa Heinz Heckhausen, Förderung der Lernmotivierung und der intellektuellen Tüchtigkeiten. In: Roth (Herausgeber), Begabung und Lernen, Stuttgart 1969.

3 Vgl. ebenda R. Bergius, Analyse der Begabung: Die Bedingungen des intelligenten Verhaltens; ebenso: R. M. Gagné Die Bedingungen des menschlichen Lernens, Hannover 1969.

4 Vgl. zur genannten Literatur auch J. P. Guilford, Drei Aspekte der intellektuellen Begabung. In: F. Weinert (Herausgeber), Pädagogische Psychologie, Köln 1967.

5 Vgl. Anmerkung 2 und 3.

6 Vgl. Fuchs, Formale Bildung im Lichte der Untersuchungen zum Transfer-Problem: Transfer von Fertigkeiten, S. 216 ff. In: F. Weinert (Herausgeber), Pädagogische Psychologie, und Bergius, a. a. O., S. 229 ff.

7 Vgl. hierzu vor allem Gagné, a. a. O., sowie das Erfassen von Vorwissen durch informelle Tests.

8 Vgl. hierzu a. a. O. Gagné, daneben Chr. Möller, Technik der Lernplanung und Probleme der Lernzielerstellung, Weinheim 1969.

9 Vgl. U. Oevermann, Schichtenspezifische Formen des Sprachverhaltens und ihr Einfluß auf die kognitiven Prozesse. In Roth (Herausgeber), Begabung und Lernen, Stuttgart 1969.

Erika Dingeldey
Einiges zum Deutschunterricht als Mittelklasseinstitution

«Das Kind in der bürgerlichen Familie erfährt nichts von ihrer Bedingtheit und Veränderlichkeit. Es nimmt ihre Verhältnisse als natürliche, notwendige, ewige hin, es ‹fetischisiert› die Gestalt der Familie, in der es aufwächst. Es entgeht ihm daher Wesentliches über seine eigene Existenz.

Etwas Ähnliches gilt für die Menschen, die in der Gesellschaft in festen Beziehungen stehen ...» (M. Horkheimer, Von Innen nach Außen, in: Dämmerung, 1934.)

Zum Beispiel den Lehrer ... Er nimmt seine Berufsrolle wahr in einer Institution, die man heutzutage häufig als Mittelklasseinstitution bezeichnet.[1]

Wer in solchen Zusammenhängen von «Mittelstand» in mehr als nur zufälliger Weise spricht, neigt dazu, sich von dem zu distanzieren, was er einst «wie das Kind in der bürgerlichen Familie» hinnahm. Der Versuch, Verhältnisse zum Objekt der Betrachtung zu machen, die er bis dahin als «natürliche» empfand, wird für ihn zugleich zum Versuch, «Wesentliches über die eigene Existenz» zu erfahren. Gleichwohl wird von vielen als bloßer Angriff verstanden, was vor allem Analyse sein soll.

I.

Ist der Mittelstand nicht immer noch – so fragen seine Apologeten – Träger, Stütze, Säule fortgeschritten zivilisatorischer Gesellschaften? Die historische Rolle des tiers état wird in solchen Äußerungen zur ewigen hypostasiert. Doch schon die Metaphern, die der Beschreibung seiner gesellschaftlichen Funktion dienen, wecken den Verdacht auf Rechtfertigungsideologie. Seine Apologeten neigen dazu – das verrät Sprache –, den Mittelstand zum Mittelpunkt von Gesellschaft zu machen: er fungiert als Mitte zwischen den (bedrohlichen) Extremen, als Element des Ausgleichs, als Stabilitätsfaktor zwischen Revolution und Reaktion. In der Metapher Säule versinnbildlicht sich jenes bauliche Element, das die Basis mit der tektonischen Spitze verbindet, das andererseits auch die Strebungen der Spitze zur Basis vermittelt. Ausführliches und Positives können wir schon bei Aristoteles in der «Politik» nachlesen.

Im historischen Ablauf versucht Demokratie – die vom Bürgertum erkämpfte Staatsform – sich auf den Begriff zu bringen, indem alle ihre Klassen die ursprünglich vom Dritten Stand verbalisierten Ideen – Freiheit, Gleichheit, Solidarität – beim Wort nehmen wollen, sehr gegen Intention und Interesse dieses Dritten Standes, denn wer von der Freiheit des Besitzbürgers spricht, hat keineswegs die Freiheit des Lohnarbeiters gemeint, und wer von Gleichheit der Chance redet, hat keineswegs den Glauben an die natürliche Ungleichheit der Begabung aufgegeben.

Unser heutiges Bildungssystem gibt vor, jenem Anspruch auf die Verwirklichung einer Demokratie für alle – über das begrenzte Interesse einer Klasse hinaus – Genüge zu tun, indem es seinerseits von der Gleichheit der Chance für alle spricht. An diesem Anspruch sollte es gemessen werden. Wo wir den Glauben an die «Natürlichkeit und Notwendigkeit der Verhältnisse» aufgeben, begreifen wir sie als gemachte. Wer «macht» die Gleichheit der Bildungschancen in den Schulen, wer oder was macht sie zunichte?

Ein kurzer Blick auf die Agenten der Gesellschaft mit Erziehungsauftrag, die Lehrer, sei gestattet. Alle soziologischen Untersuchungen der letzten Jahre zur Herkunft vor allem der Gymnasiallehrer vermögen nachzuweisen, daß diese überwiegend der Mittelschicht entstammen.[2] In einem verhältnismäßig bruchlosen Enkulturationsprozeß haben sie die Normen ihrer Schicht stark internalisiert. Herkunft aus der unteren Mittelschicht kann, wie die Soziologie für aufsteigende Schichten generell notiert, sogar zu Überadaption führen. Mangelnde Fähigkeit zur Distanzierung von der eigenen gesellschaftlichen Umwelt, mangelnde Fähigkeit, diese zu relativieren und die eigene Position perspektivisch zu reflektieren, wird verstärkt durch den Ausbildungs- und Berufsgang. Er läuft über Schule und Universität in die Schule zurück, und die Vertreter des sekundären Sozialisationsprozesses – Lehrer, Professoren, Kommilitionen, Ausbilder – sind selbst vorwiegend Repräsentanten der Mittelklasse und vermitteln wiederum verstärkend deren Normen- und Wertsystem. Welche Folgen das für den politischen Unterricht hat, ist ebenfalls mehrfach untersucht worden und führt bei M. Teschner etwa zu der scharfen Aussage:

«Die Analyse der Orientierungsmaßstäbe, die den politischen Urteilen vieler Lehrer zugrunde liegen, stützt die Vermutung, daß sich die Art ihres politischen Bewußtseins von der ihrer Schüler kaum unterscheidet. Auch sie vermögen, vor allem infolge fehlender Kenntnisse von der Struktur der Gesellschaft, des Mangels an entsprechenden politisch-soziologischen Kategorien, auf politische Probleme häufig nur unpolitisch zu reagieren.»[3]

In unserem Zusammenhang allerdings erhebt sich die Frage: Ist der Mangel an strukturiertem politischem Bewußtsein tatsächlich relevant für ein vorgeblich so politikfernes Fach, wie es der Deutschunterricht im Bewußtsein vieler Lehrer ist? Werden nicht hier gerade überzeitliche Werte vermittelt, zweckfreie Einsichten, ewige Wahrheiten vom Sinn des Lebens?

Die Fragen stellen, heißt, ihren Anspruch überprüfen.

II.

Der Deutschunterricht ist mit Werten ohne Frage befaßt. Es beginnt ganz allgemein: Pünktlichkeit, Ordnung, Sauberkeit, Ehrlichkeit, Gehorsam sind hier nicht nur Mittel zu Zwecken wie in vielen anderen Fächern, sondern werden, vermittelt über Literarisches oder vorgeblich Literarisches, zum Gegenstand des Unterrichts selbst. Lesebuchgeschichten – und nicht nur diese – bieten Modellfälle aller Art: arm, aber ehrlich, pünktlich und sauber wird häufig zum Vorbild. Tugenden, die, als instrumentelle erkannt, durchaus Sinn haben können, sofern man ihre jeweilige Funktion diskutiert und damit ihre jeweiligen Zwecke durchsichtig macht, werden unproblematisiert absolut gesetzt. Der Lehrer akzeptiert sie als solche und vermittelt sie als solche, er bedient sich dazu der Literatur; das hat er gelernt:

«Die Interpretationen der akademischen Literaturkritik und die in diesen Interpretationen praktizierten Werthaltungen sind viel weniger für eine direkt daran partizipierende Öffentlichkeit als vielmehr zur fachlichen Ausbildung künftiger Erzieher bestimmt, deren Aufgabe wiederum darin bestehen wird, mit Hilfe der schon von Tocqueville aufgezeigten Möglichkeiten der Literatur zur Idealisierung pädagogisch zu wirken, was nichts anders bedeuten kann, als mit Hilfe der Literatur Wertmaßstäbe als Verhaltensorientierung zu vermitteln.»[4]

Werte werden von Gesellschaften nicht abstrakt-voluntaristisch gesetzt; sie entsprechen bestimmten Bedürfnissen innerhalb der Bedingungen ihrer Existenz, unter ihnen spielen notwendigerweise die aus der Art und Weise ihres materiellen Reproduktionsprozesses hervorgehenden eine bedeutende Rolle. Wo Werte generell absolut gesetzt werden, dient dies der Verschleierung ihrer Zwecke. Die Lesebuchgeschichte – in älteren Ausgaben noch häufig zu finden – vom Lehrling, der des Abends ein paar Pfennige zu viel in der Kasse hat und Überstunden machen muß, um den Fehler herauszufinden (paradigmatisch für ähnliche Geschichten stehend), gibt Hinweise. Die genannten Tugenden dienten und dienen vor allem der Disziplinierung des einzelnen im Arbeitsprozeß unter den Reproduktionsbedingungen der Industriegesellschaft. Deren Produktionsweise und Geschäftsverkehr hingen vor allem in der ersten Phase der Akkumulation davon ab, daß die ihrerseits Abhängigen die oben bezeichneten Wertvorstellungen internalisierten. Ergänzend zu diesen wären noch zu nennen: Sparsamkeit, Genügsamkeit, Zufriedenheit mit dem eigenen Los (wobei schon mit dem Wort «Los» Sprache die Leistungsideologie der bürgerlichen Gesellschaft dekuvriert).

Die auf ewigen Lohn zielenden Versprechungen der bürgerlichen Religionen des Protestantismus («Arbeit als gottgewollter Lebenszweck»[5]) für Triebverzicht und Triebaufschub haben sich hier säkularisiert und werden verinnerlicht als Selbstwertempfindungen, die der Ersatzbefriedigung dienen müssen. Notwendiger Konsumverzicht, den die Akkumulation des Kapitals im ökonomischen Explosionsprozeß der industriellen Revolution erzwang, ist ihr materielles Äquivalent. Nur dort aber, wo solche Tugenden zur scheinbar zweckfreien Selbstbestätigung, zur «innerweltlichen Bewährung» gereichen, läßt sich bei den Betroffenen der Ärger vermeiden darüber, daß die am wenigsten von ihnen haben, die sie ausüben. So werden die gesellschaftlich Arbeitenden zu dem Glauben erzogen, daß man durch das, was Analyse als gesellschaftliche Zwänge aufdecken würde, innerlich frei wird.

Für den Mittelstand gehören – von der Soziologie nachgewiesen – die genannten Tugenden zum positiven Selbstbild.[6] Gerade weil diese Schicht nicht unmittelbar Herrschaft ausübt, immer aber an Herrschaft mittelbar beteiligt war – was etwa der Begriff Dienstklasse ausdrückt –, hofft sie mittels der Überadaption an die Regeln, deren Befolgung das Funktionieren der bestehenden Gesellschaftsordnung garantiert, den Aufstieg in die Klasse zu erreichen, der dieses Funktionieren letztlich zum Vorteil gereicht.

Daß die genannten Werte einer bestimmten Gesellschaftsformation angehören, lehrt ein Blick auf die Antike, das Mittelalter: man stelle sich einen pünktlichen Achill, einen ehrlichen Odysseus, einen arbeitsamen Raubritter vor.

Klaus Roehler hat bei einer Untersuchung deutscher Sprachlehren[7] sehr amüsant den Typ, der als Galionsfigur des Deutschunterrichts, bauchig vom Wertsyndrom, gelten kann, als «braven Mann» synthetisiert. Der «brave Mann» ist selbstverständlich sehr arbeitsam und pflichtgetreu. Die Arbeit, darauf weisen häufig «Deutsche Sätze» hin, enthält ihren Wert in sich, auch die körperliche. Sie ist entweder purgatorisch oder schöpferisch, immer aber sittlich («Arbeit adelt»). Auch hier zeigt der Blick auf andere Zeitalter anderes: In der Bibel ist Arbeit vorwiegend Strafe, in der Antike ist körperliche Arbeit gesellschaftlich diskreditiert, im Mittelalter wird sie als Last betrachtet, der man so gut wie möglich zu entgehen trachtet. Erst im Aufbruch des Bürgertums wird sie schon beim Abbé Sieyès zum Mittel der Diskriminierung zwischen dem eigentlich staatserhaltenden Stand (der Bourgeoisie) und dem parasitären (dem Adel). Und während Arbeit, wie man in Sozialgeschichten des 19. Jahrhunderts nachlesen kann, durch brutale Zwangsmaßnahmen (Arbeitshäuser etc.) von den herrschenden Gruppen zwecks Rekrutierung und Reglementierung einer industriellen Arbeitsarmee den noch nicht Willigen (mit ihren dafür notwendigen Aspekten von Pünktlichkeit, Genauigkeit und Ausdauer) «beigebracht» wurde, vollzog sich ihr Aufstieg ins Reich der Sittlichkeit, wo sie auch der Deutschunterricht ansiedelt.

Es geht hier nicht um das pure Lob des Nichtstuns, um die Ablehnung von Arbeit überhaupt. Es geht darum, den Verlust ihrer historischen Dimension zu kritisieren. Arbeit wurde dem Mittelstand einst zum Instrument der Emanzipation. Über sie erhielt der einzelne in der Tat gelegentlich seinen durch Leistung markierten Platz in der Gesellschaft; in den meisten Fällen allerdings nur, wenn Besitz ihn unterstützte. Dennoch: die Chance, die der Tüchtige in einer Zeit hatte, da die feudalen Schranken gerade zugunsten der Entfaltung bestimmter Individuen gefallen waren, mochte in der Tat anfänglich realisierbar sein. Die Arbeit des Handwerkers, Landwirtes und Unternehmers «lohnte sich», «zahlte sich aus», war selbst- und nicht fremdbestimmt. Nach der historischen Einlösung ihres emanzipatorischen Anspruchs für die Bourgeoisie jedoch veränderte Arbeit im Lauf der ausgelösten Entwicklung ihre Bedingungen und wurde unter anderen Produktionsverhältnissen zum Mittel der Unterdrückung. Die Wirklichkeit bewegte sich unter dem gleichbleibenden Anspruch des Begriffes fort, und statt daß der unerfüllte Anspruch zur Veränderung der schlechten Wirklichkeit aufforderte, diente der unveränderte Begriff zum Trost über die Ungerechtigkeit ihrer Aufrechterhaltung.

III.

«Die Arbeitszeit wird um so absolut toter, . . . die Geschicklichkeit des einzelnen um so unendlich beschränkter, und das Bewußtsein des Fabrikarbeiters wird zur letzten Stumpfheit herabgesetzt; und der Zusammenhang der einzelnen Art von Arbeit mit der ganzen unendlichen Masse der Bedürfnisse wird ganz unübersehbar und eine blinde Abhängigkeit, so daß eine entfernte Operation oft die Arbeit einer ganzen Klasse von Menschen, die ihre Bedürfnisse damit befriedigte, plötzlich hemmt, überflüssig und unbrauchbar macht.»[8]

Das sagte Hegel, nicht Marx, und er sagte es 1805. Der heutige Deutschunterricht befindet sich mit der Art seiner Betrachtung der Arbeitswelt noch nicht in der Nähe solcher Erkenntnis. Statt dessen weist er mit Lehrern, Literatur und Lesebüchern immer noch darauf hin, daß der Arbeitende Erfüllung findet, der eigentliche «Lohn» ein innerlicher sei, wodurch er – in Seele und Gemüt transferiert – dem, der mit dem realen nicht auskommt, zum wahren Schatz wird, der reale Mangel aber zur Schuld. Lohnforderungen werden so zu etwas recht Unfeinem; Konflikte in der Arbeitswelt als Interessenkonflikte kaum gesehen, geschweige denn erwähnt; die Problematik der entfremdeten Arbeit nicht behandelt, ihre weitgehend (nicht absolut) mögliche Aufhebung durch Reduzierung der mechanischen Operationen mittels Automation nicht diskutiert – und so bleiben alle damit aus der sozialen Umwelt sich entfaltenden challenges ohne response.

Gerade in diesem Bereich aber hätte der Deutschunterricht ein weites Feld. Es gälte, Emanzipationshilfen auszuarbeiten für die sinnvolle Gestaltung von Freizeit; Kriterien zu finden für die Manipulationstechniken der Konsumgesellschaft; Instrumentalien bereitzustellen, um die gesellschaftlich produzierten Kommunikationsschwächen überwinden zu lernen; überhaupt kognitive Prozesse in Gang zu setzen, die zur Einsicht in die eigene Lage verhelfen. Statt dessen produziert der Deutschunterricht Kulturpessimismus, Untergangsstimmung, unreflektierte Technikfeindlichkeit, «Massen»phobie – Reflexe der Abwehrmechanismen einer Klasse, die den eigenen Untergang zum Weltuntergang stilisieren möchte.

IV.

So wird der Deutschunterricht zum Residuum der Innerlichkeit. Ganz allgemein verstandene Werte abstrakter Humanität werden zelebriert, konkrete gesellschaftliche Bedingungen transzendiert. Das humane Experiment findet im luftleeren Raume statt. An seiner Verwirklichung – so lehrt es der Deutschunterricht – wird der Mensch wesentlich durch eigene Schuld gehindert, denn – so lehrt es der Deutschunterricht – das Individuum ist autonom. Es ist in seinen Entscheidungen vorgeblich weitgehend frei, nur von den Qualitäten seines «Charakters» oder dessen bloßem Aggregatzustand (Festigkeit oder Flüchtigkeit) abhängig. Abhängig wiederum nur insofern, als frühere Läuterungsmöglichkeiten im Hinblick auf die «Charakterbildung» versäumt wurden, – und das bedeutet weitgehende Bejahung des Schuldprinzips. Vorspiegelung von Freiheit als vorgeblich möglicher Selbstbestimmung muß im Bewußtsein derer, die solches gelehrt werden, gesellschaftlich bedingte Deformationen zu individueller Schuld verkehren. Dies einerseits im Hinblick auf die eigene Person, die deshalb lernt, ständig stark absorbierende Abwehrarbeit zu leisten (oder der Frustration verfällt), dies andererseits aber auch in bezug auf den Mitmenschen. Statt das Urteil zu stärken, wird auf diese Weise das Vorurteil bestärkt.

Die Natur, die Technik, die menschliche Umwelt, sie bieten einem solchen Charakter zwar Probleme, es kann vorkommen, daß er ihnen unterliegt – aber zumeist nur vorübergehend. Letztlich vermag er alle Probleme zu bewältigen («wenn er nur will»); im Kampf mit ihnen läutert er sich gar zum Helden. Totale Niederlage aber bewirkt nur das «Schicksal», der deus absconditus Hiobs, undurchschaubar vernichtet es den Menschen, der dennoch auch im Untergang «irgendwie» siegt. Darum kann kein Unterdrücker erkannt und angeklagt werden, kein Zwang benannt und aufgehoben, keine Bedingung durchschaut und verändert werden. Ein Deutschunterricht, der noch immer im Bereich der Grammatik fragt «Wer tut etwas», «Wer ist der Täter», wenn die Nominalgruppe eines Satzes wie «Das Kind weint» oder «Die Bedürfnisse des Käufers bestimmen das Angebot» festgestellt werden soll, lehrt nicht, nach den wahren Tätern zu fragen. Er lehrt indessen, Indizienurteile zu fällen, veredelt Passivität, macht den Dulder zum Helden, um ihn zu hindern, die Ursache seines Duldens zu bekämpfen.

Es hängt mehr, als man anzunehmen geneigt ist, an jener ungebrochenen Vorstellung vom Menschen als Persönlichkeit. Die Sozialpsychologie weist seit längerem auf die Notwendigkeit hin, den Menschen zu Ichstärke zu erziehen, weil nur durch diese er sich zu emanzipieren vermag, sowohl von den unkontrollierbaren Triebansprüchen seines «Es» als auch von den Forderungen eines allzu rigorosen Über-Ichs, das – Summe aller Autoritäten des Erziehungsprozesses – kritiklos Normen reproduziert. Diese Ichstärkung aber sieht die moderne Pädagogik gerade als eines der am schwersten zu lösenden Probleme im Sozialisationsprozeß des Menschen an, denn die Produktionsweise der entfalteten Industriegesellschaft mit ihren primär und sekundär entwickelten Manipulationsmechanismen setzt ihr stärkste Widerstände entgegen. Deshalb sollte der Deutschunterricht – statt «Persönlichkeit» zu hypostasieren – eher in die Analyse der Defekte von Ichentwicklung eintreten und in seine Methodik Versuche zu ihrer Überwindung einarbeiten; es ginge etwa um die Überwindung von Kommunikationsschwächen, mangelnder Fähigkeit zur Kooperation, Autoritätsgläubigkeit usw.

Hintergründig wird in den Persönlichkeitsbegriff noch immer eine Vorstellung von Ganzheit, Widerspruchsfreiheit und Identität eingebracht, deren sich zum Beispiel die moderne Literatur schon längst entschlagen hat –, denn nicht erst Gantenbein löst seine Identität in verschiedene Rollen auf. Auch der reale Mensch in der realen Gesellschaft reproduziert das ökonomische Moment der Arbeitsteilung für sein Ich als Zerfall in die verschiedensten Rollen; in nahezu jeder Rolle hat er anders zu reagieren, sich einer anderen Sprache zu bedienen, andere Werte zu betonen, andere Sanktionsmechanismen bei Übertretung der Rollenregeln zu erwarten. Der «Vorgesetzte» darf nicht das gleiche Verständnis «für die Jugend» haben, wenn er Lehrlinge im Betrieb behandelt, wie der «Vater» es vielleicht für seine kritischen Söhne aufzubringen vermag; als «Christ» würde ein solcher für Werte kämpfen wollen, die er als «Parteipolitiker» lieber verschweigt, und als «Verbandsmitglied» wird er in Aktionen einbezogen, die er als Christ und Parteipolitiker vielleicht aufs schärfste verurteilen würde. In jeder Rolle ist er eine andere «Persönlichkeit», sein Ich findet sich in deren Schnittpunkt – und bleibt häufig nur noch als Punkt.

Von jenem durch die Soziologie entwickelten Begriff der Rolle weiß der traditionelle Persönlichkeitsbegriff wenig. Moralische Kategorien, deren Inhalte als unveränderlich gelten, werden zum Maßstab für den Grad der Konsistenz eines Charakters. Ist er «uneinheitlich», so gerät er in die Nähe des Ruchlosen. Der «faustische» Mensch hat viel Bedenkliches, er stellt eine Stufe im Menschsein dar, die es zu überwinden gilt. Ist er doch einer, der «aus dem Geleise» kommt, «zerrissen» ist, für die Gesellschaft ein störendes Element, für sich ein Unglück. Man denke nur an die Rezeption der Romantik in der deutschen Germanistik und über sie vermittelt in den Schulen. Wie in der Ästhetik (auf die noch zu kommen sein wird) herrschen in der Anthropologie die Harmonievorstellungen vor, die das bürgerliche Bedürfnis so erfolgreich an die Klassik herantrug. Der «positive» Mensch ist maßvoll, ausgewogen (ein Element des Ausgleichs wie der Mittelstand), über mögliche «Abweichungen» findet er zuletzt doch den «rechten Weg». Seine Selbstverantwortlichkeit macht seine Souveränität aus.

Die autonome Persönlichkeit, das selbstverantwortliche Individuum stellen wiederum den Reflex eines Anspruchs dar, den die Revolution des Bürgertums anmeldete und den die neu geordnete Gesellschaft für ihre Aktionäre verwirklichte.

Der Blick auf ein nur scheinbar fern liegendes Gebiet möge erlaubt sein. Rudolf Wiethölter drückt den oben angeführten Gedanken in seinem Funkkolleg «Recht» so aus: «Der klassische liberale Verfassungsstaat sah in seinem Zentrum den politischen Bürger, den citoyen, der agierte oder sich mit anderen durch Parteien repräsentieren ließ.»[9]

Wiethölter weist darauf hin, daß man das Bürgerliche Gesetzbuch sehen müsse als kodifizierte Regelung der Interaktionen der Gesellschaftsmitglieder; in der Tat setzte es diese als autonome Vertragspartner voraus. Er versucht sodann nachzuweisen, daß diese Situation sich verändert hat.

«Im ganzen zeichnet sich hinter dem privatrechtlichen Autonomieschwund dasselbe Entwicklungsphänomen ab, das auch die politisch staatlichen Veränderungen beherrscht: Neue Ideale der Gesellschaft, Anpassung der Rechtsformen an diese Gesellschaft, Ablösung der liberal-individualistischen Besitzbürgergesellschaft mit ihren Zentren in Willensmacht und Individualverschulden durch die genossenschaftliche, kooperierende, solidarische Wirtschaftsgesellschaft.»[9]

Die neue pädagogische Aufgabe läge also darin, für eine veränderte Gesellschaft die neuen notwendigen Fähigkeiten zu entwickeln, soziale Tugenden also und öffentliche Tugenden, die Dahrendorf den «privaten» gegenüberstellt:

«Die privaten Werte setzen ... dem einzelnen vor allem Maßstäbe für seine eigene Vervollkommnung, wobei diese als gesellschaftsfrei konzipiert wird.»[10] Die «öffentlichen» aber lehren ihn einerseits, sich im gesellschaftlichen Rollenspiel zurechtzufinden und zu behaupten, andererseits Interessen zu durchschauen und die eigenen zu artikulieren und zudem – über das von Dahrendorf zitierte «getting along with each other» hinaus – Bereitschaft und Fähigkeiten zu sozialem Verhalten zu entwickeln.

V.

Gerade der Deutschunterricht hat hier Chancen, die weitgehend ungenutzt bleiben: Einübung ins Rollenspiel, das Distanzierung von der eigenen und Einübung in die fremde Rolle lehrt; Einübung in die verschiedensten Gesprächsformen als Mittel der Kommunikation, der Auseinandersetzung, der Sachklärung; Hinführung zu der Unterscheidung verschiedener Sprachcodes, deren Transfer untereinander heutzutage kaum noch möglich scheint, deren Unterschiede jedoch nicht als solche des minderen oder höheren Wertes begriffen werden sollten, sondern als je adäquate Formen der sprachlichen Bewältigung von Welt.

Dagegen übt unser Deutschunterricht immer noch in einen «guten Ausdruck» ein, der nichts anderes darstellt, wie vielfach Untersuchungen nachgewiesen haben (u. a. Bernstein, Oevermann), als den Code einer bestimmten Schicht, nämlich des Mittelstandes. Indem diese Schicht auch hier wieder über ihre Repräsentanten, die Lehrer, etwas verbindlich macht, was relativierbar ist, übt sie unreflektiert und vielleicht unbewußt Herrschaft aus, die diejenigen zur Anpassung zwingt, denen die «Mittelklasseinstitution Schule» sowieso nur geringe Erfolgschancen gibt: die Kinder aus unteren Schichten. Wo diese eine solche Anpassung, und das heißt letztlich kritiklose Unterordnung, nicht leisten, «versagen» sie. Daß nur etwa 6–7 Prozent der Kinder dieser Schichten der Zugang zur Universität gelingt, ist nicht zuletzt auf einen Deutschunterricht zurückzuführen, der sich mit den Problemen kompensatorischen Sprachlehrens nie befaßt und für schlecht erklärt, was nur anders ist, weil es durch einen andersartigen Sozialisationsprozeß kodifiziert wurde.

Aber der durchschnittliche Deutschlehrer vermag die Werte nicht zu relativieren, die er für die ewigen der Menschheit ausgibt; ihre Historizität reflektieren hieße, sie in die Niederungen der schlechten Wirklichkeit herabziehen – und dies wieder könnte einen höchst unbequemen Prozeß kritischer Auseinandersetzung mit der Realität in Gang setzen. Darum wird soziales Engagement nur als privat-persönliches akzeptiert: der Freund, der sich für den Freund aufopfert, der heroische einzelne, der im Augenblick höchster Not sein Leben für die Rettung anderer gibt – das sind die Vorbilder. Wo aber bleibt der Gewerkschaftler, der gegen die Ausbeutung der Unternehmer kämpft (nicht alleine), wo der Verbraucher, der gegen unvertretbare Preisbindung angeht (nicht allein), wo der Bürger, der die für die Verschmutzung von Luft und Wasser Verantwortlichen auch tatsächlich zur Verantwortung zieht?

Schon die Beispiele klingen profan. Aber: «Der Bürger unserer Tage und seine Interessen sind, wie wir alle wissen, ohne Organisation und Repräsentation hilflos und unversorgt. Verbände, Gruppen, Interessenvertreter treten in die Lücken und erzielen auf ihrer Ebene der organisierten Interessenkraft gleichsam annähernd wieder die Waffengleichheit, die das Autonomiemodell voraussetzt . . .»[11]

Dies genau – soziales Engagement über das Privatissimum hinaus – wird als Interessengruppenegoismus abgetan; und zugleich werden soziale Utopien, deren Ziel die Veränderung bestehender (schlechter) gesellschaftlicher Verhältnisse ist, als Schwärmerei verächtlich gemacht. Das geschieht in einem Deutschunterricht, in dem die Ethik der Selbstlosigkeit propagiert wird, wenn sie nur funktionslos bleibt für Aspekte von Veränderung, d. h. Askese übt im gesellschaftsfernen Raum. Denn das Gegebene wird hinzunehmen empfohlen, weil es «Natur» ist, und das heißt Notwendigkeit. Kampf um Interessen materieller Art ist unfein. Über Geld sprechen jene nicht, die es zwar über die unmittelbaren Bedürfnisse hinaus relativ ausreichend haben, aber damit nicht beruflich oder gesellschaftlich umgehen, die Bildungsbürger. Die Bedürfnisse des Menschen transzendieren im Deutschunterricht zu Hunger und Durst nach den Bildungswerten, nach dem Schönen – und damit sind wir bei der bürgerlichen Ästhetik.

Denn die beschriebenen Werthaltungen, internalisierte Momente eines schichtgebundenen Sozialisationsprozesses, reflektieren sich nahezu ungebrochen im schönen Schein der im Deutschunterricht geübten Ästhetik. Wenn wir diesen Terminus im Sinne der Baumgartenschen «Ästhetica» von 1750 ff. (der historisch ersten Konzeption einer ästhetischen Theorie) mit «Wahrnehmung» übersetzen, so geht es uns darum, auch in der Art der künstlerischen Wahrnehmung Sedimente einer ganz bestimmten Wahrnehmung von Welt zu erkennen. Sedimente deshalb, weil die Ästhetik des Deutschunterrichts vorwiegend mit einem Kunstbegriff operiert, der einer längst vergangenen historischen Epoche zugehört; wir können ihn kurz als den der Klassik signalisieren:

«Die verschiedenen Künste wurden aus ihren Lebensbezügen herausgelöst, als ein verfügbares Ganzes zusammengedacht . . .; und dieses Ganze wurde als Reich zweckfreien Schaffens und interesselosen Wohlgefallens gegenübergestellt dem Leben der Gesellschaft, die rational, in strenger Ausrichtung auf definierbare Zwecke zu ordnende Aufgabe der Zukunft zu sein schien. So drückte die Zusammenfassung zur Kunst den unter ihr befaßten Schaffensvorgängen und Hervorbringungen den Charakter des Ästhetischen, und das will sagen: der Zweckfreiheit auf.»[12]

Kontrastierung von Gesellschaft und Kunst, Zweckrationalität und Zweckfreiheit, Interessenkampf und interesselosem Wohlgefallen – das führt in den simplifiziert-genügsamen Rezeptionen der bürgerlichen Literaturwissenschaft zu Wertstratifikationen, innerhalb deren sich über eine schmutzige Wirklichkeit das Reich der Kunst als das Reich des Idealen erhebt. Partizipation an letzterem bedeutet Aufwertung des Individuums, Partizipation an der ersteren Herabkommen, so einfach ist das. In jenem durchgängigen Trend der akademischen Literaturwissenschaft zur Verdinglichung und Versteinerung von Konzeptionen ästhetischer Apperzeption (deren Innovationsimpulse für einen bestimmten historischen Augenblick nicht geleugnet werden dürfen), verkümmert in den Schulen das Reich der Zweckfreiheit zum Literaturkatalog, dessen Werke man «gelesen haben muß». Da nur die höhere Schulbildung Zeit hat, ihn zu vermitteln, da nur sie also Zugang zum Reich des Idealen verleiht – und dieser Zugang nur von einem geringen Teil der Gesellschaft (7%) aus ökonomischen Gründen wahrgenommen werden konnte und kann –, akzentuiert die Teilnahmemöglichkeit an dieser Bildung den Unterschied zwischen wertvollem und wertlosem Individuum.

«Die kulturelle Konformität» derer, die den gleichen Zitatenschatz besitzen, sagt Hubert Ivo, «ist Teil einer umfassenderen gesellschaftlichen Konformität einer Gruppe, für die man bis zum Ersten Weltkrieg die Bezeichnung Bildungsbürgertum verwendete. Die Zugehörigkeit wird auch, und nicht zuletzt, durch literarische Kenntnisse ausgewiesen. Literaturkenntnis wird zum Statussymbol. Diese Funktion hat (neben anderen), wenn auch mit bedeutsamen Abwandlungen, der Literaturunterricht an Gymnasien heute noch».[13]

Eng verknüpft hiermit ist die Einengung des Begriffs «Literatur» auf das «Dichterische» und in ihm auf das, was sich als bleibend erwies, denn Zeit fungiert in solchen Zusammenhängen nie als Agens von Veränderung, sondern nur als Konservator und Stabilisator von Werten; Akkumulation von Wertbeständigem (auch hier) macht ihre zentrale Funktion aus.

Gerade die vorgebliche «Überzeitlichkeit»[14] von Literatur hebt sie in Sphären, wo sie kaum noch Relevanz besitzt für eine Erziehung, die sich rühmt, auf Emanzipation aus zu sein. Sie wird zum Monument, dessen Betrachtung antiquarisch geschulten Bewunderern erhebende Gefühle zu vermitteln vermag. Diese ihrerseits dienen dazu, solchen Konsumenten den Feierabend zu verklären, sie zu beruhigen über den Rückzug aus der schlechten, wenig «schönen» Wirklichkeit. Wo die Historizität von Kunst unvermittelt zu Antiquität wird, wird paradoxerweise nicht ihr Ewigkeitswert gerettet, sondern es werden Ruinen konserviert. Eine solche Kunst ruht in Frieden. Sie ist jener Momente ihrer Wahrheit beraubt, mittels deren sie die Unwahrhaftigkeiten ihrer Epoche, deren Deformationen und Entfremdungen aufdeckt, um – vielfach ohne das Bewußtsein solcher Intention – über die Sensibilisierung des Menschen für das, was sein sollte, Impulse zur Veränderung auszulösen. Insofern ist Kunst sowohl historisch (d. h. in ihre Epoche eingebunden) als auch dieser und jeglicher Epoche transzendent. Sicher würde kaum jemand dies ernstlich abstreiten, häufig aber wird nur das letztere akzentuiert. Vorwiegend das letztere sehen aber bedeutet, die konkreten Momente von Kunst in unverbindliche Allgemeinheit auflösen. Damit wird sie als Luxusgut Gebrauchsgut, Schmuck oder Ornament, von hohem Wert für den, der es sich leisten kann, unbegrenzt verwertbar, affirmativ. (Man denke nur an die Rezeption Schillers durch das Bürgertum des 19. Jahrhunderts.)

VI.

H. Marcuse bezeichnet das «katastrophische Element, das dem Konflikt zwischen dem Wesen des Menschen und seiner Existenz innewohnt» als den Mittelpunkt, auf den Kunst seit ihrer Abspaltung vom Ritual sich richte.[15] Diesen Konflikt aufzeigen und ihn nicht als «Natur» und «ewig» abtun, hieße einen beunruhigenden, provokatorischen Aspekt von Kunst in die Erziehung einführen. Vor der möglichen Aufhebung dieses Konflikts (und Marcuse sieht sie als möglich an) «behält die Kunst ihre kritische Erkenntnisfunktion: die noch immer transzendente Wahrheit darzustellen, am Bild der Freiheit gegen eine sich ihr verweigernde Realität festzuhalten».[16] Und er fügt hinzu: «In ihrer tiefsten Schicht ist die Kunst ein Protest gegen das, was ist.»[17]

Wie könnte ein Deutschunterricht sie so sehen, dessen Vertreter die bestehende Wirklichkeit im Grunde nicht in Frage stellen, für die Kunst darum letztlich zur Draperie bürgerlicher Existenzweise wird, durch deren sorgfältig angeordnete Plüschfalten sich Aufklärung keinen Eingang zu verschaffen vermag. Sie erhält so Verhüllungs-, Verschleierungsfunktion, und für jene, die man nicht gelehrt hat, Wirklichkeit zu bewältigen, kann sie sogar zur Droge werden, mittels derer sich Flucht aus der Wirklichkeit eröffnet.

Schönheit heißt die ästhetische Qualität solcher Kunst, und diese läßt sich im Wesentlichen zurückführen auf ontologische Kategorien wie Ebenmaß, Harmonie, edle Einfalt und stille Größe. Mit solchen Begriffen werden Seinsvollkommenheiten postuliert, in denen die Widerstände der Realität eher negiert oder desavouiert als aufgehoben erscheinen. (Anders verhält sich dies in der Epoche der Entstehung solcher Ästhetik.)

Der Kunst der Nachklassik, die so nicht mehr sein konnte, wollte sie nicht zur bloßen Lüge werden, hat darum in der herrschenden Lehre und im Deutschunterricht immer der Geruch von «Zersetzung» angehaftet, ihr wurden krankhafte und pathologische Züge nachgesagt, der «Verlust der Mitte» für sie beklagt; das Chaotische und nicht Ordnung sei ihr Prinzip, kurz, sie stelle eine heillose Kunst in einer heillosen Welt dar. Niemand allerdings scheint sich gefragt zu haben, ob die lange Illusion einer heilen Welt nicht deren Zustand mehr geschadet hat als der Verlust der Mitte, was immer das sei.

Folgendermaßen sieht N. Fügen eine der Hauptaufgaben moderner Literatursoziologie: «Schließlich wäre die Richtigkeit der Annahme zu prüfen, ob sprachliche Kunstwerke selbst dann, wenn sie deutlich und bewußt den Wertungen des komplexen Sozialsystems Widerspruch bieten, über den Kommunikationsweg der institutionalisierten Lehre in ihrer asozialen Virulenz immunisiert und resozialisiert werden.»[18] Die Richtigkeit dieser Annahme ist kaum anzuzweifeln; empirische Untersuchungen brächten nichts als den Beweis dessen, wie wenig das Schöne zum Ärgernis werden kann.

VII.

Das methodologische Äquivalent solchen Rückzugs in gesellschafts- und widerspruchsfreie Räume des Schönen stellt die sogenannte werkimmanente Interpretation dar, mittels derer die Germanistik nachweist, daß der Text eine Welt für sich sei. (Dies allerdings nicht nur aus Gründen ästhetischer Relevanz, sondern auch, weil sie sich hoffnungslos kompromittiert hat, als sie sich – vollkommen realitätsblind – einmal auf die Welt diesseits der humanitären Ideale einließ und politisch wurde.)

Doch will unsere Gesellschaft überhaupt einen anderen Deutschunterricht? Von welcher Seite kann man überhaupt Innovationsprozesse erwarten?

Welchen Widerstand leistet etwa die «institutionalisierte» Lehre in Gestalt der von ihr halb oder ganz ausgebildeten Angestellten von Schulbuchverlagen gegen den Verzicht auf das Lesebuch alten Stils. Gewiß, man ist bereit zur Reform, ältere Dichtung wird durch neuere ersetzt; man ist sogar bereit, Konzessionen ans Leseverhalten zu machen, indem man ein Plätzchen für Ausschnitte aus Comics, Western, mit einem Wort «Schundliteratur» reserviert, um Modernität zu beweisen; man kontrastiert der «guten Literatur» gar ein paar Texte aus der Gebrauchssprache. Didaktisch reflektiert jedoch wird das Ganze selten; im Grunde erzwingt der Konkurrenzdruck die geringen Veränderungen. Textsammlungen, in denen die sogenannte «gute» Literatur (im oben skizzierten wertbeständigen Sinne) nicht das Schwergewicht erhält, werden abgelehnt. Einer elitär-verquollenen Vorstellung von Sprache erscheinen sie als «minderwertig». Die gesellschaftliche Umwelt des Schülers jedoch konfrontiert ihn zum geringsten mit Sprache als Dichtung. Es wäre auch eine völlig illusionäre Vorstellung, zu glauben, dann kompensiere eben wenigstens der Deutschunterricht solchen beklagenswerten Mangel. Bei der Mehrzahl der Schüler hat nachweisbar der Deutschunterricht genau den entgegengesetzten Effekt: er erzeugt für weite Bereiche Literaturmüdigkeit.

Eine Sensibilisierung für Sprache der Dichtung scheint mir unmöglich, solange die Sprachen seiner Umwelt (die der Technik, der Wissenschaft, der Politik, der Wirtschaft, der Bürokratie usw.) den jungen Menschen ob ihrer Undurchschaubarkeit überwältigen. Sie sind es, denen er ausgeliefert ist, die er zu beherrschen oder zumindest zu durchschauen gelernt haben muß. So aber umstellen sie ihn, kreieren vorgebliche Wirklichkeiten, an die er glaubt, weil er der Sprache zu vertrauen geübt hat, denn wenn Marquis Posa Gedankenfreiheit fordert, so meint er es (sagt der Deutschlehrer) – was aber meint der Politiker in einem bestimmten Kontext? Da dem Schüler die Einsicht in die Strukturen solcher speziellen sozialen Codes fehlt, unterwirft er sich fraglos dem, wovon er sich nicht zu distanzieren vermag. Wenn B. Whorf sagt: «Man fand, daß das linguistische System (mit anderen Worten, die Grammatik) jeder Sprache nicht nur ein reproduktives Instrument zum Ausdruck von Gedanken ist, sondern vielmehr selbst die Gedanken formt, Schema und Anleitung für die geistige Aktivität des Individuums ist, für die Analyse seiner Eindrücke und für die Synthese dessen, was ihm an Vorstellungen zur Verfügung steht»[19], so läßt sich daraus der Schluß ziehen, daß die verschiedenen Codes der gleichen Sprache zumindest Nuancen in die Synthese dessen einbringen, was dem Menschen an Vorstellungen zur Verfügung steht, so daß es gut wäre, Sprache auch als Instrument zu erkennen, das nicht wir benutzen, sondern das uns benutzt.

Ökonomisch gesehen wäre solche Sprachauswahl im Lesebuch, das anders heißen müßte, für die Verlage in der Tat recht «wertlos», denn eine notwendig zeitbedingte politische Rede (nicht jeder Politiker arbeitet so auf die Ewigkeit hin wie Perikles) wird kaum so viele Auflagen überstehen wie Hesses «Im Nebel»; die Forderung nach häufigerer Rotation der Texte bringt Unruhe und Risiko ins ach so sichere Geschäft.

«Es ist nicht einzusehen, weshalb die Literaturwissenschaft, die stets darauf bestanden hat, mit der Sprachwissenschaft auf engste und unlösbare Weise verknüpft zu sein, sich lediglich mit solchen Texten beschäftigen dürfte, die fiktionaler Natur sind, also mit Dichtung... Wenn es zu den Aufgaben der Literaturwissenschaft, der Schwester der Sprachwissenschaft, gehört, Texte zu analysieren, dann kann ihr niemand vorschreiben, welche Art von Texten der Untersuchung würdig sind. Nicht nur Essay und Kritik, Satire und Pamphlet, sondern auch Predigt und Traktat, forensische und politische Rede, gelehrte Abhandlung und Gesetzestext, Berichte und Dokumente jeder Art: alles Geschriebene kann und soll Gegenstand der Analyse werden, auch und gerade die zum alsbaldigen Verbrauch bestimmten Erzeugnisse der Presse und der Werbeindustrie.»[20]

Man sieht, sogar die professoralen Lehrstühle bleiben nicht unberührt von der Einsicht in die gesellschaftsbildende Kraft von Sprache im umfassendsten Sinn, – wenn es auch wenig genug sind. Wo solche Progressivität jedoch waltet, beginnt für den traditionalen Germanisten der Verfall, für den Lesebuchverlag die (zugegeben) unsichere Spekulation auf die Zukunft in Gestalt eines rationaleren Deutschunterrichts. Erzieherische Arbeit leisten darf dieser und jener Professor gerade noch: es kostet ihn nur Kraft, kein Geld. Nicht so den Verlag; so entschließt er sich in den meisten Fällen zum Kompromiß zwischen alt und neu, ein Trost dem Studienrat, der sonst die Welt nicht mehr verstünde, dessen Meinung zu erkunden man sich mit viel Geld die Mühe gemacht hat und der schließlich repräsentativ ist. Und weil er es ist, wird er es auch bleiben.

VIII.

Dennoch: nicht gegen den Lehrer sollten sich unsere Angriffe allein richten. Er selbst ist nicht jene autonome Persönlichkeit, an die er glauben möchte, um es zu sein. Seine Lehrerrolle ist Endergebnis eines extrem hermetischen Sozialisationsprozesses, aus dem ihm gerade seine Berufsausbildung kaum Chancen des Ausbrechens vermittelt. Im Grunde unterliegt er der Schulsituation bis zum Ende seiner gesamten Ausbildung. Diese ist unter anderem gekennzeichnet, wie P. Fürstenau in einer sorgfältigen Analyse nachzuweisen sucht, durch eine über die Institutionsstruktur hervorgerufene «maximale Abhängigkeit der Schüler hinsichtlich jeglicher Bedürfnisbefriedigung vom Lehrer». Dies führt dazu, daß sie «den Lehrer in den begrenzten Aspekten seiner rollenmäßigen Wirksamkeit zum Ideal nehmen. Auf diese Weise wird das vom Lehrer Gebotene von den Schülern, wenn auch oft mit Widerstreben, aufgenommen und verinnerlicht».[21]

Diese Schülersituation repetiert sich für den werdenden Lehrer immer neu –

mehr als in jeder anderen Ausbildung, wo es immerhin häufig Kontakte mit anders strukturierten, dem realen Leben der Gesellschaft näheren Bereichen gibt. Der werdende Lehrer hat darum auch viel weniger Möglichkeiten, sich aus Abhängigkeiten zu befreien, und er reproduziert sie – endlich «selbständig» agierend – wiederum neu, so daß er in den ihm entgegengebrachten Widerständen die eigenen Frustrationen ahnden muß, um sich zu behaupten.

Hinzu kommt ein anderes: «Die Ersetzung des Lernens in Lebenssituationen durch ritualisiertes Lernen in artifiziellen Schulsituationen gliedert die Gehalte des Weltverständnisses auf, isoliert sie und zerstört damit ihren vorherigen Sinnzusammenhang . . . Kein Moment der Kultur kann innerhalb der Schule seine außerschulische Dynamik frei weiterentfalten. Historische Ereignisse, Zeugnisse fremder Kulturen, Dichtungen werden institutionseigenen, schulischen Zwecken dienstbar gemacht. Durch Auswahl, Bearbeitung, mindestens aber Interpretation und zeitliche Dosierung ihrer Wirkung werden sie den Unterrichtszielen der Schule angeglichen.»[21]

Immer von neuem wird also die Handhabung von Isoliertem eingeübt (für die Germanistik gilt dies in besonderem Maße); selbstverständlich erleichtert das die Verwaltung der eigenen Existenz, dient der Angstvermeidung, schleift sich zu Selbstsicherheit ein. Wie sollte gerade der Deutschunterricht, dessen Qualität bisher gerade in «Ferne vom Tageskampf» gesehen wurde, der als Studienfach schon eher jene anzieht, die das Reich des Idealen dem der Realitäten vorziehen, Impulse der Veränderung setzen. Wie sollte es der künftige Deutschlehrer in der oben skizzierten Situation können, wenn die Lehrstühle der Germanistik noch kaum den Studierenden Chancen bieten, sich in Linguistik, Literatursoziologie, Kommunikationslehre, Sprachphilosophie und Sprachsoziologie einzuarbeiten, ja, wenn diese Gebiete in weiten Bereichen der herrschenden Lehre geradezu als Zerfallserscheinungen gelten und wir in Deutschland unseren Rückstand gegenüber der internationalen Forschung als elitäre Besonderheit feiern.

Und welche Schwierigkeiten bieten sich jenen Lehrern, die anderes wollen, wenn ihre konstruktiven Kräfte im Grunde von der Anstrengung absorbiert werden, zunächst einmal die Bedingungen für eine Gesellschaft zu schaffen, in der überhaupt das Bedürfnis nach einem emanzipatorischen Deutschunterricht entsteht.

Bis dahin nistet in der Ideologie über den angeblich politikfernen Deutschunterricht eminent Politisches: der Widerstand gegen den Weg in eine Gesellschaft, in der in der Tat alle Mitglieder die gleiche Bildungschance haben.

1 Charlotte Lütkens, Die Schule als Mittelklasseninstitution, in: Soziologie der Schule, Kölner Zeitschrift für Soziologie und Sozialpsychologie, Sonderheft 4, 1959, 5. Aufl. 1968, S. 22 ff.

2 Vgl. Gerwin Schefer, Das Gesellschaftsbild des Gymnasiallehrers, Frankfurt a. M. 1969.

3 Manfred Teschner, Politik und Gesellschaft im Unterricht, Frankfurt a. M. 1968, S. 120.

4 Norbert Fügen, Wege der Literatursoziologie, Neuwied und Berlin 1968, S. 31.

5 Vgl. Max Weber, Die protestantische Ethik und der Geist des Kapitalismus, in: Gesammelte Aufsätze zur Religionssoziologie, Bd. 1, Tübingen 1920, S. 17 ff.

6 Siehe u. a. Karl M. Bolte, Deutsche Gesellschaft im Wandel I, Opladen 1967[2], S. 330 ff.

7 Klaus Roehler, Die Abrichtung. Deutsche Sätze für Schüler und Erwachsene, in: Kursbuch 20, 1970, S. 78 ff., vgl. seinen Beitrag im vorliegenden Sammelband, S. 107 ff.

8 Das Zitat von Hegel stammt aus der Jenenser Realphilosophie I, S. 239.

9 Rudolf Wiethölter, Recht, in: Wissenschaft und Gesellschaft, Funkkolleg, FTB 846, S. 274 u. 239.

10 Ralf Dahrendorf, Gesellschaft und Demokratie in Deutschland, München 1966, S. 329.

11 Wiethölter, a. a. O., S. 236.

12 Fischer Lexikon (35/1), Literatur 2/1, Frankfurt a. M. 1965, S. 53.

13 Hubert Ivo, Kritischer Deutschunterricht, Frankfurt a. M., Berlin, München 1969, S. 8.

14 H. Ivo zitiert Erika Essen, Ivo, a. a. O., S. 25.

15 Herbert Marcuse, Die Gesellschaftslehre des sowjetischen Marxismus, Neuwied und Berlin 1969 (2), S. 130.

16 H. Marcuse, a. a. O., S. 130.

17 H. Marcuse, a. a. O., S. 132.

18 N. Fügen, a. a. O., S. 32.

19 Benjamin Lee Whorf, Sprache – Denken – Wirklichkeit, rde Bd. 174, 1969 (1963), S. 12.

20 Herbert Singer, Literatur, Wissenschaft, Bildung, in: Ansichten einer neueren Germanistik, München 1969, S. 45 ff. Zitat S. 53/54.

21 Peter Fürstenau, Zur Psychoanalyse der Schule als Institution, in: Das Argument 1964, Heft 2 (29), S. 65 ff. Zitate S. 72/73.

Wendula Dahle

Wir Deutschlehrer

Polemische Notizen zum Angebot von Heldenfiguren

Nicht von der Praxis des Deutschunterrichts sei hier die Rede – diese beginnt hinter geschlossener Klassenzimmertür und hängt davon ab, wie der einzelne Lehrer die «pädagogische Freiheit» nutzt; wohl aber von den Anleitungen zur Praxis, den Richtlinien, Lehrplänen, Methodiken. Sie formulieren «die Grundfragen» des Deutschunterrichts und beantworten sie. Sie benennen den «Bildungsauftrag».

Ulshöfers «ritterlicher Mensch» ist tot. Bis 1965 konnte er unbekümmert gegen «Sexus», «Eros», «Machttrieb», das «Leiden an der Wirklichkeit», gegen die ganze «Lebensnot» zu Felde ziehen. Dann hatten «gewisse Kritiker» das schöne Idealbild «mißverstanden», und Ulshöfer fand ein neues, «personales Erziehungsziel».

Das neue Ideal unserer Deutschdidaktiken ist der «demokratische Mensch». Fest mit beiden Beinen steht er auf den Böden des Grundgesetzes, der Länderverfassungen und der Schulgesetze. Er ist fähig zur «Gemeinschaft» (nach Art. 2 GG), entfaltet frei sein Ehrgefühl (nach Art. 5,2 GG), er hat «Würde», «Persönlichkeit», «Gewissen» und gebraucht seine Freiheit (nach Art. 1–5 GG) auf rechte Weise. Er ist ein «sich Erprobender». Tugenden sind von ihm gefordert wie ehedem von Beowulf und Siegfried. Denn er liegt im «doppelten Kampf» gegen «gefährliche Mächte in der Welt und im eigenen Innern». Darin «bewährt» er sich.

So unheldisch, wie mancher befürchtet hat, ist diese Demokratie also gar nicht! Wo aber finden sich die «abendländischen Vorbilder» (Flitner), wie heißen die Helden, die aus der allgemeinen «Verworrenheit der geistigen Situation» herauszuführen vermögen?

Dem Einwand, ob überhaupt es solcher Vorbilder bedarf, ob diese Personalisierung von erwünschten gesellschaftlichen Verhaltensweisen nicht womöglich gesellschaftliche Zusammenhänge und Wirkungsgesetze eher verdeckt als veranschaulicht – begegnen die Methodiker zumeist mit jugendpsychologischen Argumenten. Schon das Kind fühle sich in seiner Sicherheit bedroht. Es verlange darum nach dem Märchen und seinen «arglosen Helden», die das Böse, weil Sinnwidrige, bezwingen und das Kind in eine heile Welt zu leiten vermöchten. Vollends in der Pubertät, da «der Zwiespalt zwischen Sinnlichkeit und Vernunft, Gefühl und Verstand ... erfahren wird», bedürfe es neuer Helden. Denn die Welt sei in der Tat «zerrissen», «unbehaust», sie habe keine «Mitte» mehr. Um so mehr bedürfe es der Vorbildfiguren die die gefährdeten Werte «hochhalten» und den Jugendlichen zu einem «eigenständigen Wertbewußtsein» verhelfen.

Dieses Verlangen der Deutschdidaktiker wird durch den «Tod» des literarischen Helden keinesfalls relativiert. Der literarische Held, dessen individuelle Entwicklung einst die bestehende bürgerliche Ordnung widerspiegeln konnte, in dessen Figur das Persönlich-Zufällige eine «bestimmte konkrete Höhe der Allgemeinheit» (Lukács) erreicht hatte, starb, als die offizielle bürgerliche Ideologie als geschlossenes System erschüttert worden war. Seitdem kann der «Held» weder den politischen Konflikt noch die Erzählform, den Handlungsablauf, den Stil bestimmen. In dieser Situation haben die Schriftsteller entweder den Rückzug ins Private angetreten oder sind zum Protest übergegangen. Ihre Mutmaßungen und Ansichten, ihre Helden ohne Eigenschaften, ihre unvollendeten Sätze, Hoffnungsprinzipien, Publikumsbeschimpfungen, Blindenschriften, Popanzen, gar die von ihnen verfaßten politischen Manifeste – sie passen eigentlich nicht in das Konzept deutscher Schulbildung, das vertrauensvoll davon ausgeht, daß den Schülern durch «Sprachwerk und Gespräch» der «Blick für die Mannigfaltigkeit des Weltanschauens» geöffnet werde, da «diese Erfahrung» sie auf den Weg «zu geistiger Freiheit und zu sinnvollem Bezug im Spannungsfeld menschlicher Gemeinschaft» bringe. Wie aber soll dann der «Zugriff auf sinnlich-wahrnehmbare und geistige Wirklichkeit» gestaltet werden?

Zwei Auswege werden in der Fachdidaktik Deutsch angeboten: Verlegung der verbindlichen Vorbildlichkeiten in bekannte historische Figuren und Vermittlung moderner Literatur unter dem Primat der «Sprachbetrachtung».

So werden nunmehr als Ersatzhelden in den neuen Richtlinien, Methodiken und Lesebüchern historische Gestalten aufgeboten, ihre Biographien und Begegnungen in Anekdoten, Berichten, Selbstzeugnissen ausgebreitet. In der Liste dieser «großen und vorbildlichen Menschen» führen Albert Schweitzer, Elsa Brandström, Fritjof Nansen, Hans Hass, Sven Hedin, R. F. Scott, Maria Theresia, Dietrich Bonhoeffer, Helen Keller. Bei «lebenskundlicher» Einteilung erscheinen ihre Namen unter Rubriken wie «Der Einzelne und die Gemeinschaft», «Schicksal und Bewährung», «Menschlichkeit-Menschlichkeiten», «Menschen des Alltags»; bei formaler Einteilung unter «Bericht», «Tagebuch», «Briefe», «Anekdoten». An diesen Gestalten werden «Vitalwerte wie Mut, Ausdauer, Unerschrockenheit, Furchtlosigkeit» demonstriert, die sich allerdings verbinden müssen mit «Selbstkritik, Mannesehre und Zivilcourage».

Die Flucht aus der Realität in die unhistorische «Größe» ist evident. Die moderne Literatur, die die Geschlossenheit des Wertsystems in Frage stellen könnte, wird jedoch ebenfalls enthistorisiert – durch den *sprachbetrachtenden* Ansatz im Literaturunterricht: Die Vermittlungen zur Gesellschaft bleiben außer Betracht, das Kunstwerk ist autonomes «Sprachkunstwerk». Die verlorene «Gemeinschaft» wird über die Betrachtung der «Muttersprache» im Gedicht, im Drama und im Epos wiederhergestellt. Die Muttersprache soll mit ihrer «menschenbildenden Kraft» dem Schüler Halt für die gewünschten «Haltungen» geben, denn «Ziel der literarischen Bildung ist das literarische Gebildetsein».

Der Lehrer soll dementsprechend den Schüler weniger nach Sachkenntnissen als nach seiner aktiven «Teilhabe» an dieser «Muttersprache», als «Mitglied» dieser «Sprachgemeinschaft» beurteilen. Aus dem «Staunen vor dem wunderbaren Ordnungsgefüge der Sprache» wird das Staunen vor den menschlichen Ordnungsgefügen überhaupt; unangepaßte Schüler dürfte dieser Deutschunterricht nicht produzieren. Dazu gehört, daß dem sonst so gescholtenen Deutschlehrer in den Didaktiken ein Selbstverständnis angeboten wird, das schließlich ihn selbst zum Maß der Dinge: – zum *Helden* macht:

«Wir Deutschlehrer / Sonderstellung / Medium jeglicher Wahrheit / anvertraut ist / innerstes Sein / Herzschlag unserer innersten Freiheit / das Gewissen der Höheren Schule / tragen die Methodik des Deutschunterrichts in uns / geben Lesehilfe, Verständnishilfe, Werkhilfe, / Heilung durch Bildung / spornen an / in einer der Muttersprache angemessenen Haltung.»

Alle als Zitate gekennzeichneten Formulierungen und Beispiele sind folgenden Quellen entnommen:

Robert Ulshöfer, Methodik des Deutschunterrichts, Bd. 3 (1966), Vorwort, S. 54f., 61, 63; ders. Bd. 1 (1963), S. 2.

Erika Essen, Methodik des Deutschunterrichts (1968), S. 13.

Leo Weisgerber, Die fruchtbaren Augenblicke der Spracherziehung. In: Wirkendes Wort, Sammelband IV (1962), S. 9 und 19.

Winfried Pielow, Dichtung und Didaktik (1963), S. 123.

Hermann Helmers, Didaktik der deutschen Sprache (1966), S. 256; ders., Der moderne Deutschunterricht und seine Theorie. In: Festschrift f. Hans Schorer (1969), S. 15.

Bernhard Weisgeber, Beiträge zur Neubegründung der Sprachdidaktik (1964), S. 223.

Richtlinien für den Unterricht an den Gymnasien des Landes Niedersachsen, 1, Deutsch (1965), S. 53/54.

Rahmenpläne für Unterricht und Erziehung in der Berliner Schule, Gymnasium: Deutsch, B III c 2 (1968), S. 1.

Lesebücher:

Ernst Bender, Dt. Lesebuch für Höhere Schulen, Bd. 4 und 5 (1966/65).

Lesebuch A (Gymnasium) 9, (1967).

Der Strom, Bd. 7 (1965).

Begegnungen 4 (1966).

Biographische Notizen

Berg, Martin, geb. 1938, Studienrat im Hochschuldienst an der TH Darmstadt, Lehrstuhl der Pädagogik

Bienko, Gertrud, geb. 1902, Studienrätin i. R. in Koblenz.

Büchner, Claus, geb. 1931, Oberstudienrat und Fachleiter für Pädagogik am Studienseminar Bremen.

Büning, Nanne, geb. 1940, Studienassessorin in Berlin.

Dahle, Wendula, Dr. phil., geb. 1937, Studienassessorin in Berlin-Neukölln, Lehrbeauftragte an der PH Berlin und FU Berlin für Soziolinguistik und Fachdidaktik.

Dingeldey, Erika, geb. 1936, Studienrätin in Frankfurt/Main.

Grünwaldt, Hans Joachim, geb. 1938, Studienrat in Bremen.

Gutte, Rolf, Dr. phil., geb. 1926, Oberstudienrat und Fachleiter für Psychologie am Studienseminar Bremen.

Hart, Dietrich, Dr. phil., geb. 1934, Wissenschaftlicher Assistent am Deutschen Seminar der Universität Erlangen-Nürnberg.

Hartwig, Helmut, geb. 1936, Oberstudienrat und Fachleiter für politische Bildung am Studienseminar Offenbach.

Hoffacker, Helmut, geb. 1938, Studienassessor in Bremen.

Ide, Heinz, geb. 1912, Oberstudienrat und Fachleiter für Deutsch am Studienseminar Bremen.

Lecke, Bodo, Dr. phil., geb. 1939, Studienreferendar in Bremen.

Roehler, Klaus, geb. 1929, studierte Wirtschaftswissenschaften, Geschichte, Philosophie, lebt als Schriftsteller (Hörspiel, Feature, Aufsätze) in Berlin.

Wenzel, Rudolf, geb. 1936, Studienrat in Bremen.

Zu einzelnen Beiträgen

Die Beiträge von Nanne Büning «Im demokratischen Gewand» und Martin Berg «Besinnungsaufsatz» wurden zuerst veröffentlicht in «alternative» 61 (1968). Klaus Roehlers Abhandlung ist ein Teil seines Aufsatzes «Die Abrichtung. Deutsche Sätze für Schüler und Erwachsene» in «Kursbuch» 20. Wendula Dahle «Neutrale Sprachbetrachtung» ist die überarbeitete Fassung eines Beitrags in «Das Argument. Berliner Hefte für Probleme der Gesellschaft» 49 (Dez. 1968); Wendula Dahle «Wir Deutschlehrer» ist ein überarbeiteter Aufsatz aus «alternative» 6 (1968). In Rolf Guttes Arbeit «Deutsche Werte» ging seine Publikation «Deutsche Werte – Eine Analyse der Reifeprüfungsthemen» in «Frankfurter Hefte» 3/1968 ein.